G000067616

Buffon

Histoire naturelle

Textes choisis et présentés
par Jean Varloot
avec des extraits du
Voyage à Montbard
d'Hérault de Séchelles

Gallimard

PRÉFACE

*Il est rare qu'un ouvrage scientifique passe à la postérité au point d'être lu encore, deux siècles plus tard, par le grand public. On lit peu Aristote, on lit encore Platon. C'est que Platon n'est pas seulement un philosophe, c'est un grand écrivain. Faut-il donc considérer Buffon comme un savant ? un penseur ? un écrivain ? En tout cas, le sort de l'*Histoire naturelle *invite à en faire de multiples lectures.*

On en trouve la preuve dans les titres des choix qui en ont été faits par le siècle précédent : Beautés de Buffon, Choix moral, Buffon de la jeunesse, Le Buffon des enfants. *L'intérêt y est centré sur la description, et l'illustration, amorcée par les planches originales de l'ouvrage, a inspiré maint artiste, jusqu'à Benjamin Rabier et Picasso. Mais prenons garde : l'*Histoire naturelle *n'a pas seulement joué, d'avance, le rôle d'un zoo, ou de quelque feuilleton filmé sur les animaux du monde. Les images de Picasso n'ont rien de figuratif, elles signifient. Prenons garde encore : Buffon n'est pas l'apôtre d'un « sentiment de la nature » romantique ou de son succédané, l'écologie vulgaire. Il y a bien une leçon dans l'*Histoire naturelle, *mais elle ne se livre pas à première lecture ; c'est une philosophie, au sens très riche et très* *humain que les « philosophes » donnaient à ce mot. J'invite le lecteur à la découvrir et me bornerai à l'aider.*

Que veut dire, pour commencer, ce terme d'histoire naturelle ? Dans la culture classique, il transcrit le latin de Pline l'ancien, mais le mot histoire remonte au grec d'Hérodote et n'a pas perdu totalement son sens primitif d'enquête, qui convient bien alors à une science d'observation (le terme « sciences naturelles » n'a été préféré que de nos jours dans l'enseignement). On s'instruisait sur le monde en lisant une histoire naturelle, en des temps où la masse des gens ignoraient encore que la terre était ronde, et où peu d'entre eux pouvaient venir voir les animaux « des autres continents » au Jardin du roi.

Mais le mot histoire avait déjà aussi le sens, qui a prévalu, d'un exposé chronologique, et le terme d' « histoire naturelle » joue sur un double plan, si le principe est admis que les êtres constituant actuellement le monde, de l'homme aux minéraux, des planètes aux vermisseaux, ont eu une histoire, ont connu des changements. On ne peut donc plus se contenter, comme l'abbé Pluche, d'écrire un Spectacle de la nature, *magnifique succès de librairie parce qu'il mène de la description à l'admiration puis à l'adoration de l'auteur de la nature. Si la nature a eu une histoire, le vrai « naturaliste », qui ne se fie qu'à ses yeux et à sa raison devant l'état présent des choses, est obligé de recourir à son imagination devant les restes du passé. Grave question, fondamentale, qui suscite les « systèmes », et pousse chacun à construire le sien pour « interpréter » la nature.*

*Encore faut-il considérer cette nature autrement que comme une entité immatérielle, et presque une divinité. C'est pourquoi, et bien qu'il mette au mot la majuscule selon l'usage, Buffon a donné la raison suivante à son refus d'écrire un article « Nature » pour l'*Encyclopédie *de Diderot : « Lorsqu'on nomme la nature purement et* *simplement, on en fait une espèce d'être idéal auquel on continue de rapporter comme cause tous les effets constants, tous les phénomènes de l'univers. » Il n'écrira donc pas une « Histoire de la nature » mais, gardant le titre de Pline, une* Histoire naturelle. *Bien plus, non content d'exclure tout fait dénué d'une cause interne à l'univers, il veut bannir toute classification prématurée : il faut « appeler un chat un chat », dit-il, « plutôt que de vouloir, sans savoir pourquoi, qu'un âne soit un cheval et un chat un loup-cervier ». C'était, en réalité, se situer en deçà d'un effort nécessaire à une science naissante; mais en refusant les « nomenclatures » pédantes, Buffon se maintenait au niveau d'un public bien plus large et avide de connaissances. Il est des œuvres qui viennent à leur moment, qui dure peu.*

*

Le moment était en effet crucial dans le développement de ce qu'on appelle de nos jours les sciences de la vie. Pendant la seconde moitié du XVIIe siècle (ce résumé est forcément très simplifié), les naturalistes s'étaient inspirés des règles cartésiennes, combinées, de raison et d'expérience : c'est ce qu'on a appelé le « mécanisme », qui assimile les animaux à des machines. Or les recherches nombreuses menées un peu partout en Europe à la fin du siècle avec de nouveaux instruments tels que le microscope s'inscrivirent en faux contre les explications simplistes du mécanisme, et ébranlèrent la confiance en la raison humaine, provoquant une résurgence du scepticisme traditionnel. On voit alors se développer séparément une réflexion abstraite, mathématique, qui, surtout grâce à Leibnitz et Newton, tente de ramener le mouvement à quelques lois, et une recherche anarchique des phénomènes du monde encore peu connus, des insectes aux polypes, et surtout des « animalcules » aux « œufs » : le grand débat portait en effet sur la génération, que les ovistes attribuaient aux seuls « germes femelles » et les « animalculistes » aux seuls spermatozoïdes découverts récemment.

C'est seulement après 1730 que vinrent d'Angleterre des hypothèses explicatives et que surgirent en France les premiers essais d'interprétation cohérente, comme celles de La Mettrie et de Maupertuis. Dans l'impasse ou plutôt la contradiction où elle se trouvait enfermée, la biologie ne pouvait naître définitivement que grâce à un saut de la pensée, alliant une nouvelle fois la science et la philosophie.

*

Il fallait pour cela un « grand homme », arrivé au même moment par son âge, doté socialement de la culture nécessaire et, surtout peut-être, d'une volonté et d'une ambition à toute épreuve. Bien que, dans le présent volume, il ne soit pas prévu d'accorder beaucoup de place à la vie personnelle de Buffon (on se reportera aux biographies), il faut la situer, pour comprendre son action et son œuvre, dans son milieu et son époque. Il n'est pas, comme Diderot, citadin d'origine et fils d'artisan. Né avant lui, le 7 septembre 1707, il a sur lui des retards et des avantages. La petite cité de Montbard, à peine plus développée qu'un bourg rural, est fort éloignée du centre culturel de Dijon ; c'est le statut judiciaire et administratif de son père, du nom roturier de Leclerc mais conseiller au parlement de Bourgogne et administrateur de la gabelle, qui permit au futur Buffon d'entrer au collège des Godrans. Il pouvait, avec la bénédiction du président Bouhier, comme de Brosses son cadet, passer de là à la magistrature, et l'héritage de son oncle maternel, mort fermier général du roi de Sicile, ne pouvait que faciliter son ascension vers la noblesse : son père en avait déjà profité pour acquérir, outre la châtellenie de Montbard, la terre et seigneurie de Buffon, quelques lieues en direction de Paris. Mais une fois bachelier et licencié, à dix-huit ans, Georges Louis Leclerc, déjà fort intéressé par les mathématiques (il lit les Principia *de Newton et correspond avec Cramer de Genève), se rend à Angers, peut-être poussé par un des membres de la colonie anglaise de Dijon, pour y suivre des études de médecine. La médecine mène alors à l'histoire naturelle, mais le voici d'abord emmené par deux amis anglais, le duc de Kingston et le docteur Nathaniel Hickman, dans un « grand tour » de deux années, par Nantes, Bordeaux et Montpellier, jusqu'à Rome par Genève. Sa correspondance ne permet pas de suivre quelque évolution intellectuelle, mais ce voyage le mit en contact avec des esprits éclairés et lui ouvrit les yeux sur une nature multiple qu'il rappellera, au passage, dans l'*Histoire naturelle*. Surtout, de ce voyage revint un adulte accompli, sûr de lui, capable de défendre ses intérêts aussi bien devant son père remarié (son frère et sa sœur étaient entrés dans les ordres) que dans la gestion moderne de ses propriétés. C'est un homme entreprenant, dont l'ambition va être à la fois sociale et intellectuelle.*

Dès les années 1733-1734, l'Académie des sciences reçoit deux communications de lui sur des problèmes concrets de mathématiques, il mène par l'intermédiaire de Bouhier, avec le leibnitzien Bourguet, une discussion théorique sur la biologie — et il crée à Montbard une pépinière, qu'il vendra plus tard à l'État en en restant l'administrateur : il s'agit de planter les arbres qui conviennent le mieux sur les bords des nouvelles grandes routes de France. Le voici sylviculteur, membre associé de l'Académie à ce titre, bon mathématicien, bien qu'incapable de mathématiser ses expériences de naturaliste, traducteur de La Statique des végétaux *du newtonien Hales, introduit bientôt et fort bien accueilli dans les milieux scientifiques, mondains et libertins de la capitale. Il va devenir un homme du pouvoir éclairé. Soutenu par le ministre Maurepas, qui désire améliorer les bois de construction pour la marine, il mène tambour battant une carrière académique, et convie même le roi à une démonstration de « miroirs ardents » où il prouve, contre l'affirmation de Descartes, que l'expérience d'Archimède à Syracuse était possible. On s'explique à la fois qu'il ait obtenu sans trop de difficultés la charge d'intendant du Jardin du roi, qu'il préféra à celle de surintendant des forêts de la couronne, et qu'il faille, à son propos, faire toujours la part de l'aveu sincère et du discours public. Ses lettres de 1739 à Bouhier révèlent en lui un matérialiste, qui tiendra les propos les plus orthodoxes dans l'*Histoire naturelle. *Cette duplicité ou plutôt, comme a dit Lesley Hanks, cette bivalence, est donc moins caractérielle que sociale, comme chez tant d'apôtres du progrès.*

Seigneur terrien intransigeant, mais aussi industriel attaché aux progrès de la technique plus qu'au profit, il fait de Montbard un centre sidérurgique. Il a l'oreille du roi et de ses ministres, depuis Maurepas jusqu'à Saint-Florentin, Breteuil, Turgot et Necker, et s'il s'enrichit, s'il associe, comme les fermiers généraux, ses propres finances à celles de l'État, c'est en n'oubliant jamais d'œuvrer pour la gloire du roi et déjà de la nation. Il fabrique dans ses forges des canons pour le roi, mais traite ses ouvriers de façon paternelle. Et si l'on cherche bien, on lira sous sa plume mainte affirmation libérale : contre la misère des paysans, contre l'esclavage des noirs et... pour la paix. C'est pour des raisons à la fois économiques et biologiques qu'il attaque le célibat des moines et la « diète pythagorienne » des couvents... Par tous ces aspects il s'associe au combat des encyclopédistes, et l'on pourrait le considérer comme un partisan du « despotisme éclairé », si, malgré la confiance qu'il montre à l'égard de Louis XV et de Louis XVI, il n'avait parfois laissé percer un atavisme plébéien. « Cet homme, dit-il du prince Frédéric Henri de Prusse, quoique du sang des rois (nous soulignons), a plus de connaissances qu'il n'en faut pour faire la réputation de plusieurs particuliers. » Et parlant de l'abbé de Bourbon, un des fils naturels de Louis XV : « J'aimais son père qui bien que roi était un homme aimable. » Sans le considérer comme un révolutionnaire, on ne saurait voir en lui un légitimiste inconditionnel, et le modèle politique anglais l'inspirait certainement.

Tel est l'homme équilibré, sûr de lui, doué en d'autres temps pour monter une entreprise internationale, qui (avec ces procédés de financier que j'ai signalés plus haut et que soulignent les biographes modernes) va faire du Jardin du roi ce qui deviendra le Muséum d'histoire naturelle sous la république. Mais en même temps, et c'est par là qu'il passera à la postérité, il utilise ses capacités pour créer, développer et maintenir une entreprise visant à l'élaboration et à la diffusion de la science : l'Histoire naturelle. Organisateur de la recherche appliquée autant qu'animateur de la recherche théorique et lui-même théoricien, l'exploitant forestier, d'abord agronome, devient l'interprète de la nature à la tête d'une équipe de savants dévoués, comme le médecin de Montbard Daubenton, auteur de nombreuses « descriptions », son cousin Edme, chargé de la fabrication des planches illustratives, André Thouin, son futur successeur à la direction du Jardin et recruté comme jardinier en chef à l'âge de dix-sept ans. Comme Diderot,

*Buffon sut constituer et renouveler son équipe, surtout trouver des adjoints. Dans l'ensemble, l'*Histoire naturelle, *bien que beaucoup moins que l'*Encyclopédie, *est un ouvrage collectif, y compris dans la rédaction : mainte belle page de description fut d'abord écrite par l'abbé Bexon avant d'être corrigée, « mise au net » et signée par son maître et d'ailleurs bienfaiteur.*

Nous négligerons donc désormais la vie privée de notre auteur. On trouvera à la fin de ce volume une « chronologie » des principaux événements postérieurs : mariage riche mais manqué, mariage manqué aussi de son fils (dit Buffonet) avec la maîtresse du duc d'Orléans, amitiés féminines du « bon vieillard », qui longtemps n'aima que les « petites filles », avec Mme Necker et Mme de Genlis... Et nous signalerons seulement que ses ambitions furent satisfaites. Celui dont Voltaire avait dit à Helvétius, dès 1740, qu'il était parti pour la gloire, qui méprisait ses adversaires au point de ne jamais leur répondre, sinon en polémiste acéré et hautain, enveloppé de son attitude de grand génie du siècle, eut le plaisir orgueilleux de voir sa statue dressée au Jardin du roi en 1777, plus de dix ans avant sa mort, qui, survenue le 16 avril 1788, allait attirer aux obsèques vingt mille adorateurs.

*C'est que venait de sortir le cinquième et dernier volume de l'*Histoire naturelle des minéraux, *et que l'œuvre semblait presque accomplie : Lacépède publiera les quadrupèdes ovipares et les serpents, puis, de 1798 à 1804, les poissons et les cétacés. Mais les insectes avaient été négligés, et Buffon n'avait que peu contribué aux minéraux et même aux oiseaux. L'essentiel de son œuvre, si l'on peut qualifier d'essentiel un énorme ensemble, est constitué par les quinze volumes de l'*Histoire naturelle, générale et particulière *(1749-1767) consacrés aux animaux, et les sept volumes de* Supplément *(1774-1789).*

On trouvera dans notre chronologie les dates de publication de tous les tomes, mais il faut savoir que le Supplément contient, tout à la fois, des textes antérieurs à 1749, le Discours de réception à l'Académie française de 1753, des « additions » précises aux tomes de l'Histoire, parus depuis 1749, et, enfin, une œuvre majeure et tardive, « Des époques de la nature », au tome V.

Sans doute doit-on se méfier de la datation des imprimés. Ce tome V du Supplément porte le millésime 1778 et même ne fut mis en vente qu'en août 1779, mais les « Époques » avaient fait l'objet d'une lecture publique en 1773. Et, à l'autre bout de la chaîne chronologique, la « Théorie de la terre », imprimée en 1749, est datée à la fin, par l'auteur, de l'année 1744. Quant aux divers mémoires présentés à l'Académie de 1733 à 1748, ils ne sont pas toujours repris dans le Supplément sans modifications ; certains reçoivent de gros remaniements et une autre structure, au point de devenir un ouvrage nouveau, comme cet « Essai d'arithmétique morale » dont Jacques Roger a repéré presque tous les éléments originaux.

Il n'en reste pas moins que pour Buffon, il l'a toujours affirmé, son œuvre forme un ensemble ; et dès 1735 il avait défini sa méthode dans La Statique des végétaux. Nous sommes fondés à considérer l'Histoire naturelle comme un tout « général » et à en étudier les grands thèmes, quitte à déceler parfois une évolution dans ses hypothèses, et ses vues « particulières ».

*

Nous l'avons dit, histoire n'est pas forcément science. Au XVIIIe siècle, mainte pseudo-histoire naturelle n'avait pour but que la justification de préjugés métaphysiques ou de systèmes arbitraires. Il fallait donc, pour *construire une véritable science, nettoyer le terrain de ces tendances finalistes : « une raison tirée des causes finales n'établira ni ne détruira jamais un système en physique » (« Histoire générale des animaux » ; le mot système a ici le sens d'explication générale). Déjà, traduisant Hales, Buffon avait effacé du texte anglais les expressions d'enthousiasme devant les « merveilles » de la nature, et fait du* Creator *une espèce de Newton qui « a gardé dans ses ouvrages les proportions les plus exactes », nous apprenant donc à nombrer, peser et mesurer. Et le traducteur d'ajouter, de son cru, à la manière de Diderot dans l'*Encyclopédie *: « c'est la méthode la plus sûre ». A cette époque, il insiste donc sur la nécessité de l'expérience, et Condorcet, dans son « Éloge » de 1791, soulignera l'objectivité de ses premiers travaux. Mais Condorcet ajoute : « Il fut depuis moins timide », et, à bien la lire, la préface de la* Statique *trace un itinéraire plus ambitieux : « Amassons donc toujours des expériences, et éloignons-nous, s'il est possible, de tout esprit de système, du moins jusqu'à ce que nous soyons instruits ; nous trouverons assurément à placer un jour ces matériaux ; et quand même nous ne serions pas assez heureux pour en bâtir l'édifice tout entier, ils nous serviront certainement à le fonder, et peut-être à l'avancer au-delà même de nos expériences* [...], *c'est la voie qui a conduit de tout temps, et qui conduit encore aujourd'hui les grands hommes. » En 1749, dès le début de l'*Histoire naturelle, *il refusera de se borner aux disciplines et aux faits « particuliers » : « Il faut tâcher de s'élever à quelque chose de plus grand et de plus digne encore de nous occuper » ; et en 1758 : « La route expérimentale elle-même a produit moins de vérités que d'erreurs ; cette voie, quoique la plus sûre, ne l'est néanmoins qu'autant qu'elle est bien dirigée. »*

Ainsi, clairement et d'emblée, il se donnait le droit et

l'objectif d'inventer des théories ; *c'est-à-dire de grandes hypothèses, des vues synthétiques, par opposition aux petits « systèmes ». Il dédaignait d'entrer dans le jeu mesquin, par exemple, des « ovistes » opposés, pour la forme, aux « animalculistes » : tous sont renvoyés dos à dos dès le chapitre IV de l'*Histoire, *daté de 1746. Il ne consentait pas non plus à recourir à des catégories abstraites et a priori : « En général, plus on augmentera le nombre des divisions des productions naturelles, plus on approchera du vrai, puisqu'il n'existe réellement dans la nature que des individus, et que les genres, les ordres et les classes n'existent que dans notre imagination » (« De la manière d'étudier »).*

A vrai dire, ce dernier refus enfermait Buffon dans une contradiction. Son hostilité à Linné le « nomenclateur » — auquel il objecte mainte découverte comme l'existence du « polype », « être intermédiaire » —, sa crainte d'être enfermé dans une classification toute faite, son dessein, faisant table rase de tout mécanisme, d'en revenir aux différences réelles qui distinguent les individus, toutes ces belles intentions se heurtaient d'avance à un principe en lui enraciné : celui de garder à la nature vivante une stabilité, une permanence, et de la garantir par un postulat : l'unité de l'espèce.

*La table des matières de l'*Histoire naturelle, *établie par Buffon lui-même, montre bien à quel point il était attaché à ce principe. L'espèce est l'unité primordiale des êtres vivants, puisque chacune, une fois créée ou apparue à l'origine, se perpétue par la reproduction, immuablement. Tout au plus peut-elle « dégénérer » au cours du temps par rapport à sa forme originelle, de même qu'un individu au cours de sa vie ; mais c'est sous l'effet de causes externes, comme la nourriture, le climat, la « domesticité » pour l'animal, la vie en société pour l'homme. Seules ces conditions expliquent l'apparition* *dans l'espèce de « variétés », lesquelles ne sont nullement de nouvelles espèces.*

L'importance et la définition de l'espèce ont cependant quelque peu changé dans la pensée de Buffon. Il s'est si souvent et si longuement étendu sur les variétés, sur leurs causes, telles que l'humidité, qu'il avait très tôt étudiée en sylviculteur ; ne lui fallait-il pas tenir compte des constatations de Réaumur sur la régénération des pattes d'écrevisse, de Needham avec qui il avait expérimenté sur la multiplication des « polypes », ou hydres d'eau douce, prouvant une « force végétative » ? L'exposé même de longues séries d' « espèces » dans l' « Histoire générale des animaux » l'obligeait à réviser des conceptions trop étroites, à remettre en cause un compartimentage trop étanche. Surtout, enfin, cette étanchéité n'était-elle pas démentie par l'expérience des hybrides — des « mulets », comme on les désignait alors en généralisant le mot à tous les produits de croisements entre deux espèces ?... Après s'en être tenu au principe commode de la « stérilité des mulets », Buffon fait lui-même, avec un esprit scientifique qu'il faut souligner, des expériences d'hybridation sur la brebis et la chèvre ; et il en vient, entre 1760 et 1764, à admettre la fécondité de certains croisements chez les animaux domestiques comme chez les plantes. Alors, dit Jacques Roger : « La définition de l'espèce devient de plus en plus floue... son contenu biologique sera transféré à celle de genre. »

On constate en effet, surtout en 1766, des glissements sémantiques entre les termes espèce, genre, famille, variété, race. Le texte qui suit reflète bien cette confusion. « Mais après le coup d'œil que l'on vient de jeter sur ces variétés qui nous indiquent les altérations particulières de chaque espèce, il se présente une considération plus importante et dont la vue est bien plus étendue ; c'est celle du changement des espèces mêmes, c'est cette dégénéra-

tion plus ancienne et de tout temps immémoriale, qui paraît s'être faite dans chaque famille, ou si l'on veut, dans chacun des genres sous lesquels on peut comprendre les espèces voisines et peu différentes entre elles : nous n'avons dans tous les animaux terrestres que quelques espèces isolées, qui, comme celle de l'homme, fassent en même temps espèce et genre ; [...] toutes les autres paraissent former des familles dans lesquelles on remarque ordinairement une souche principale et commune, de laquelle semblent être sorties des tiges différentes et d'autant plus nombreuses, que les individus dans chaque espèce sont plus petits et plus féconds. »

Jacques Roger explique l'incertitude de cette pensée en disant que Buffon se comporte alternativement en biologiste attaché à la reproduction d'une même espèce et en naturaliste obligé de constater la différence des types d'animaux et la circulation qui se fait entre eux. C'est en tout cas ce double aspect de la « théorie », les contradictions des textes, qui ont permis des interprétations successives et opposées. Lorsque, au siècle suivant, s'élaborèrent les doctrines du transformisme et de l'évolutionnisme, et pendant longtemps encore, Buffon en fut présenté comme le précurseur, avec toute l'équivoque que recèle le mot, selon qu'il suggère une identification ou seulement un rapprochement partiel. Mais cette filiation a été remise en cause au XXe siècle, et, sans nous attarder sur ce débat un peu stérile d'érudits, rappelons que c'est vers 1950 que la réaction fut la plus vive : J. S. Wilkie déclencha alors une sorte de campagne contre l'image de Buffon transformiste ou évolutionniste. On lit à ce sujet, dans les ouvrages qui suivirent, les jugements les plus contradictoires, malgré la prudence nuancée de Jean Rostand, Jean Piveteau, Otis Fellows et même Teilhard de Chardin. Quant à nous, nous pensons, avec Herbert Dieckmann, qu'il ne faut pas nous placer pour en juger *au point de vue des théories postérieures à l'*Histoire naturelle, *mais tirer d'elle les positions du penseur.*

*Buffon soutient la permanence de l'espèce, mais ne prétend pas que toutes les espèces ont été créées ensemble : il laisse clairement entendre que l'homme n'est apparu qu'après un certain délai. « Tout ce qui peut être est » ne signifie pas qu'il est dès le début, sinon sous une forme latente. Inversement, certaines espèces, comme les mammouths, ont disparu. Buffon reconnaît d'autre part et souligne l'existence de changements, altérations, transformations. Le mot « dégénération » (qui n'est pas dans l'*Encyclopédie*) oscille, selon les passages de l'*Histoire, *entre le sens de dégénérescence, dégradation, et celui de création par hybridation, dont le résultat est souvent un succès. Buffon a relevé en outre des facteurs de changement indéniables. Simplement, il n'a mis en avant ni, comme Lamarck, l'hérédité des caractères acquis, ni, comme Darwin, la sélection naturelle. Si, enfin, il présente souvent la Nature comme un tout, parfois même comme un Tout abstrait et figé hors du temps, ce sont des formules périmées qui lui échappent, car dès 1756 il écrit : « le grand ouvrier de la Nature est le Temps », et en 1762 : « la Nature, je l'avoue, est dans un mouvement continuel ». En voilà assez pour conclure, avec Herbert Dieckmann, que sont remplies les deux conditions d'existence d'une véritable histoire naturelle : une création continue, une possibilité permanente de changement. Une seule chose arrête Buffon sur la voie qu'il a tracée, c'est l'attachement fondamental à deux principes rationnels sans lesquels il n'est pas de science : l'unité, l'ordre nécessaires de la nature, et la négation de toute catastrophe, c'est-à-dire d'événement sans cause décelable. La phrase que j'ai citée doit l'être entièrement : « le grand ouvrier de la Nature est le Temps : et comme il marche toujours d'un pas égal, uniforme et réglé, il ne* *fait rien par sauts ; mais par degrés, par nuances, par succession, il fait tout ». On ne peut plus clairement définir un refus des mutations.*

*

Mais, si les exigences de la raison (de la raison prédialectique) sont impératives, c'est parce que l'homme est au centre de tout. Au centre comme savant, au centre aussi comme acteur, dans les deux sens du mot. Ce qui sépare Buffon de Fontenelle, qui comparait la nature à un opéra dont les coulisses sont interdites, c'est qu'il voit l'homme comme une espèce privilégiée, fort différente des autres. Il a fallu attendre Paul Rivet pour que la chaire d'anthropologie s'éloigne du Muséum d'histoire naturelle et fonde un Musée de l'Homme, mais Buffon avait détaché et placé au premier rang de son Histoire *une longue partie consacrée à l'homme, qui est « dans la classe des animaux » mais forme une espèce unique, la plus noble de toutes.*

Il voit essentiellement dans l'homme seul un être doué intellectuellement, qui se réalise pleinement dans l'état de société. Ainsi considère-t-il comme secondaire la force physique, qui « est un petit avantage dans une société policée, où l'esprit fait plus que le corps, et où le travail de la main ne peut être que celui des hommes du dernier ordre ». Et il consacre à l'éveil de l'intelligence chez « le premier homme » un morceau célèbre, fondé sur la théorie « sensualiste », qui soutient que les idées ne peuvent venir que des sensations.

*Que fait-il donc de l'« âme » ? dira-t-on. Sur ce point encore, il y a double langage dans l'*Histoire. *En 1749, l'âme, immatérielle, reste comme enveloppée de la métaphysique cartésienne ; en 1753, Buffon cherche à découvrir le mécanisme de l'âme ; il n'écartera pas, enfin, la possibilité qu'elle soit matérielle.*

La contradiction évidente entre les affirmations philosophiques du savant et ses déclarations emphatiques d'orthodoxie religieuse a posé la question des croyances de Buffon. Sans doute, le sensualisme philosophique n'empêche-t-il pas un Condillac de croire en Dieu, et Voltaire est déiste, même s'il ne croit pas à l'existence de l'âme. Buffon est athée au témoignage d'Hérault de Séchelles, et a été considéré comme tel par tout le siècle dernier, avant de redevenir, si j'ose dire, déiste ; et cela au moins pour une période de sa vie, selon l'avis de Jacques Roger et d'Otis Fellows ; Jean Piveteau est même allé jusqu'à le considérer comme chrétien... En réalité, les affirmations d'orthodoxie, nécessaires à cette époque pour éviter la persécution, et affichées largement en façade, ne concernent pas, même si elles ont quelque fondement de sincérité, la démarche du savant et du penseur. La science de Buffon se passe de l'intervention divine, son Adam s'éveille seul au monde. Et si l'on y regarde de près, la négation du « catastrophisme » découle d'un refus général de tout miracle, de toute merveille. Un Dieu tout-puissant peut, dans un contexte idéologique donné, être appelé comme garant de l'ordre de la nature, à condition de ne pas y intervenir après coup pour le troubler, faussant l'interprétation que l'homme s'en est donnée et dérangeant l'action humaine sur le monde. Aussi la croyance de Buffon, si croyance il y a, doit-elle être vue comme celle d'un être supérieur au credo et aux pratiques de son temps. Comme un grand seigneur ignore et fait chasser les manants et les laquais, le grand génie du savant balaie les petitesses de la superstition : tout au plus accepte-t-il de se conformer aux capucinades nécessaires à la paix sociale, mais son « humanisme », limité lui aussi, ne s'inspire pas de l'Évangile.

Au reste, l'ordre de la Nature n'est guère plus facile à

prouver que la perfection d'un Dieu tout-puissant. Pourquoi existe-t-il des monstres ? Darwin élargira la notion de monstruosité et fera de la mutation (réussie) le point de départ de la sélection des forts qui permet ensuite le développement d'un nouveau groupe ; mais pour les naturalistes du XVIIIe siècle, le monstre reste une anomalie, un être dénaturé, dégénéré. Et l'on ne saurait les comprendre si on oubliait qu'au niveau des médecins (la plupart d'entre eux l'étaient d'abord), les problèmes de l'hérédité constituaient une sorte d'impasse, comme ils faisaient le souci permanent de leurs clients attachés à perpétuer leur sang. Aussi faut-il, selon moi, accorder une importance majeure, dans la pensée de Buffon, à ce qu'on appelait la « génération », c'est-à-dire la reproduction, et pour parler plus largement, plus fondamentalement, à la transmission de la vie. D'où vient la vie ? Comment se constitue-t-elle en organismes séparés ? Comment se transmet-elle ? A quelles lois obéit-elle ? C'est pour tenter de répondre à ces questions, ces seules questions, que Buffon a élaboré la seule partie « systématique » de son œuvre, la seule « vue » qui soit marquée surtout par son imagination personnelle.

D'abord, la vie n'existe que dans la matière. « Le vivant et l'animé, au lieu d'être un degré métaphysique des êtres, est une propriété physique de la matière. »

La vie est due à la chaleur, non pas tant celle de l'Univers que celle, interne, de la Terre. La chaleur agit comme l'attraction dans le système de Newton (ne pourrait-on l'y ramener ?), et cette action s'exerce par une fermentation (le mot est déjà chez Newton). Cette chaleur diminue inéluctablement et seul l'homme est capable de résister au refroidissement.

Quand la vie apparaît, loin d'être l'éclosion de « germes préexistants » (système qu'il a toujours rejeté, ne serait-ce que parce qu'il suppose une progression à *l'infini), elle se localise sous forme de* molécules organiques *de la matière. Toute matière est donc, ou a été organique : « la division qu'on devrait faire de la matière, est* matière vivante *et* matière morte, *au lieu de dire* matière organisée *et* matière brute ; *le* brut n'est que le mort » *(texte de 1749). C'est que « la matière tend à s'organiser », c'est un « effet général » de la nature : les molécules organiques s'associent pour former un organisme, un animal par exemple, et s'intègrent en lui grâce au « moule intérieur ». Il faut sans doute faire appel, pour comprendre cette partie de la théorie, à l'analogie de la fonte et de la forge. Utilisateur puis propriétaire des forges de Buffon, le savant a dû contempler le déroulement de la fusion du matériau et du modelage des pièces dans un moule ; de là à rêver analogiquement d'un moule inversé qui ne donnerait pas la forme par l'extérieur... Il ne s'agit pas d'une démarche mécanique : le moule est comme une force « pénétrante et agissante », analogue aux forces de la chimie et du magnétisme, il est imaginé comme actif et non passif. La théorie du moule permettait d'expliquer à la fois la nutrition et, grâce aux molécules en excès, la reproduction, et ainsi la continuité de l'espèce et de la vie. Tout cela dans une hypothèse « physique », sans recours à une action surnaturelle, quitte à la garantir par la « sagesse du Créateur ».*

Diderot a vu tout de suite l'intérêt et les limites de la théorie du moule et a consacré aux thèses de Buffon deux des questions très sérieuses qui terminent les Pensées sur l'interprétation de la nature : « *Les moules sont-ils principes des formes ? Qu'est-ce qu'un moule ? Est-ce un être réel et préexistant ? ou n'est-ce que les limites intelligibles de l'énergie d'une molécule vivante unie à de la matière morte ou vivante ?* [...] *Si c'est un être réel et préexistant, comment s'est-il formé ?* » *C'était critiquer la base même de la notion de moule, lequel finalement n'expliquait rien, s'il était* préexistant. *Mais il n'en reste pas moins qu'étant* réel, *le moule fait partie du monde physique et ne doit rien à une création surnaturelle. Diderot contribue ainsi à proscrire toute lecture idéaliste de l'hypothèse de Buffon.*

*Si l'on tient compte de leur nécessité logique et de leur valeur analogique, les hypothèses des molécules et des moules ne doivent donc pas nous empêcher de dire avec Darwin : « Buffon est le précurseur qui dans les temps modernes a traité ce sujet d'un point de vue essentiellement scientifique. » Si l'on insiste au contraire sur leur aspect spéculatif, on verra plutôt en leur auteur un théoricien ou même un rêveur. « Jusqu'à quand ferez-vous le Cyrano de Bergerac ? » lui disait le géologue Guitard, et d'autres rapprochaient l'*Histoire naturelle *d'un livre romancé en dialogues et bourré de légendes, où Benoît de Maillet avait exposé ses idées sur la formation de la Terre et l'origine de l'homme, livre intitulé* Telliamed *par anagramme du nom de l'auteur et paru en 1748.*

Il ne faut pas s'en étonner. Buffon, qui appréciait les éclairs d'imagination du Telliamed, *a tendu à une vision cosmique, qui lui a permis d'écrire les « Époques de la nature ». Vision du monde habité, de tous les peuples de la Terre à la fois. Vision dans le temps du passé, du présent et de l'avenir de la nature. Mais ce visionnaire de la science n'est pas un enregistreur passif. Non seulement il exalte la puissance de l'homme qui domine et modifie la nature, mais il est lui-même animé par un sentiment intérieur de la vie : associant son dynamisme personnel à une perception de l'énergie qui se transmet à travers les espèces ; participant à l'ensemble éternel des êtres vivants et à la fermentation universelle, il devinera, au-delà du monde immédiat condamné au froid absolu, la reprise de la vie sur d'autres planètes.*

Ni sceptique donc, le scepticisme étant le défaitisme du philosophe, ni pessimiste, car la nature est éternelle, le génie de Buffon allie la raison la plus claire à l'art de la fiction. Il se veut à la fois l'interprète et le chantre de la nature et se comporte, dans certaines pages, en chef d'orchestre dirigeant les hymnes de l'Univers. « Le ton du philosphe pourra devenir sublime toutes les fois qu'il parlera des lois de la nature, des êtres en général, de l'espace, de la matière, du mouvement et du temps, de l'âme, de l'esprit humain, des sentiments, des passions... » Cette phrase du Discours à l'Académie française, publié dans le Supplément *en 1777, date de 1753 (avec cette réserve que dans le texte original, au lieu des « lois de la nature », il y avait « Dieu »). Buffon songeait aux « Discours » et aux grandes « Vues » par lesquels il ouvrait et ouvrira ses volumes jusqu'en 1765, et qui sont la pointe extrême de son effort pour conquérir la gloire littéraire. Mais c'est là aussi l'aspect de son œuvre le plus difficile à comprendre si l'on s'attend à y trouver un ouvrage scientifique comme les autres.*

Il est de fait qu'il a été reconnu comme un des leurs par les plus grands écrivains de son temps. Si Voltaire lui fait reproche de son style « ampoulé », Jean-Jacques Rousseau voit en lui « la plus belle plume de son siècle ». Venant de l'auteur de deux Discours *célèbres, cet éloge mérite considération. L'éloquence buffonienne est faite à la fois d'une rhétorique habile, sachant user de la polémique et des détours savants de la généralisation et de la mise en garde, et de la structure majestueuse de périodes dignes de Cicéron, destinées à l'oreille autant qu'à l'œil. Rivarol n'avait pas tort d'y reconnaître la manière de Bossuet, car l'*Histoire naturelle *est voulue comme contredisant en le complétant le* Discours sur l'histoire universelle, *comme lui succédant et le suppléant à la fois. On s'est moqué de Buffon en se servant* *d'une anecdote, rapportée par son maladroit petit-neveu Nadault, où il est représenté comme n'écrivant qu'en manchettes de dentelle, mais cette image est le symbole même du respect qu'il professe pour son art d'écrivain. Car selon lui, l'homme de science, comme l'historien, ne laisse de trace personnelle que par son style, qui seul est « l'homme même ». Et cette célèbre formule n'était pas dans la première version du Discours à l'Académie, mais est une trouvaille du texte de 1777 : « Les ouvrages bien écrits seront les seuls qui passeront à la postérité : [...] la quantité des connaissances, la singularité des faits, la nouveauté même des découvertes ne sont pas de sûrs garants de l'immortalité ; [...] les connaissances, les faits et les découvertes s'enlèvent aisément, se transportent, et gagnent même à être mis en œuvre par des mains plus habiles. Ces choses sont hors de l'homme, le style est l'homme même : le style ne peut donc ni s'enlever, ni se transporter, ni s'altérer. »*

Malgré son contexte, la formule est souvent encore mal comprise. Elle ne signifie pas que les matières traitées soient négligeables : c'est justement leur valeur qui pousse l'écrivain à leur consacrer son art. Elle ne prône pas un style travaillé pour lui-même : Buffon condamne la recherche de l'originalité qui va contre le « beau naturel » et conseille le « mépris pour tout ce qui est brillant, et une répugnance constante pour l'équivoque et la plaisanterie ».

*Au reste, bien que Flaubert affirme : « J'ai été émerveillé de trouver dans les préceptes de style du sieur Buffon nos pures et simples théories sur l'art », on a accordé trop d'importance à des formules académiques galvaudées par l'école, trop de place aussi, dans les anthologies, à ces « discours » qui, dans l'*Histoire naturelle, *occupent moins de pages que les « Variétés dans l'espèce humaine » ou la description minutieuse* *des quadrupèdes ou des oiseaux. Et, lorsqu'on en est revenu au texte, on a constaté, avec Jacques Roger, une évolution sensible du style de Buffon, confirmée par l'examen des manuscrits, vers une « extrême simplicité » : dans les « Époques de la nature », la majesté fait même place à un certain didactisme, à une certaine technicité de vocabulaire, et dans l'*Histoire des minéraux, *selon Otis Fellows, on trouve « quelque chose de beaucoup plus comparable à une variété supérieure de la prose scientifique ».*

*Mais n'exagérons pas cette modification. Comme dans le domaine des idées, Buffon est resté fidèle à lui-même par son style, qu'on ne saurait définir qu'en dépassant l'aspect formel. La clarté, qu'il prône en classique et qu'il faisait vérifier par les « paraphrases » qu'il demandait à ses assistants, a été reconnue par les traducteurs modernes comme marquée par la souplesse et l'efficacité. La dignité, qu'il exige d'abord comme l'antidote de la platitude et de la mesquinerie, n'a pas chez lui en général la raideur pédante de l'art oratoire ; simplement, elle ne quitte pas le maître qui vient causer parmi son public, avec l'affabilité qui convainc. Ces qualités reflètent bien l'*homme, *« toutes les habitudes réelles qui constituent ce qu'on appelle* nature *dans un être particulier ». Sans doute songe-t-il surtout, en pensant à ce que son style exprime de sa personnalité, aux « beautés intellectuelles » : « Toutes les beautés intellectuelles qui s'y trouvent, tous les rapports dont il est composé, sont autant de vérités aussi utiles, et peut-être plus précieuses pour l'esprit humain, que celles qui peuvent faire le fond du sujet. » Mais il n'ignorait pas qu'on admirait aussi en lui le peintre de la nature. Certains illustrateurs feraient voir en lui un peintre animalier à la manière d'Oudry, mais Buffon ne cherche nullement la couleur, et l'on pourrait dire qu'il peint l'animal de l'intérieur, sans lui* prêter des sentiments humains, mais en sympathie avec ses passions. Cette sensibilité s'extériorise par une peinture du mouvement, comme les allures du cheval, ou par certains instantanés qui traduisent le caractère, tel ce portrait du coq, dans lequel je vois un autoportrait. Il s'attarde avec tendresse sur l'évocation des amours, comme celles des pigeons. Sainte-Beuve a pensé que le génie de Buffon était autant celui d'un poète que celui d'un philosophe ; mais ce n'est pas dans la noblesse musicale du style que nous reconnaissons la poésie, c'est dans cette sensibilité, cette communion permanente avec la nature, en général et en particulier...

La statue moderne de Buffon (1908) règne de nos jours au Jardin des Plantes sur une ordonnance qui a concrétisé son désir d'ordre dans la nature et dans la science. Mais il lui fallut cinquante ans pour la préparer, en conjuguant des décisions administratives imposées sans réplique avec une improvisation ardente, parfois confuse, facilitant l'initiative des chercheurs. C'est ce mélange de plan strict et de liberté dans la démarche que reflète l'Histoire naturelle.

Le programme général de la construction se voulait harmonieux et clair. Mais les parties ont été très inégalement réalisées, et de moins en moins : les Animaux et surtout les Quadrupèdes s'étaient adjugé le corps principal du bâtiment, orné de grands motifs oratoires ; les Oiseaux, les Minéraux durent se contenter d'ailes, inégales, sans parler des Insectes. Les sept volumes de Supplément, on l'a vu, associent des textes de toute date et de tout sujet : on s'y promène comme dans un labyrinthe plutôt qu'entre des parterres tirés au cordeau. En fait, dans le cours de l'œuvre, le lecteur s'aperçoit vite que le fil peut être dévié, pour répéter des idées jalons, pour *prolonger, approfondir des remarques germées d'abord aux accotements du chemin principal : fragments capitaux qui, bien que sertis dans un ensemble, plutôt qu'un dialogue à la Diderot sont une causerie à bâtons rompus.*

*Cette formule d'écriture ne gênait pas les contemporains. Les amateurs de sciences suivaient des périodiques où les nouvelles ne pouvaient suivre que l'ordre des découvertes ; le public éclairé était entraîné à trouver sa pâture dans les dictionnaires issus de l'*Encyclopédie, *tel ce* Dictionnaire de l'industrie *compilé en 1776 par Henri Duchesne, qui avait dédié à Buffon en 1770 un* Manuel du naturaliste.

*Il n'est donc pas aberrant de tenter de donner idée de l'*Histoire naturelle *par un choix ; d'extraire, de grouper ou plutôt de regrouper des pages qu'associent, soit le moment de leur rédaction, soit le thème dont elles traitent. S'il nous reste un scrupule, c'est de ne pas respecter les pourcentages d'espace occupés dans un immense ensemble par les différents aspects qu'on y trouve : fallait-il garder les trois quarts de la place au « bestiaire », et la moitié du reste à l'éloquence ? Notre choix, comme notre lecture, s'est voulu résolument actuel. Sans y chercher un journal de laboratoire (c'est Daubenton qui l'inaugurera), nous privilégions les pans de l'œuvre qui ont marqué la postérité curieuse de science et de philosophie de la science.*

JEAN VARLOOT

Nous avons marqué par des titres et sous-titres l'articulation de notre choix, qu'on pourra consulter d'avance dans la table des matières (les titres empruntés à Buffon sont entre guillemets). Notre annotation, plutôt qu'explicative et ponctuelle, vise à situer chaque extrait à sa date et dans son contexte, à la manière d'un texte de liaison. Dans le texte de Buffon, à l'intérieur d'un même chapitre, les coupures sont marquées par trois points en tête de l'alinéa qui les suit. L'orthographe a été modernisée (sauf dans le premier extrait), mais le lecteur s'habituera à la ponctuation qui est celle de l'auteur.

Histoire naturelle

DE LA TECHNIQUE À LA SCIENCE

« Expériences sur la manière de tanner les cuirs » (1736)

Registres de l'Académie des sciences, séance du samedi 3 mars 1736[1].

M. de Buffon a lu l'observation suivante.

La Chaux et l'Écorce de Chesne sont les deux Drogues des Tañeurs, ils ne peuvent se passer de la premiere, et ils regardent la seconde comme aussi nécessaire que l'autre[2]; J'ay voulu voir si le bois de chesne ne feroit pas aussi bien que l'Écorce, et voici comment j'ay fait cet essay[3].

Le 26 Aoust 1734, beau jour, tems de la seconde séve des Arbres, j'ay fait abbattre, après que la rosée qui étoit très abondante fut tombée, plusieurs jeunes chesne ne feroit pas aussi bien que l'Ecorce, et voici le plus gros Gland; j'ay choisi ceux qui m'ont paru les plus vigoureux, et dont l'Ecorce étoit fine et unie; je les ay fait amener le même jour chez moi, et tout de suite je les ay fait hacher et mettre en piéces assez minces; le lendemain j'ay fait étendre ces Copeaux sur des Clayes dans des Greniers ou le Soleil ne penetroit pas, mais ou l'air ne laissoit pas que de passer assez librement; comme ils sechoient très lentement dans ces Greniers je les en ay tirez pour les faire secher au Soleil, parce que les Tanneurs m'ont assuré que l'Ecorce sechée au Soleil faisoit aussi bien que l'ecorce sechée à l'ombre. Je les ay donc au bout de trois jours et demi de séjour dans les Greniers exposé au Soleil pendant deux jours, ayant soin de les faire serrer la nuit pour éviter l'humidité des Rosées; après quoi je les ay fait porter dans un Moulin à Ecorce[4] pour les faire broyer et fouler comme on foule l'Ecorce; ces morceaux de bois offrirent d'abord plus de résistance que l'Ecorce cependant on en vint a bout avec moins de peine et de tems qu'on ne le croyoit d'abord, il ne fallut pas le double du tems qu'il faut pour fouler l'Ecorce; J'ay ensuite livré ce bois concassé à un Tanneur pour s'en servir au lieu d'Ecorce, mais de la même façon et avec la même préparation et le même procedé. J'ay assisté aux principales manœuvres de son travail, et j'ay eû soin de lui faire en même tems travailler d'autres cuirs de la même espece à la maniere ordinaire, afin d'avoir une Comparaison plus juste dans le resultat de cet Essay. Le Cuir de Mouton et celui de veau, se sont tous deux trouvez parfaitement. Je les ay fait voir à la derniere Assemblée, mais le cuir de Vache, et le Cuir fort de Bœuf n'étoient pas a beaucoup près aussi bien que ceux qu'on prépare à la maniere ordinaire; Je pense cependant qu'avec un peu plus de tems l'on réussiroit à tanner ces Cuirs forts aussi parfaitement que les Cuirs souples, il me sera aisé de m'en assurer en suivant ces Experiences comme je me le suis proposé.

J'ay fait de pareils Essays sur les cuirs avec de la scieure de bois verd, et de la scieure de bois sec; la premiere n'a agi que foiblement sur les petits cuirs et la seconde point du tout.

Il n'est pas encore tems de faire voir l'avantage que l'on trouveroit à se servir pour le Tan de bois au lieu d'Ecorce, n'y d'entrer dans les détails des difficultez que l'on pourroit faire sur cette maniere de Tanner ; qu'il me soit seulement permis de dire que si l'on vient a bout de préparer les Cuirs forts avec le bois, les autres difficultez ne sont plus rien, sur tout si on les compare avec l'utilité qui resulteroit de cette pratique.

« De la manière d'étudier et de traiter l'histoire naturelle »

(Histoire naturelle, générale et particulière, Premier discours[5]*) (1749)*

L'Histoire Naturelle, prise dans toute son étendue, est une Histoire immense, elle embrasse tous les objets que nous présente l'Univers. Cette multitude prodigieuse de Quadrupèdes, d'Oiseaux, de Poissons, d'Insectes, de Plantes, de Minéraux, etc. offre à la curiosité de l'esprit humain un vaste spectacle, dont l'ensemble est si grand, qu'il paraît et qu'il est en effet inépuisable dans les détails. Une seule partie de l'Histoire Naturelle, comme l'Histoire des Insectes, ou l'Histoire des Plantes, suffit pour occuper plusieurs hommes[6] ; et les plus habiles Observateurs n'ont donné après un travail de plusieurs années, que des ébauches assez imparfaites des objets trop multipliés que présentent ces branches particulières de l'Histoire Naturelle, auxquelles ils s'étaient uniquement attachés : cependant ils ont fait tout ce qu'ils pouvaient faire, et bien loin de s'en prendre aux Observateurs, du peu d'avancement de la Science, on ne saurait trop louer leur assiduité au travail et leur patience, on ne peut même leur refuser des qualités plus élevées ; car il y a une espèce de force de génie et de courage d'esprit à pouvoir envisager, sans s'étonner, la Nature dans la multitude innombrable de ses productions, et à se croire capable de les comprendre et de les comparer ; il y a une espèce de goût à les aimer, plus grand que le goût qui n'a pour but que des objets particuliers ; et l'on peut dire que l'amour de l'étude de la Nature suppose dans l'esprit deux qualités qui paraissent opposées, les grandes vues d'un génie ardent qui embrasse tout d'un coup d'œil, et les petites attentions d'un instinct laborieux qui ne s'attache qu'à un seul point.

Le premier obstacle qui se présente dans l'étude de l'Histoire Naturelle, vient de cette grande multitude d'objets ; mais la variété de ces mêmes objets, et la difficulté de rassembler les productions diverses des différents climats, forment un autre obstacle à l'avancement de nos connaissances, qui paraît invincible, et qu'en effet le travail seul ne peut surmonter ; ce n'est qu'à force de temps, de soins, de dépenses, et souvent par des hasards heureux, qu'on peut se procurer des individus bien conservés de chaque espèce d'animaux, de plantes ou de minéraux, et former une collection bien rangée de tous les ouvrages de la Nature.

Mais lorsqu'on est parvenu à rassembler des échantillons de tout ce qui peuple l'Univers, lorsque après bien des peines on a mis dans un même lieu des modèles de tout ce qui se trouve répandu avec profusion sur la terre, et qu'on jette pour la première fois les yeux sur ce magasin rempli de choses diverses, nouvelles et étrangères, la première sensation qui en résulte, est un étonnement mêlé d'admiration, et la première réflexion qui suit, est un retour humiliant sur nous-mêmes. On ne s'imagine pas qu'on puisse avec le temps parvenir au point de reconnaître tous ces différents objets, qu'on puisse parvenir non seulement à les reconnaître par la forme, mais encore à savoir tout ce qui a rapport à la naissance, la production, l'organisation, les usages, en un mot à l'histoire de chaque chose en particulier : cependant, en se familiarisant avec ces mêmes objets, en les voyant souvent, et, pour ainsi dire, sans dessein, ils forment peu à peu des impressions durables, qui bientôt se lient dans notre esprit par des rapports fixes et invariables ; et de là nous nous élevons à des vues plus générales, par lesquelles nous pouvons embrasser à la fois plusieurs objets différents ; et c'est alors qu'on est en état d'étudier avec ordre, de réfléchir avec fruit, et de se frayer des routes pour arriver à des découvertes utiles.

On doit donc commencer par voir beaucoup et revoir souvent ; quelque nécessaire que l'attention soit à tout, ici on peut s'en dispenser d'abord : je veux parler de cette attention scrupuleuse, toujours utile lorsqu'on sait beaucoup, et souvent nuisible à ceux qui commencent à s'instruire. L'essentiel est de leur meubler la tête d'idées et de faits, de les empêcher, s'il est possible, d'en tirer trop tôt des raisonnements et des rapports ; car il arrive toujours que par l'ignorance de certains faits, et par la trop petite quantité d'idées, ils épuisent leur esprit en fausses combinaisons, et se chargent la mémoire de conséquences vagues et de résultats contraires à la vérité, lesquels forment dans la suite des préjugés qui s'effacent difficilement.

C'est pour cela que j'ai dit qu'il fallait commencer par voir beaucoup ; il faut aussi voir presque sans dessein, parce que si vous avez résolu de ne considérer les choses que dans une certaine vue, dans un certain ordre, dans un certain système, eussiez-vous pris le meilleur chemin, vous n'arriverez jamais à la même étendue de connaissances à laquelle vous pourrez prétendre, si vous laissez dans les commencements votre esprit marcher de lui-même, se reconnaître, s'assurer sans secours, et former seul la première chaîne qui représente l'ordre de ses idées.

Ceci est vrai sans exception, pour toutes les personnes dont l'esprit est fait et le raisonnement formé ; les jeunes gens au contraire doivent être guidés plutôt et conseillés à propos[7], il faut même les encourager par ce qu'il y a de plus piquant dans la science, en leur faisant remarquer les choses les plus singulières, mais sans leur en donner d'explications précises ; le mystère à cet âge excite la curiosité, au lieu que dans l'âge mûr il n'inspire que le dégoût ; les enfants se lassent aisément des choses qu'ils ont déjà vues, ils revoient avec indifférence, à moins qu'on ne leur présente les mêmes objets sous d'autres points de vue ; et au lieu de leur répéter simplement ce qu'on leur a déjà dit, il vaut mieux y ajouter des circonstances, même étrangères ou inutiles ; on perd moins à les tromper qu'à les dégoûter.

Lorsque après avoir vu et revu plusieurs fois les choses, ils commenceront à se les représenter en gros, que d'eux-mêmes ils se feront des divisions, qu'ils commenceront à apercevoir des distinctions générales, le goût de la science pourra naître, et il faudra l'aider. Ce goût si nécessaire à tout, mais en même temps si rare, ne se donne point par les préceptes ; en vain l'éducation voudrait y suppléer, en vain les pères contraignent-ils leurs enfants, ils ne les amèneront jamais qu'à ce point commun à tous les hommes, à ce degré d'intelligence et de mémoire qui suffit à la société ou aux affaires ordinaires ; mais c'est à la Nature à qui on doit cette première étincelle de génie, ce germe de goût dont nous parlons, qui se développe ensuite plus ou moins, suivant les différentes circonstances et les différents objets.

Aussi doit-on présenter à l'esprit des jeunes gens des choses de toute espèce, des études de tout genre, des objets de toutes sortes, afin de reconnaître le genre auquel leur esprit se porte avec plus de force, ou se livre avec plus de plaisir : l'Histoire Naturelle doit leur être présentée à son tour, et précisément dans ce temps où la raison commence à se développer, dans cet âge où ils pourraient commencer à croire qu'ils savent déjà beaucoup ; rien n'est plus capable de rabaisser leur amour-propre, et de leur faire sentir combien il y a de choses qu'ils ignorent ; et indépendamment de ce premier effet qui ne peut qu'être utile, une étude même légère de l'Histoire Naturelle élèvera leurs idées, et leur donnera des connaissances d'une infinité de choses que le commun des hommes ignore, et qui se retrouvent souvent dans l'usage de la vie.

Mais revenons à l'homme qui veut s'appliquer sérieusement à l'étude de la Nature, et reprenons-le au point où nous l'avons laissé, à ce point où il commence à généraliser ses idées, et à se former une méthode d'arrangement et des systèmes d'explication : c'est alors qu'il doit consulter les gens instruits, lire les bons auteurs, examiner leurs différentes méthodes, et emprunter des lumières de tous côtés. Mais comme il arrive ordinairement qu'on se prend alors d'affection et de goût pour certains auteurs, pour une certaine méthode, et que souvent, sans un examen assez mûr, on se livre à un système quelquefois mal fondé, il est bon que nous donnions ici quelques notions préliminaires sur les méthodes qu'on a imaginées pour faciliter l'intelligence de l'Histoire Naturelle : ces méthodes sont très utiles, lorsqu'on ne les emploie qu'avec les restrictions convenables ; elles abrègent le travail, elles aident la mémoire, et elles offrent à l'esprit une suite d'idées, à la vérité composée d'objets différents entre eux, mais qui ne laissent pas d'avoir des rapports communs, et ces rapports forment des impressions plus fortes que ne pourraient faire des objets détachés qui n'auraient aucune relation. Voilà la principale utilité des méthodes, mais l'inconvénient est de vouloir trop allonger ou trop resserrer la chaîne, de vouloir soumettre à des lois arbitraires les lois de la Nature, de vouloir la diviser dans des points où elle est indivisible, et de vouloir mesurer ses forces par notre faible imagination. Un autre inconvénient qui n'est pas moins grand, et qui est le contraire du premier, c'est de s'assujettir à des méthodes trop particulières, de vouloir juger du tout par une seule partie, de réduire la Nature à de petits systèmes qui lui sont étrangers, et de ses ouvrages immenses en former arbitrairement autant d'assemblages détachés ; enfin de rendre, en multipliant les noms et les représentations, la langue de la science plus difficile que la Science elle-même.

Nous sommes naturellement portés à imaginer en tout une espèce d'ordre et d'uniformité, et quand on n'examine que légèrement les ouvrages de la Nature, il paraît à cette première vue, qu'elle a toujours travaillé sur un même plan : comme nous ne connaissons nous-mêmes qu'une voie pour arriver à un but, nous nous persuadons que la Nature fait et opère tout par les mêmes moyens et par des opérations semblables ; cette manière de penser a fait imaginer une infinité de faux rapports entre les productions naturelles, les plantes ont été comparées aux animaux, on a cru voir végéter les minéraux, leur organisation si différente, et leur mécanique si peu ressemblante a été souvent réduite à la même forme. Le moule[8] commun de toutes ces choses si dissemblables entre elles est moins dans la Nature que dans l'esprit étroit de ceux qui l'ont mal connue, et qui savent aussi peu juger de la force d'une vérité, que des justes limites d'une analogie comparée[9]. En effet, doit-on, parce que le sang circule, assurer que la sève circule aussi ? doit-on conclure de la végétation connue des plantes à une pareille végétation dans les minéraux, du mouvement du sang à celui de la sève, de celui de la sève au mouvement du suc pétrifiant[10] ? n'est-ce pas porter dans la réalité des ouvrages du Créateur, les abstractions de notre esprit borné, et ne lui accorder, pour ainsi dire, qu'autant d'idées que nous en avons ? Cependant on a dit, et on dit tous les jours des choses aussi peu fondées, et on bâtit des systèmes sur des faits incertains, dont l'examen n'a jamais été fait, et qui ne servent qu'à montrer le penchant qu'ont les hommes à vouloir trouver de la ressemblance dans les objets les plus différents, de la régularité où il ne règne que de la variété, et de l'ordre dans les choses qu'ils n'aperçoivent que confusément.

Car lorsque, sans s'arrêter à des connaissances superficielles dont les résultats ne peuvent nous donner que des idées incomplètes des productions et des opérations de la Nature, nous voulons pénétrer plus avant, et examiner avec des yeux plus attentifs la forme et la conduite de ses ouvrages, on est aussi surpris de la variété du dessein, que de la multiplicité des moyens d'exécution. Le nombre des productions de la Nature, quoique prodigieux, ne fait alors que la plus petite partie de notre étonnement ; sa mécanique, son art, ses ressources, ses désordres même, emportent toute notre admiration ; trop petit pour cette immensité, accablé par le nombre des merveilles, l'esprit humain succombe : il semble que tout ce qui peut être, est [11] ; la main du Créateur ne paraît pas s'être ouverte pour donner l'être à un certain nombre déterminé d'espèces ; mais il semble qu'elle ait jeté tout à la fois un monde d'êtres relatifs et non relatifs, une infinité de combinaisons harmoniques et contraires, et une perpétuité de destructions et de renouvellements. Quelle idée de puissance ce spectacle ne nous offre-t-il pas ! quel sentiment de respect cette vue de l'Univers ne nous inspire-t-elle pas pour son Auteur ! Que serait-ce si la faible lumière qui nous guide, devenait assez vive pour nous faire apercevoir l'ordre général des causes et de la dépendance des effets ? mais l'esprit le plus vaste, et le génie le plus puissant, ne s'élèvera jamais à ce haut point de connaissance : les premières causes nous seront à jamais cachées, les résultats généraux de ces causes nous seront aussi difficiles à connaître que les causes mêmes ; tout ce qui nous est possible, c'est d'apercevoir quelques effets particuliers, de les comparer, de les combiner, et enfin d'y reconnaître plutôt un ordre relatif à notre propre nature, que convenable à l'existence des choses que nous considérons.

Mais puisque c'est la seule voie qui nous soit ouverte, puisque nous n'avons pas d'autres moyens pour arriver à la connaissance des choses naturelles, il faut aller jusqu'où cette route peut nous conduire, il faut rassembler tous les objets, les comparer, les étudier, et tirer de leurs rapports combinés toutes les lumières qui peuvent nous aider à les apercevoir nettement et à les mieux connaître.

La première vérité, qui sort de cet examen sérieux de la Nature, est une vérité peut-être humiliante pour l'homme ; c'est qu'il doit se ranger lui-même dans la classe des animaux, auxquels il ressemble par tout ce qu'il a de matériel, et même leur instinct lui paraîtra peut-être plus sûr que sa raison, et leur industrie plus admirable que ses arts [12].

UNE NATURE ANIMALE

LES ANIMAUX ET LE MONDE

« *Comparaison des animaux et des végétaux*[13] » *(1749)*

Dans la foule d'objets que nous présente ce vaste globe dont nous venons de faire la description, dans le nombre infini des différentes productions dont sa surface est couverte et peuplée, les animaux tiennent le premier rang, tant par la conformité qu'ils ont avec nous, que par la supériorité que nous leur connaissons sur les êtres végétants ou inanimés. Les animaux ont par leurs sens, par leur forme, par leur mouvement, beaucoup plus de rapports avec les choses qui les environnent, que n'en ont les végétaux ; ceux-ci par leur développement, par leur figure, par leur accroissement et par leurs différentes parties ont aussi un plus grand nombre de rapports avec les objets extérieurs, que n'en ont les minéraux ou les pierres, qui n'ont aucune sorte de vie ou de mouvement, et c'est par ce plus grand nombre de rapports que l'animal est réellement au-dessus du végétal, et le végétal au-dessus du minéral. Nous-mêmes, à ne considérer que la partie matérielle de notre être, nous ne sommes au-dessus des animaux que par quelques rapports de plus, tels que ceux que nous donnent la langue et la main ; et quoique les ouvrages du Créateur soient en eux-mêmes tous également parfaits, l'animal est, selon notre façon d'apercevoir, l'ouvrage le plus complet de la Nature, et l'homme en est le chef-d'œuvre[14].

En effet, que de ressorts, que de forces, que de machines et de mouvements sont renfermés dans cette petite partie de matière qui compose le corps d'un animal ! que de rapports, que d'harmonie, que de correspondance entre les parties ! combien de combinaisons, d'arrangements, de causes, d'effets, de principes, qui tous concourent au même but, et que nous ne connaissons que par des résultats si difficiles à comprendre, qu'ils n'ont cessé d'être des merveilles que par l'habitude que nous avons prise de n'y point réfléchir !

Cependant, quelque admirable que cet ouvrage nous paraisse, ce n'est pas dans l'individu qu'est la plus grande merveille, c'est dans la succession, dans le renouvellement et dans la durée des espèces que la Nature paraît tout à fait inconcevable. Cette faculté de produire son semblable, qui réside dans les animaux et dans les végétaux, cette espèce d'unité toujours subsistante et qui paraît éternelle, cette vertu procréatrice qui s'exerce perpétuellement sans se détruire jamais, est pour nous un mystère dont il semble qu'il ne nous est pas permis de sonder la profondeur.

Car la matière inanimée, cette pierre, cette argile qui est sous nos pieds, a bien quelques propriétés, son existence seule en suppose un très grand nombre, et la matière la moins organisée ne laisse pas que d'avoir, en vertu de son existence, une infinité de rapports avec toutes les autres parties de l'Univers. Nous ne dirons pas, avec quelques Philosophes, que la matière, sous quelque forme qu'elle soit, connaît son existence et ses facultés relatives [15] ; cette opinion tient à une question de Métaphysique que nous ne nous proposons pas de traiter ici, il nous suffira de faire sentir que n'ayant pas nous-mêmes la connaissance de tous les rapports que nous pouvons avoir avec les objets extérieurs, nous ne devons pas douter que la matière inanimée n'ait infiniment moins de cette connaissance, et que d'ailleurs nos sensations ne ressemblant en aucune façon aux objets qui les causent, nous devons conclure par analogie que la matière inanimée n'a ni sentiment, ni sensation, ni conscience d'existence, et que de lui attribuer quelques-unes de ces facultés, ce serait lui donner celle de penser, d'agir et de sentir à peu près dans le même ordre et de la même façon que nous pensons, agissons et sentons, ce qui répugne autant à la raison qu'à la religion.

Nous devons donc dire qu'étant formés de terre et composés de poussière, nous avons en effet avec la terre et la poussière des rapports communs qui nous lient à la matière en général, telles sont l'étendue, l'impénétrabilité, la pesanteur, etc. mais comme nous n'apercevons pas ces rapports purement matériels, comme ils ne font aucune impression au-dedans de nous-mêmes, comme ils subsistent sans notre participation, et qu'après la mort ou avant la vie ils existent et ne nous affectent point du tout, on ne peut pas dire qu'ils fassent partie de notre être, c'est donc l'organisation, la vie, l'âme, qui fait proprement notre existence ; la matière considérée sous ce point de vue, en est moins le sujet que l'accessoire, c'est une enveloppe étrangère dont l'union nous est inconnue et la présence nuisible, et cet ordre de pensées qui constitue notre être, en est peut-être tout à fait indépendant [16].

Nous existons donc sans savoir comment, et nous pensons sans savoir pourquoi ; mais quoi qu'il en soit de notre manière d'être ou de sentir, quoi qu'il en soit de la vérité ou de la fausseté, de l'apparence ou de la réalité de nos sensations, les résultats de ces mêmes sensations n'en sont pas moins certains par rapport à nous. Cet ordre d'idées, cette suite de pensées qui existe au-dedans de nous-mêmes, quoique fort différente des objets qui les causent, ne laisse pas que d'être l'affection la plus réelle de notre individu, et de nous donner des relations avec les objets extérieurs, que nous pouvons regarder comme des rapports réels, puisqu'ils sont invariables et toujours les mêmes relativement à nous ; ainsi nous ne devons pas douter que les différences ou les ressemblances que nous apercevons entre les objets, ne soient des différences et des ressemblances certaines et réelles dans l'ordre de notre existence par rapport à ces mêmes objets ; nous pouvons donc légitimement nous donner le premier rang dans la Nature ; nous devons ensuite donner la seconde place aux animaux, la troisième aux végétaux, et enfin la dernière aux minéraux ; car quoique nous ne distinguions pas bien nettement les qualités que nous avons en vertu de notre animalité, de celles que nous avons en vertu de la spiritualité de notre âme, nous ne pouvons guère douter que les animaux étant doués, comme nous, des mêmes sens, possédant les mêmes principes de vie et de mouvement, et faisant une infinité d'actions semblables aux nôtres, ils n'aient avec les objets extérieurs des rapports du même ordre que les nôtres, et que par conséquent nous ne leur ressemblions réellement à bien des égards. Nous différons beaucoup des végétaux, cependant nous leur ressemblons plus qu'ils ne ressemblent aux minéraux, et cela parce qu'ils ont une espèce de forme vivante, une organisation animée, semblable en quelque façon à la nôtre, au lieu que les minéraux n'ont aucun organe.

... Au reste, la différence la plus générale et la plus sensible entre les animaux et les végétaux est celle de la forme ; celle des animaux, quoique variée à l'infini, ne ressemble point à celle des plantes, et quoique les polypes, qui se reproduisent comme les plantes, puissent être regardés comme faisant la nuance entre les animaux et les végétaux, non seulement par la façon de se reproduire, mais encore par la forme extérieure, on peut cependant dire que la figure de quelque animal que ce soit, est assez différente de la forme extérieure d'une plante, pour qu'il soit difficile de s'y tromper. Les animaux peuvent à la vérité faire des ouvrages qui ressemblent à des plantes ou à des fleurs, mais jamais les plantes ne produiront rien de semblable à un animal, et ces insectes admirables qui produisent et travaillent le corail, n'auraient pas été méconnus et pris pour des fleurs, si par un préjugé mal fondé on n'eût pas regardé le corail comme une plante. Ainsi les erreurs où l'on pourrait tomber en comparant la forme des plantes à celle des animaux, ne porteront jamais que sur un petit nombre de sujets qui font la nuance entre les deux, et plus on fera d'observations, plus on se convaincra qu'entre les animaux et les végétaux le Créateur n'a pas mis de terme fixe, que ces deux genres d'êtres organisés ont beaucoup plus de propriétés communes que de différences réelles, que la production de l'animal ne coûte pas plus, et peut-être moins à la Nature que celle du végétal, qu'en général la production des êtres organisés ne lui coûte rien, et qu'enfin le vivant et l'animé, au lieu d'être un degré métaphysique des êtres, est une propriété physique de la matière [17].

L'HOMME ET LES ANIMAUX[18]

« *Les animaux domestiques*[19] » *(1753)*

L'homme change l'état naturel des animaux en les forçant à lui obéir, et les faisant servir à son usage : un animal domestique est un esclave dont on s'amuse, dont on se sert, dont on abuse, qu'on altère, qu'on dépayse et que l'on dénature[20], tandis que l'animal sauvage, n'obéissant qu'à la Nature, ne connaît d'autres lois que celles du besoin et de la liberté. L'histoire d'un animal sauvage est donc bornée à un petit nombre de faits émanés de la simple Nature, au lieu que l'histoire d'un animal domestique est compliquée de tout ce qui a rapport à l'art que l'on emploie pour l'apprivoiser ou pour le subjuguer ; et comme on ne sait pas assez combien l'exemple, la contrainte, la force de l'habitude peuvent influer sur les animaux et changer leurs mouvements, leurs déterminations, leurs penchants, le but d'un Naturaliste doit être de les observer assez pour pouvoir distinguer les faits qui dépendent de l'instinct, de ceux qui ne viennent que de l'éducation ; reconnaître ce qui leur appartient et ce qu'ils ont emprunté, séparer ce qu'ils font de ce qu'on leur fait faire, et ne jamais confondre l'animal avec l'esclave, la bête de somme avec la créature de Dieu.

L'empire de l'homme sur les animaux est un empire légitime qu'aucune révolution ne peut détruire, c'est l'empire de l'esprit sur la matière, c'est non seulement un droit de Nature, un pouvoir fondé sur des lois inaltérables, mais c'est encore un don de Dieu, par lequel l'homme peut reconnaître à tout instant l'excellence de son être ; car ce n'est pas parce qu'il est le plus parfait, le plus fort ou le plus adroit des animaux qu'il leur commande : s'il n'était que le premier du même ordre, les seconds se réuniraient pour lui disputer l'empire; mais c'est par supériorité de Nature que l'homme règne et commande ; il pense, et dès lors il est maître des êtres qui ne pensent point[21].

Il est maître des corps bruts[22], qui ne peuvent opposer à sa volonté qu'une lourde résistance ou qu'une inflexible dureté, que sa main sait toujours surmonter et vaincre en les faisant agir les uns contre les autres; il est maître des végétaux, que par son industrie il peut augmenter, diminuer, renouveler, dénaturer, détruire ou multiplier à l'infini; il est maître des animaux, parce que non seulement il a comme eux du mouvement et du sentiment, mais qu'il a de plus la lumière de la pensée, qu'il connaît les fins et les moyens, qu'il sait diriger ses actions, concerter ses opérations, mesurer ses mouvements, vaincre la force par l'esprit, et la vitesse par l'emploi du temps.

... C'est donc par les talents de l'esprit et non par la force et par les autres qualités de la matière, que l'homme a su subjuguer les animaux : dans les premiers temps ils devaient être tous également indépendants, l'homme, devenu criminel et féroce[23], était peu propre à les apprivoiser, il a fallu du temps pour les approcher ; pour les reconnaître, pour les choisir, pour les dompter, il a fallu qu'il fût civilisé lui-même pour savoir instruire et commander, et l'empire sur les animaux, comme tous les autres empires, n'a été fondé qu'après la société[24].

C'est d'elle que l'homme tient sa puissance, c'est par elle qu'il a perfectionné sa raison, exercé son esprit et réuni ses forces, auparavant l'homme était peut-être l'animal le plus sauvage et le moins redoutable de tous ; nu, sans armes et sans abri, la terre n'était pour lui qu'un vaste désert peuplé de monstres, dont souvent il devenait la proie ; et même longtemps après, l'histoire nous dit que les premiers héros n'ont été que des destructeurs de bêtes.

Mais lorsque avec le temps l'espèce humaine s'est étendue, multipliée, répandue, et qu'à la faveur des arts et de la société l'homme a pu marcher en force pour conquérir l'Univers, il a fait reculer peu à peu les bêtes féroces, il a purgé la terre de ces animaux gigantesques dont nous trouvons encore les ossements énormes, il a détruit ou réduit à un petit nombre d'individus les espèces voraces et nuisibles, il a opposé les animaux aux animaux, et subjuguant les uns par adresse, domptant les autres par la force, ou les écartant par le nombre, et les attaquant tous par des moyens raisonnés, il est parvenu à se mettre en sûreté, et à établir un empire qui n'est borné que par les lieux inaccessibles, les solitudes reculées, les sables brûlants, les montagnes glacées, les cavernes obscures, qui servent de retraites au petit nombre d'espèces d'animaux indomptables.

« *Les animaux sauvages*[25] » *(1756)*

Dans les animaux domestiques, et dans l'homme, nous n'avons vu la Nature que contrainte, rarement perfectionnée, souvent altérée, défigurée, et toujours environnée d'entraves ou chargée d'ornements étrangers : maintenant elle va paraître nue, parée de sa seule simplicité, mais plus piquante par sa beauté naïve, sa démarche légère, son air libre, et par les autres attributs de la noblesse et de l'indépendance. Nous la verrons, parcourant en souveraine la surface de la terre, partager son domaine entre les animaux, assigner à chacun son élément, son climat, sa subsistance : nous la verrons dans les forêts, dans les eaux, dans les plaines, dictant ses lois simples, mais immuables, imprimant sur chaque espèce ses caractères inaltérables, et dispensant avec équité ses dons, compenser le bien et le mal ; donner aux uns la force et le courage, accompagnés du besoin et de la voracité ; aux autres, la douceur, la tempérance, la légèreté du corps, avec la crainte, l'inquiétude et la timidité ; à tous la liberté avec des mœurs constantes ; à tous des désirs et de l'amour toujours aisés à satisfaire, et toujours suivis d'une heureuse fécondité.

Amour et liberté, quels bienfaits ! Ces animaux que nous appelons sauvages, parce qu'ils ne nous sont pas soumis, ont-ils besoin de plus pour être heureux ? ils ont encore l'égalité, ils ne sont ni les esclaves, ni les tyrans de leurs semblables ; l'individu n'a pas à craindre, comme l'homme, tout le reste de son espèce ; ils ont entre eux la paix, et la guerre ne leur vient que des étrangers ou de nous. Ils ont donc raison de fuir l'espèce humaine, de se dérober à notre aspect, de s'établir dans les solitudes éloignées de nos habitations, de se servir de toutes les ressources de leur instinct, pour se mettre en sûreté, et d'employer, pour se soustraire à la puissance de l'homme, tous les moyens de liberté que la Nature leur a fournis en même temps qu'elle leur a donné le désir de l'indépendance.

Les uns, et ce sont les plus doux, les plus innocents, les plus tranquilles, se contentent de s'éloigner, et passent leur vie dans nos campagnes ; ceux qui sont plus défiants, plus farouches, s'enfoncent dans les bois ; d'autres, comme s'ils savaient qu'il n'y a nulle sûreté sur la surface de la terre, se creusent des demeures souterraines, se réfugient dans des cavernes, ou gagnent les sommets des montagnes les plus inaccessibles ; enfin les plus féroces, ou plutôt les plus fiers, n'habitent que les déserts et règnent en souverains dans ces climats brûlants, où l'homme aussi sauvage qu'eux ne peut leur disputer l'empire.

Et comme tout est soumis aux lois physiques, que les êtres même les plus libres y sont assujettis, et que les animaux éprouvent, comme l'homme, les influences du ciel et de la terre ; il semble que les mêmes causes qui ont adouci, civilisé l'espèce humaine dans nos climats, ont produit de pareils effets sur toutes les autres espèces : le loup, qui dans cette zone tempérée est peut-être de tous les animaux le plus féroce, n'est pas à beaucoup près aussi terrible, aussi cruel que le tigre, la panthère, le lion de la zone torride, ou l'ours blanc, le loup-cervier, l'hyène de la zone glacée. Et non seulement cette différence se trouve en général, comme si la Nature, pour mettre plus de rapport et d'harmonie dans ses productions, eût fait le climat pour les espèces, ou les espèces pour le climat, mais même on trouve dans chaque espèce en particulier le climat fait pour les mœurs, et les mœurs pour le climat

En Amérique, où les chaleurs sont moindres, où l'air et la terre sont plus doux qu'en Afrique, quoique sous la même ligne, le tigre, le lion, la panthère n'ont rien de redoutable que le nom ; ce ne sont plus ces tyrans des forêts, ces ennemis de l'homme aussi fiers qu'intrépides, ces monstres altérés de sang et de carnage ; ce sont des animaux qui fuient d'ordinaire devant les hommes, qui loin de les attaquer de front, loin même de faire la guerre à force ouverte aux autres bêtes sauvages, n'emploient le plus souvent que l'artifice et la ruse pour tâcher de les surprendre ; ce sont des animaux qu'on peut dompter comme les autres, et presque apprivoiser. Ils ont donc dégénéré, si leur nature était la férocité jointe à la cruauté, ou plutôt ils n'ont qu'éprouvé l'influence du climat : sous un ciel plus doux, leur naturel s'est adouci, ce qu'ils avaient d'excessif s'est tempéré, et par les changements qu'ils ont subis ils sont seulement devenus plus conformes à la terre qu'ils ont habitée.

Les végétaux qui couvrent cette terre, et qui y sont encore attachés de plus près que l'animal qui broute, participent aussi plus que lui à la nature du climat ; chaque pays, chaque degré de température a ses plantes particulières ; on trouve au pied des Alpes celles de France et d'Italie, on trouve à leur sommet celles des pays du Nord ; on retrouve ces mêmes plantes du Nord sur les cimes glacées des montagnes d'Afrique. Sur les monts qui séparent l'empire du Mogol du royaume de Cachemire, on voit du côté du midi toutes les plantes des Indes, et l'on est surpris de ne voir de l'autre côté que des plantes d'Europe. C'est aussi des climats excessifs que l'on tire les drogues, les parfums, les poisons, et toutes les plantes dont les qualités sont excessives : le climat tempéré ne produit au contraire que des choses tempérées ; les herbes les plus douces, les légumes les plus sains, les fruits les plus suaves, les animaux les plus tranquilles, les hommes les plus polis sont l'apanage de cet heureux climat. Ainsi la terre fait les plantes, la terre et les plantes font les animaux, la terre, les plantes et les animaux font l'homme ; car les qualités des végétaux viennent immédiatement de la terre et de l'air ; le tempérament et les autres qualités relatives des animaux qui paissent l'herbe, tiennent de près à celles des plantes dont ils se nourrissent ; enfin les qualités physiques de l'homme et des animaux qui vivent sur les autres animaux autant que sur les plantes, dépendent, quoique de plus loin, de ces mêmes causes, dont l'influence s'étend jusque sur leur naturel et sur leurs mœurs. Et ce qui prouve encore mieux que tout se tempère dans un climat tempéré, et que tout est excès dans un climat excessif, c'est que la grandeur et la forme, qui paraissent être des qualités absolues, fixes et déterminées, dépendent cependant, comme les qualités relatives, de l'influence du climat : la taille de nos animaux quadrupèdes n'approche pas de celle de l'éléphant, du rhinocéros, de l'hippopotame ; nos plus gros oiseaux sont fort petits, si on les compare à l'autruche, au condor, au casoar ; et quelle comparaison des poissons, des lézards, des serpents de nos climats, avec les baleines, les cachalots, les narvals qui peuplent les mers du Nord, et avec les crocodiles, les grands lézards et les couleuvres énormes qui infestent les terres et les eaux du midi ? Et si l'on considère encore chaque espèce dans différents climats, on y trouvera des variétés sensibles pour la grandeur et pour la forme ; toutes prennent une teinture plus ou moins forte du climat. Ces changements ne se font que lentement, imperceptiblement ; le grand ouvrier de la Nature est le Temps : et comme il marche toujours d'un pas égal, uniforme et réglé, il ne fait rien par sauts ; mais par degrés, par nuances, par succession, il fait tout ; et ces changements, d'abord imperceptibles, deviennent peu à peu sensibles, et se marquent enfin par des résultats auxquels on ne peut se méprendre [26].

Cependant les animaux sauvages et libres sont peut-être, sans même en excepter l'homme, de tous les êtres vivants les moins sujets aux altérations, aux changements, aux variations de tout genre : comme ils sont absolument les maîtres de choisir leur nourriture et leur climat, et qu'ils ne se contraignent pas plus qu'on les contraint, leur nature varie moins que celle des animaux domestiques, que l'on asservit, que l'on transporte, que l'on maltraite, et qu'on nourrit sans consulter leur goût. Les animaux sauvages vivent constamment de la même façon ; on ne les voit pas errer de climats en climats ; le bois où ils sont nés est une patrie à laquelle ils sont fidèlement attachés, ils s'en éloignent rarement, et ne la quittent jamais que lorsqu'ils sentent qu'ils ne peuvent y vivre en sûreté. Et ce sont moins leurs ennemis qu'ils fuient, que la présence de l'homme ; la Nature leur a donné des moyens et des ressources contre les autres animaux, ils sont de pair avec eux, ils connaissent leur force et leur adresse, ils jugent leurs desseins, leurs démarches, et s'ils ne peuvent les éviter, au moins ils se défendent corps à corps ; ce sont, en un mot, des espèces de leur genre. Mais que peuvent-ils contre des êtres qui savent les trouver sans les voir, et les abattre sans les approcher ?

C'est donc l'homme qui les inquiète, qui les écarte, qui les disperse, et qui les rend mille fois plus sauvages qu'ils ne le seraient en effet ; car la plupart ne demandent que la tranquillité, la paix, et l'usage aussi modéré qu'innocent de l'air et de la terre ; ils sont même portés par la Nature à demeurer ensemble, à se réunir en familles, à former des espèces de sociétés. On voit encore des vestiges de ces sociétés dans les pays dont l'homme ne s'est pas totalement emparé : on y voit même des ouvrages faits en commun, des espèces de projets, qui, sans être raisonnés, paraissent être fondés sur des convenances raisonnables, dont l'exécution suppose au moins l'accord, l'union et le concours de ceux qui s'en occupent ; et ce n'est point par force ou par nécessité physique, comme les fourmis, les abeilles, etc., que les castors travaillent et bâtissent ; car ils ne sont contraints, ni par l'espace, ni par le temps, ni par le nombre, c'est par choix qu'ils se réunissent, ceux qui se conviennent demeurent ensemble, ceux qui ne se conviennent pas s'éloignent, et l'on en voit quelques-uns qui, toujours rebutés par les autres, sont obligés de vivre solitaires. Ce n'est aussi que dans les pays reculés, éloignés, et où ils craignent peu la rencontre des hommes, qu'ils cherchent à s'établir et à rendre leur demeure plus fixe et plus commode, en y construisant des habitations, des espèces de bourgades, qui représentent assez bien les faibles travaux et les premiers efforts d'une république naissante [27]. Dans les pays au contraire où les hommes se sont répandus, la terreur semble habiter avec eux, il n'y a plus de société parmi les animaux, toute industrie cesse, tout art est étouffé, ils ne songent plus à bâtir, ils négligent toute commodité; toujours pressés par la crainte et la nécessité, ils ne cherchent qu'à vivre, ils ne sont occupés qu'à fuir et se cacher; et si, comme on doit le supposer, l'espèce humaine continue dans la suite des temps à peupler également toute la surface de la terre, on pourra dans quelques siècles regarder comme une fable l'histoire de nos castors.

On peut donc dire que les animaux, loin d'aller en augmentant, vont au contraire en diminuant de facultés et de talents; le temps même travaille contre eux : plus l'espèce humaine se multiplie, se perfectionne, plus ils sentent le poids d'un empire aussi terrible qu'absolu, qui leur laissant à peine leur existence individuelle, leur ôte tout moyen de liberté, toute idée de société, et détruit jusqu'au germe de leur intelligence. Ce qu'ils sont devenus, ce qu'ils deviendront encore, n'indique peut-être pas assez ce qu'ils ont été, ni ce qu'ils pourraient être. Qui sait, si l'espèce humaine était anéantie, auquel d'entre eux appartiendrait le sceptre de la terre ?

« *Les animaux carnassiers*[28] » *(1758)*

Jusqu'ici nous n'avons parlé que des animaux utiles ; les animaux nuisibles sont en bien plus grand nombre ; et quoique en tout, ce qui nuit paraisse plus abondant que ce qui sert, cependant tout est bien, parce que dans l'univers physique le mal concourt au bien, et que rien en effet ne nuit à la Nature. Si nuire est détruire des êtres animés, l'homme, considéré comme faisant partie du système général de ces êtres, n'est-il pas l'espèce la plus nuisible de toutes ? Lui seul immole, anéantit plus d'individus vivants, que tous les animaux carnassiers n'en dévorent. Ils ne sont donc nuisibles que parce qu'ils sont rivaux de l'homme, parce qu'ils ont les mêmes appétits, le même goût pour la chair, et que, pour subvenir à un besoin de première nécessité, ils lui disputent quelquefois une proie qu'il réservait à ses excès ; car nous sacrifions plus encore à notre intempérance, que nous ne donnons à nos besoins. Destructeurs nés des êtres qui nous sont subordonnés, nous épuiserions la Nature si elle n'était inépuisable, si par une fécondité aussi grande que notre déprédation, elle ne savait se réparer elle-même et se renouveler. Mais il est dans l'ordre que la mort serve à la vie, que la reproduction naisse de la destruction ; quelque grande, quelque prématurée que soit la dépense de l'homme et des animaux carnassiers, le fonds, la quantité totale de substance vivante n'est point diminuée ; et s'ils précipitent les destructions, ils hâtent en même temps des naissances nouvelles.

Les animaux qui par leur grandeur figurent dans l'univers, ne sont que la plus petite partie des substances vivantes ; la terre fourmille de petits animaux.

Chaque plante, chaque graine, chaque particule de matière organique contient des milliers d'atomes animés. Les végétaux paraissent être le premier fonds de la Nature ; mais ce fonds de subsistance, tout abondant, tout inépuisable qu'il est, suffirait à peine au nombre encore plus abondant d'insectes de toute espèce. Leur pullulation, tout aussi nombreuse et souvent plus prompte que la reproduction des plantes, indique assez combien ils sont surabondants ; car les plantes ne se reproduisent que tous les ans, il faut une saison entière pour en former la graine, au lieu que dans les insectes, et surtout dans les plus petites espèces, comme celle des pucerons, une seule saison suffit à plusieurs générations. Ils multiplieraient donc plus que les plantes, s'ils n'étaient détruits par d'autres animaux dont ils paraissent être la pâture naturelle, comme les herbes et les graines semblent être la nourriture préparée pour eux-mêmes. Aussi parmi les insectes y en a-t-il beaucoup qui ne vivent que d'autres insectes ; il y en a même quelques espèces qui, comme les araignées, dévorent indifféremment les autres espèces et la leur : tous servent de pâture aux oiseaux, et les oiseaux domestiques et sauvages nourrissent l'homme, ou deviennent la proie des animaux carnassiers.

Ainsi la mort violente est un usage presque aussi nécessaire que la loi de la mort naturelle ; ce sont deux moyens de destruction et de renouvellement, dont l'un sert à entretenir la jeunesse perpétuelle de la Nature, et dont l'autre maintient l'ordre de ses productions, et que peut seul limiter le nombre dans les espèces. Tous deux sont des effets dépendants des causes générales ; chaque individu qui naît, tombe de lui-même au bout d'un temps ; ou lorsqu'il est prématurément détruit par les autres, c'est qu'il était surabondant. Eh combien n'y en a-t-il pas de supprimés d'avance ! que de fleurs moissonnées au printemps ! que de races éteintes au moment de leur naissance ! que de germes anéantis avant leur développement !

DE L'HOMME[29]

« De l'enfance[30] »
(1749)

Si quelque chose est capable de nous donner une idée de notre faiblesse, c'est l'état où nous nous trouvons immédiatement après la naissance ; incapable de faire encore aucun usage de ses organes et de se servir de ses sens, l'enfant qui naît a besoin de secours de toute espèce[31], c'est une image de misère et de douleur, il est dans ces premiers temps plus faible qu'aucun des animaux, sa vie incertaine et chancelante paraît devoir finir à chaque instant ; il ne peut se soutenir ni se mouvoir, à peine a-t-il la force nécessaire pour exister et pour annoncer par des gémissements les souffrances qu'il éprouve, comme si la Nature voulait l'avertir qu'il est né pour souffrir, et qu'il ne vient prendre place dans l'espèce humaine que pour en partager les infirmités et les peines.

Ne dédaignons pas de jeter les yeux sur un état par lequel nous avons tous commencé, voyons-nous au berceau, passons même sur le dégoût que peut donner le détail des soins que cet état exige, et cherchons par quels degrés cette machine délicate, ce corps naissant et à peine vivant, vient à prendre du mouvement, de la consistance et des forces.

L'enfant qui naît passe d'un élément dans un autre : au sortir de l'eau qui l'environnait de toutes parts dans le sein de sa mère, il se trouve exposé à l'air, et il éprouve dans l'instant les impressions de ce fluide actif ; l'air agit sur les nerfs de l'odorat et sur les organes de la respiration, cette action produit une secousse, une espèce d'éternuement qui soulève la capacité de la poitrine et donne à l'air la liberté d'entrer dans les poumons ; il dilate leurs vésicules et les gonfle, il s'y échauffe et s'y raréfie jusqu'à un certain degré, après quoi le ressort des fibres [32] dilatées réagit sur ce fluide léger et le fait sortir des poumons. Nous n'entreprendrons pas d'expliquer ici les causes du mouvement alternatif et continuel de la respiration, nous nous bornerons à parler des effets ; cette fonction est essentielle à l'homme et à plusieurs espèces d'animaux, c'est ce mouvement qui entretient la vie, s'il cesse l'animal périt, aussi la respiration ayant une fois commencé, elle ne finit qu'à la mort, et dès que le fœtus respire pour la première fois, il continue à respirer sans interruption : cependant on peut croire avec quelque fondement, que le trou ovale ne se ferme pas tout à coup au moment de la naissance, et que par conséquent une partie du sang doit continuer à passer par cette ouverture ; tout le sang ne doit donc pas entrer d'abord dans les poumons, et peut-être pourrait-on priver de l'air l'enfant nouveau-né pendant un temps considérable, sans que cette privation lui causât la mort. Je fis il y a environ dix ans une expérience sur de petits chiens, qui semble prouver la possibilité de ce que je viens de dire ; j'avais pris la précaution de mettre la mère, qui était une grosse chienne de l'espèce des plus grands lévriers, dans un baquet rempli d'eau chaude, et l'ayant attachée de façon que les parties de derrière trempaient dans l'eau, elle mit bas trois chiens dans cette eau, et ces petits animaux se trouvèrent au sortir de leurs enveloppes dans un liquide aussi chaud que celui d'où ils sortaient : on aida la mère dans l'accouchement, on accommoda et on lava dans cette eau les petits chiens, ensuite on les fit passer dans un plus petit baquet rempli de lait chaud, sans leur donner le temps de respirer. Je les fis mettre dans du lait au lieu de les laisser dans l'eau, afin qu'ils pussent prendre de la nourriture s'ils en avaient besoin ; on les retint dans le lait où ils étaient plongés, et ils y demeurèrent pendant plus d'une demi-heure, après quoi les ayant retirés les uns après les autres, je les trouvai tous trois vivants ; ils commencèrent à respirer et à rendre quelque humeur par la gueule, je les laissai respirer pendant une demi-heure, et ensuite on les replongea dans le lait que l'on avait fait réchauffer pendant ce temps ; je les y laissai pendant une seconde demi-heure, et les ayant ensuite retirés, il y en avait deux qui étaient vigoureux, et qui ne paraissaient pas avoir souffert de la privation de l'air, mais le troisième me paraissait être languissant ; je ne jugeai pas à propos de le replonger une seconde fois, je le fis porter à la mère ; elle avait d'abord fait ces trois chiens dans l'eau, et ensuite elle en avait encore fait six autres. Ce petit chien qui était né dans l'eau, qui d'abord avait passé plus d'une demi-heure dans le lait avant d'avoir respiré, et encore une autre demi-heure après avoir respiré, n'en était pas fort incommodé, car il fut bientôt rétabli sous la mère, et il vécut comme les autres. Des six qui étaient nés dans l'air, j'en fis jeter quatre, de sorte qu'il n'en restait alors à la mère que deux de ces six, et celui qui était né dans l'eau. Je continuai ces épreuves sur les deux autres qui étaient dans le lait, je les laissai respirer une seconde fois pendant une heure environ, ensuite je les fis mettre de nouveau dans le lait chaud, où ils se trouvèrent plongés pour la troisième fois, je ne sais s'ils en avalèrent ou non ; ils restèrent dans ce liquide pendant une demi-heure, et lorsqu'on les en tira, ils paraissaient être presque aussi vigoureux qu'auparavant ; cependant les ayant fait porter à la mère, l'un des deux mourut le même jour, mais je ne pus savoir si c'était par accident, ou pour avoir souffert dans le temps qu'il était plongé dans la liqueur et qu'il était privé de l'air ; l'autre vécut aussi bien que le premier, et ils prirent tous deux autant d'accroissement que ceux qui n'avaient pas subi cette épreuve. Je n'ai pas suivi ces expériences plus loin, mais j'en ai assez vu pour être persuadé que la respiration n'est pas aussi absolument nécessaire à l'animal nouveau-né qu'à l'adulte, et qu'il serait peut-être possible, en s'y prenant avec précaution, d'empêcher de cette façon le trou ovale de se fermer, et de faire par ce moyen d'excellents plongeurs et des espèces d'animaux amphibies qui vivraient également dans l'air et dans l'eau [33].

... Les sens sont des espèces d'instruments dont il faut apprendre à se servir ; celui de la vue, qui paraît être le plus noble et le plus admirable, est en même temps le moins sûr et le plus illusoire, ses sensations ne produiraient que des jugements faux, s'ils n'étaient à tout instant rectifiés par le témoignage du toucher ; celui-ci est le sens solide, c'est la pierre de touche et la mesure de tous les autres sens, c'est le seul qui soit absolument essentiel à l'animal, c'est celui qui est universel et qui est répandu dans toutes les parties de son corps ; cependant ce sens même n'est pas encore parfait dans l'enfant au moment de sa naissance, il donne à la vérité des signes de douleur par ses gémissements et ses cris, mais il n'a encore aucune expression pour marquer le plaisir ; il ne commence à rire qu'au bout de quarante jours, c'est aussi le temps auquel il commence à pleurer, car auparavant les cris et les gémissements ne sont point accompagnés de larmes. Il ne paraît donc aucun signe des passions sur le visage du nouveau-né, les parties de la face n'ont pas même toute la consistance et tout le ressort nécessaires à cette espèce d'expression des sentiments de l'âme : toutes les autres parties du corps encore faibles et délicates, n'ont que des mouvements incertains et mal assurés ; il ne peut pas se tenir debout, ses jambes et ses cuisses sont encore pliées par l'habitude qu'il a contractée dans le sein de sa mère, il n'a pas la force d'étendre les bras ou de saisir quelque chose avec la main ; si on l'abandonnait, il resterait couché sur le dos sans pouvoir se retourner.

En réfléchissant sur ce que nous venons de dire, il paraît que la douleur que l'enfant ressent dans les premiers temps, et qu'il exprime par des gémissements, n'est qu'une sensation corporelle, semblable à celle des animaux qui gémissent aussi dès qu'ils sont nés, et que les sensations de l'âme ne commencent à se manifester qu'au bout de quarante jours, car le rire et les larmes sont des produits de deux sensations intérieures, qui toutes deux dépendent de l'action de l'âme. La première est une émotion agréable qui ne peut naître qu'à la vue ou par le souvenir d'un objet connu, aimé et désiré, l'autre est un ébranlement désagréable, mêlé d'attendrissement et d'un retour sur nous-mêmes ; toutes deux sont des passions qui supposent des connaissances, des comparaisons et des réflexions, aussi le rire et les pleurs sont-ils des signes particuliers à l'espèce humaine pour exprimer le plaisir ou la douleur de l'âme, tandis que les cris, les mouvements et les autres signes de douleurs et des plaisirs du corps, sont communs à l'homme et à la plupart des animaux.

... On ne fait point téter l'enfant aussitôt qu'il est né[34], on lui donne auparavant le temps de rendre la liqueur et les glaires qui sont dans son estomac, et le *méconium* qui est dans ses intestins : ces matières pourraient faire aigrir le lait et produire un mauvais effet, ainsi on commence par lui faire avaler un peu de vin sucré pour fortifier son estomac et procurer les évacuations qui doivent le disposer à recevoir la nourriture et à la digérer ; ce n'est que dix ou douze heures après la naissance qu'il doit téter pour la première fois.

A peine l'enfant est-il sorti du sein de sa mère, à peine jouit-il de la liberté de mouvoir et d'étendre ses membres, qu'on lui donne de nouveaux liens, on l'emmaillote, on le couche la tête fixe et les jambes allongées, les bras pendants à côté du corps, il est entouré de linges et de bandages de toute espèce qui ne lui permettent pas de changer de situation ; heureux ! si on ne l'a point serré au point de l'empêcher de respirer, et si on a eu la précaution de le coucher sur le côté, afin que les eaux qu'il doit rendre par la bouche, puissent tomber d'elles-mêmes, car il n'aurait pas la liberté de tourner la tête sur le côté pour en faciliter l'écoulement. Les peuples qui se contentent de couvrir ou de vêtir leurs enfants sans les mettre au maillot ne font-ils pas mieux que nous ? les Siamois, les Japonais, les Indiens, les Nègres, les sauvages du Canada, ceux de la Virginie, du Brésil, et la plupart des peuples de la partie méridionale de l'Amérique, couchent les enfants nus sur des lits de coton suspendus, ou les mettent dans des espèces de berceaux couverts et garnis de pelleteries. Je crois que ces usages ne sont pas sujets à autant d'inconvénients que le nôtre ; on ne peut pas éviter, en emmaillotant les enfants, de les gêner au point de leur faire ressentir de la douleur ; les efforts qu'ils font pour se débarrasser, sont plus capables de corrompre l'assemblage de leur corps, que les mauvaises situations où ils pourraient se mettre eux-mêmes s'ils étaient en liberté. Les bandages du maillot peuvent être comparés aux corps [35] que l'on fait porter aux filles dans leur jeunesse ; cette espèce de cuirasse, ce vêtement incommode, qu'on a imaginé pour soutenir la taille et l'empêcher de se déformer, cause cependant plus d'incommodités et de difformités qu'il n'en prévient.

Si le mouvement que les enfants veulent se donner dans le maillot peut leur être funeste, l'inaction dans laquelle cet état les retient peut aussi leur être nuisible: Le défaut d'exercice est capable de retarder l'accroissement des membres et de diminuer les forces du corps ; ainsi les enfants qui ont la liberté de mouvoir leurs membres à leur gré, doivent être plus forts que ceux qui sont emmaillotés ; c'était pour cette raison que les anciens Péruviens laissaient les bras libres aux enfants dans un maillot fort large ; lorsqu'ils les en tiraient, ils les mettaient en liberté dans un trou fait en terre et garni de linges, dans lequel ils les descendaient jusqu'à la moitié du corps ; de cette façon ils avaient les bras libres, et ils pouvaient mouvoir leur tête et fléchir leur corps à leur gré sans tomber et sans se blesser ; dès qu'ils pouvaient faire un pas, on leur présentait la mamelle d'un peu loin comme un appât pour les obliger à marcher. Les petits nègres sont quelquefois dans une situation bien plus fatigante pour téter, ils embrassent l'une des hanches de la mère avec leurs genoux et leurs pieds, et ils la serrent si bien qu'ils peuvent s'y soutenir sans le secours des bras de la mère, ils s'attachent à la mamelle avec leurs mains, et ils la sucent constamment sans se déranger et sans tomber, malgré les différents mouvements de la mère, qui pendant ce temps travaille à son ordinaire. Ces enfants commencent à marcher dès le second mois, ou plutôt à se traîner sur les genoux et sur les mains ; cet exercice leur donne pour la suite la facilité de courir dans cette situation presque aussi vite que s'ils étaient sur leurs pieds.

... Il n'y a que la tendresse maternelle qui soit capable de cette vigilance continuelle, de ces petites attentions si nécessaires [36] : peut-on l'espérer de nourrices mercenaires et grossières ?

Les unes abandonnent leurs enfants pendant plusieurs heures sans avoir la moindre inquiétude sur leur état, d'autres sont assez cruelles pour n'être pas touchées de leurs gémissements ; alors ces petits infortunés entrent dans une sorte de désespoir, ils font tous les efforts dont ils sont capables, ils poussent des cris qui durent autant que leurs forces ; enfin ces excès leur causent des maladies, ou au moins les mettent dans un état de fatigue et d'abattement qui dérange leur tempérament et qui peut même influer sur leur caractère. Il est un usage dont les nourrices nonchalantes et paresseuses abusent souvent : au lieu d'employer des moyens efficaces pour soulager l'enfant, elles se contentent d'agiter le berceau en le faisant balancer sur les côtés ; ce mouvement lui donne une sorte de distraction qui apaise ses cris ; en continuant le même mouvement on l'étourdit, et à la fin on l'endort ; mais ce sommeil forcé n'est qu'un palliatif qui ne détruit pas la cause du mal présent, au contraire, on pourrait causer du mal réel aux enfants en les berçant pendant un trop long temps, on les ferait vomir, peut-être aussi que cette agitation est capable de leur ébranler la tête et d'y causer du dérangement.

Avant que de bercer les enfants, il faut être sûr qu'il ne leur manque rien, et on ne doit jamais les agiter au point de les étourdir ; si on aperçoit qu'ils ne dorment pas assez, il suffit d'un mouvement lent et égal pour les assoupir ; on ne doit donc les bercer que rarement, car si on les y accoutume, ils ne peuvent plus dormir autrement. Pour que leur santé soit bonne, il faut que leur sommeil soit naturel et long, cependant, s'ils dormaient trop, il serait à craindre que leur tempérament n'en souffrît ; dans ce cas il faut les tirer du berceau et les éveiller par de petits mouvements, leur faire entendre des sons doux et agréables, leur faire voir quelque chose de brillant. C'est à cet âge que l'on reçoit les premières impressions des sens, elles sont sans doute plus importantes que l'on ne croit pour le reste de la vie.

Les yeux des enfants se portent toujours du côté le plus éclairé de l'endroit qu'ils habitent, et s'il n'y a que l'un de leurs yeux qui puisse s'y fixer, l'autre n'étant pas exercé n'acquerra pas autant de force : pour prévenir cet inconvénient, il faut placer le berceau de façon qu'il soit éclairé par les pieds, soit que la lumière vienne d'une fenêtre ou d'un flambeau ; dans cette position les deux yeux de l'enfant peuvent la recevoir en même temps, et acquérir par l'exercice une force égale : si l'un des yeux prend plus de force que l'autre, l'enfant deviendra louche, car nous avons prouvé que l'inégalité de force dans les yeux est la cause du regard louche.

La nourrice ne doit donc donner à l'enfant que le lait de ses mamelles pour toute nourriture, au moins pendant les deux premiers mois, il ne faudrait même lui faire prendre aucun autre aliment pendant le troisième et le quatrième mois, surtout lorsque son tempérament est faible et délicat. Quelque robuste que puisse être un enfant, il pourrait en arriver de grands inconvénients, si on lui donnait d'autre nourriture que le lait de la nourrice avant la fin du premier mois. En Hollande, en Italie, en Turquie, et en général dans tout le Levant, on ne donne aux enfants que le lait des mamelles pendant un an entier; les Sauvages du Canada les allaitent jusqu'à l'âge de quatre ou cinq ans, et quelquefois jusqu'à six ou sept ans : dans ce pays-ci, comme la plupart des nourrices n'ont pas assez de lait pour fournir à l'appétit de leurs enfants, elles cherchent à l'épargner, et pour cela elles leur donnent un aliment composé de farine et de lait, même dès les premiers jours de leur naissance; cette nourriture apaise la faim, mais l'estomac et les intestins de ces enfants étant à peine ouverts, et encore trop faibles pour digérer un aliment grossier et visqueux, ils souffrent, deviennent malades et périssent quelquefois de cette espèce d'indigestion.

Le lait des animaux peut suppléer au défaut de celui des femmes; si les nourrices en manquaient dans certains cas, ou s'il y avait quelque chose à craindre pour elles de la part de l'enfant, on pourrait lui donner à téter le mamelon d'un animal, afin qu'il reçût le lait dans un degré de chaleur toujours égal et convenable, et surtout afin que sa propre salive se mêlât avec le lait pour en faciliter la digestion, comme cela se fait par le moyen de la succion, parce que les muscles, qui sont alors en mouvement, font couler la salive en pressant les glandes et les autres vaisseaux. J'ai connu à la campagne quelques paysans qui n'ont pas eu d'autres nourrices que des brebis, et ces paysans étaient aussi vigoureux que les autres.

... Si les mères nourrissaient leurs enfants, il y a apparence qu'ils en seraient plus forts et plus vigoureux, le lait de leur mère doit leur convenir mieux que le lait d'une autre femme, car le fœtus se nourrit dans la matrice d'une liqueur laiteuse qui est fort semblable au lait qui se forme dans les mamelles ; l'enfant est donc déjà pour ainsi dire accoutumé au lait de sa mère, au lieu que le lait d'une autre nourrice est une nourriture nouvelle pour lui, et qui est quelquefois assez différente de la première pour qu'il ne puisse pas s'y accoutumer, car on voit des enfants qui ne peuvent s'accommoder du lait de certaines femmes, ils maigrissent, ils deviennent languissants et malades ; dès qu'on s'en aperçoit, il faut prendre une autre nourrice, si l'on n'a pas cette attention, ils périssent en fort peu de temps.

Je ne puis m'empêcher d'observer ici que l'usage où l'on est de rassembler un grand nombre d'enfants dans un même lieu, comme dans les hôpitaux des grandes villes, est extrêmement contraire au principal objet qu'on doit se proposer, qui est de les conserver ; la plupart de ces enfants périssent par une espèce de scorbut ou par d'autres maladies qui leur sont communes à tous, auxquelles ils ne seraient pas sujets s'ils étaient élevés séparément les uns des autres, ou du moins s'ils étaient distribués en plus petit nombre dans différentes habitations à la ville, et encore mieux à la campagne. Le même revenu suffirait sans doute pour les entretenir, et on éviterait la perte d'une infinité d'hommes, qui, comme l'on sait, sont la vraie richesse d'un État [37].

... Il y a des enfants qui à deux ans prononcent distinctement et répètent tout ce qu'on leur dit, mais la plupart ne parlent qu'à deux ans et demi, et très souvent beaucoup plus tard ; on remarque que ceux qui commencent à parler fort tard, ne parlent jamais aussi aisément que les autres ; ceux qui parlent de bonne heure sont en état d'apprendre à lire avant trois ans ; j'en ai connu quelques-uns qui avaient commencé à apprendre à lire à deux ans, qui lisaient à merveille à quatre ans. Au reste on ne peut guère décider s'il est fort utile d'instruire les enfants de si bonne heure, on a tant d'exemples du peu de succès de ces éducations prématurées, on a vu tant de prodiges de quatre ans, de huit ans, de douze ans, de seize ans, qui n'ont été que des sots ou des hommes fort communs à vingt-cinq ou à trente ans, qu'on serait porté à croire que la meilleure de toutes les éducations est celle qui est la plus ordinaire, celle par laquelle on ne force pas la Nature, celle qui est la moins sévère, celle qui est la plus proportionnée, je ne dis pas aux forces, mais à la faiblesse de l'enfant.

« De la puberté »

(1749)

La puberté accompagne l'adolescence et précède la jeunesse. Jusqu'alors la Nature ne paraît avoir travaillé que pour la conservation et l'accroissement de son ouvrage, elle ne fournit à l'enfant que ce qui lui est nécessaire pour se nourrir et pour croître, il vit, ou plutôt il végète d'une vie particulière, toujours faible, renfermée en lui-même, et qu'il ne peut communiquer ; mais bientôt les principes de vie se multiplient, il a non seulement tout ce qu'il lui faut pour être, mais encore de quoi donner l'existence à d'autres ; cette surabondance de vie, source de la force et de la santé, ne pouvant plus être contenue au-dedans, cherche à se répandre au-dehors, elle s'annonce par plusieurs signes ; l'âge de la puberté est le printemps de la Nature, la saison des plaisirs. Pourrons-nous écrire l'histoire de cet âge avec assez de circonspection pour ne réveiller dans l'imagination que des idées philosophiques ? La puberté, les circonstances qui l'accompagnent, la circoncision, la castration, la virginité, l'impuissance, sont cependant trop essentielles à l'histoire de l'homme pour que nous puissions supprimer les faits qui y ont rapport ; nous tâcherons seulement d'entrer dans ces détails avec cette sage retenue qui fait la décence du style, et de les présenter comme nous les avons vus nous-mêmes, avec cette indifférence philosophique qui détruit tout sentiment dans l'expression, et ne laisse aux mots que leur simple signification[38].

Circoncision, infibulation, castration

La circoncision est un usage extrêmement ancien et qui subsiste encore dans la plus grande partie de l'Asie. Chez les Hébreux cette opération devait se faire huit jours après la naissance de l'enfant ; en Turquie on ne la fait pas avant l'âge de sept ou huit ans, et même on attend souvent jusqu'à onze ou douze ; en Perse c'est à l'âge de cinq ou six ans ; on guérit la plaie en y appliquant des poudres caustiques ou astringentes, et particulièrement du papier brûlé, qui est, dit Chardin, le meilleur remède ; il ajoute que la circoncision fait beaucoup de douleur aux personnes âgées, qu'elles sont obligées de garder la chambre pendant trois semaines ou un mois, et que quelquefois elles en meurent.

Aux îles Maldives on circoncit les enfants à l'âge de sept ans, et on les baigne dans la mer pendant six ou sept heures avant l'opération, pour rendre la peau plus tendre et plus molle. Les Israélites se servaient d'un couteau de pierre ; les Juifs conservent encore aujourd'hui cet usage dans la plupart de leurs synagogues, mais les Mahométans se servent d'un couteau de fer ou d'un rasoir.

Dans certaines maladies on est obligé de faire une opération pareille à la circoncision. On croit que les Turcs et plusieurs autres peuples chez qui la circoncision est en usage, auraient naturellement le prépuce trop long si on n'avait pas la précaution de le couper. La Boulaye dit qu'il a vu dans les déserts de Mésopotamie et d'Arabie, le long des rivières du Tigre et de l'Euphrate, quantité de petits garçons arabes qui avaient le prépuce si long, qu'il croit que sans le secours de la circoncision ces peuples seraient inhabiles à la génération.

La peau des paupières est aussi plus longue chez les Orientaux que chez les autres peuples, et cette peau est, comme l'on sait, d'une substance semblable à celle du prépuce ; mais quel rapport y a-t-il entre l'accroissement de ces deux parties si éloignées ?

Une autre circoncision est celle des filles, elle leur est ordonnée comme aux garçons en quelques pays d'Arabie et de Perse, comme vers le golfe Persique et vers la mer Rouge ; mais ces peuples ne circoncisent les filles que quand elles ont passé l'âge de la puberté, parce qu'il n'y a rien d'excédent avant ce temps-là. Dans d'autres climats cet accroissement trop grand des nymphes est bien plus prompt, et il est si général chez de certains peuples, comme ceux de la rivière de Benin, qu'ils sont dans l'usage de circoncire toutes les filles aussi bien que les garçons huit ou quinze jours après leur naissance ; cette circoncision des filles est même très ancienne en Afrique : Hérodote en parle comme d'une coutume des Éthiopiens.

La circoncision peut donc être fondée sur la nécessité, et cet usage a du moins pour objet la propreté, mais l'infibulation et la castration ne peuvent avoir d'autre origine que la jalousie ; ces opérations barbares et ridicules ont été imaginées par des esprits noirs et fanatiques, qui par une basse envie contre le genre humain ont dicté des lois tristes et cruelles, où la privation fait la vertu et la mutilation le mérite.

L'infibulation pour les garçons se fait en tirant le prépuce en avant, on le perce et on le traverse par un gros fil que l'on y laisse jusqu'à ce que les cicatrices des trous soient faites ; alors on substitue au fil un anneau assez grand qui doit rester en place aussi longtemps qu'il plaît à celui qui a ordonné l'opération, et quelquefois toute la vie. Ceux qui parmi les moines orientaux font vœu de chasteté, portent un très gros anneau pour se mettre dans l'impossibilité d'y manquer. Nous parlerons dans la suite de l'infibulation des filles, on ne peut rien imaginer de bizarre et de ridicule sur ce sujet que les hommes n'aient mis en pratique, ou par passion, ou par superstition.

Dans l'enfance il n'y a quelquefois qu'un testicule dans le scrotum, et quelquefois point du tout ; on ne doit cependant pas toujours juger que les jeunes gens qui sont dans l'un ou l'autre de ces cas soient en effet privés de ce qui paraît leur manquer ; il arrive assez souvent que les testicules sont retenus dans l'abdomen ou engagés dans les anneaux des muscles, mais souvent ils surmontent avec le temps les obstacles qui les arrêtent, et ils descendent à leur place ordinaire ; cela se fait naturellement à l'âge de huit ou dix ans, ou même à l'âge de puberté ; ainsi on ne doit pas s'inquiéter pour les enfants qui n'ont point de testicules ou qui n'en ont qu'un. Les adultes sont rarement dans le cas d'avoir les testicules cachés, apparemment qu'à l'âge de puberté la Nature fait un effort pour les faire paraître au-dehors; c'est aussi quelquefois par l'effet d'un mouvement violent, tel qu'un saut ou une chute, etc. Quand même les testicules ne se manifestent pas, on n'en est pas moins propre à la génération; l'on a même observé que ceux qui sont dans cet état, ont plus de vigueur que les autres.

Il se trouve des hommes qui n'ont réellement qu'un testicule, ce défaut ne nuit point à la génération; l'on a remarqué que le testicule qui est seul, est alors beaucoup plus gros qu'à l'ordinaire : il y a aussi des hommes qui en ont trois, ils sont, dit-on, beaucoup plus vigoureux et plus forts de corps que les autres. On peut voir par l'exemple des animaux, combien ces parties contribuent à la force et au courage; quelle différence entre un bœuf et un taureau, un bélier et un mouton, un coq et un chapon!

L'usage de la castration des hommes est fort ancien et généralement assez répandu, c'était la peine de l'adultère chez les Égyptiens; il y avait beaucoup d'eunuques chez les Romains, aujourd'hui dans toute l'Asie et dans une partie de l'Afrique on se sert de ces hommes mutilés pour garder les femmes. En Italie cette opération infâme et cruelle n'a pour objet que la perfection d'un vain talent. Les Hottentots coupent un testicule dans l'idée que ce retranchement les rend plus légers à la course[39]; dans d'autres pays les pauvres mutilent leurs enfants pour éteindre leur postérité, et afin que ces enfants ne se trouvent pas un jour dans la misère et dans l'affliction où ils se trouvent eux-mêmes lorsqu'ils n'ont pas de pain à leur donner.

Il y a plusieurs espèces de castration : ceux qui n'ont

en vue que la perfection de la voix se contentent de couper les deux testicules, mais ceux qui sont animés par la défiance qu'inspire la jalousie, ne croiraient pas leurs femmes en sûreté si elles étaient gardées par des eunuques de cette espèce, ils ne veulent que ceux auxquels on a retranché toutes les parties extérieures de la génération.

L'amputation n'est pas le seul moyen dont on se soit servi ; autrefois on empêchait l'accroissement des testicules, et on les détruisait, pour ainsi dire, sans aucune incision ; l'on baignait les enfants dans l'eau chaude et dans des décoctions de plantes, et alors on pressait et on froissait les testicules assez longtemps pour en détruire l'organisation ; d'autres étaient dans l'usage de les comprimer avec un instrument : on prétend que cette sorte de castration ne fait courir aucun risque pour la vie.

L'amputation des testicules n'est pas fort dangereuse, on peut la faire à tout âge, cependant on préfère le temps de l'enfance ; mais l'amputation entière des parties extérieures de la génération est le plus souvent mortelle, si on la fait après l'âge de quinze ans, et en choisissant l'âge le plus favorable qui est depuis sept ans jusqu'à dix, il y a toujours du danger. La difficulté qu'il y a de sauver ces sortes d'eunuques dans l'opération les rend bien plus chers que les autres : Tavernier dit que les premiers coûtent cinq ou six fois plus que les autres en Turquie et en Perse ; Chardin observe que l'amputation totale est toujours accompagnée de la plus vive douleur, qu'on la fait assez sûrement sur les jeunes enfants, mais qu'elle est très dangereuse passé l'âge de quinze ans, qu'il en réchappe à peine un quart, et qu'il faut six semaines pour guérir la plaie ; Pietro della Valle dit au contraire que ceux à qui on fait cette opération en Perse pour punition du viol et d'autres crimes du même genre, en guérissent fort heureusement, quoique avancés en âge, et qu'on n'applique que de la cendre sur la plaie. Nous ne savons pas si ceux qui subissaient autrefois la même peine en Égypte, comme le rapporte Diodore de Sicile, s'en tiraient aussi heureusement. Selon Thévenot, il périt toujours un grand nombre des Nègres que les Turcs soumettent à cette opération, quoiqu'ils prennent des enfants de huit ou dix ans.

Outre ces eunuques nègres, il y a d'autres eunuques à Constantinople, dans toute la Turquie, en Perse, etc., qui viennent, pour la plupart, du royaume de Golconde, de la presqu'île en deçà du Gange, des royaumes d'Assan, d'Aracan, de Pégu et de Malabar où le teint est gris, du golfe de Bengale, où ils sont de couleur olivâtre ; il y en a de blancs de Géorgie et de Circassie, mais en petit nombre. Tavernier dit qu'étant au royaume de Golconde en 1657, on y fit jusqu'à vingt-deux mille eunuques. Les noirs viennent d'Afrique, principalement d'Éthiopie : ceux-ci sont d'autant plus recherchés et plus chers qu'ils sont plus horribles, on veut qu'ils aient le nez fort aplati, le regard affreux, les lèvres fort grandes et fort grosses, et surtout les dents noires et écartées les unes des autres ; ces peuples ont communément les dents belles, mais ce serait un défaut pour un eunuque noir qui doit être un monstre hideux.

Les eunuques auxquels on n'a ôté que les testicules, ne laissent pas de sentir de l'irritation dans ce qui leur reste, et d'en avoir le signe extérieur, même plus fréquemment que les autres hommes ; cette partie qui leur reste, n'a cependant pris qu'un très petit accroissement, car elle demeure à peu près dans le même état où elle était avant l'opération ; un eunuque fait à l'âge de sept ans, est à cet égard à vingt ans comme un enfant de sept ans, ceux au contraire qui n'ont subi l'opération que dans le temps de la puberté ou un peu plus tard, sont à peu près comme les autres hommes.

Il y a des rapports singuliers, dont nous ignorons les causes, entre les parties de la génération et celles de la gorge ; les eunuques n'ont point de barbe, leur voix, quoique forte et perçante, n'est jamais d'un ton grave ; souvent les maladies secrètes se montrent à la gorge. La correspondance qu'ont certaines parties du corps humain avec d'autres fort éloignées et fort différentes, et qui est ici si marquée, pourrait s'observer bien plus généralement, mais on ne fait pas assez d'attention aux effets lorsqu'on ne soupçonne pas quelles en peuvent être les causes ; c'est sans doute pour cette raison qu'on n'a jamais songé à examiner avec soin ces correspondances dans le corps humain, sur lesquelles cependant roule une grande partie du jeu de la machine animale[40].

Virginité, mariage

C'est ordinairement à l'âge de puberté que le corps achève de prendre son accroissement en hauteur ; les jeunes gens grandissent presque tout à coup de plusieurs pouces, mais de toutes les parties du corps celles où l'accroissement est le plus prompt et le plus sensible, sont les parties de la génération dans l'un et dans l'autre sexe ; mais cet accroissement n'est dans les mâles qu'un développement, une augmentation de volume, au lieu que dans les femelles il produit souvent un rétrécissement auquel on a donné différents noms lorsqu'on a parlé des signes de la virginité.

Les hommes jaloux des primautés en tout genre, ont toujours fait grand cas de tout ce qu'ils ont cru pouvoir posséder exclusivement et les premiers ; c'est cette espèce de folie qui a fait un être réel de la virginité des filles. La virginité qui est un être moral, une vertu qui ne consiste que dans la pureté du cœur, est devenue un objet physique dont tous les hommes se sont occupés ; ils ont établi sur cela des opinions, des usages, des cérémonies, des superstitions, et même des jugements et des peines ; les abus les plus illicites, les coutumes les plus déshonnêtes, ont été autorisés ; on a soumis à l'examen de matrones ignorantes, et exposé aux yeux de médecins prévenus, les parties les plus secrètes de la Nature, sans songer qu'une pareille indécence est un attentat contre la virginité, que c'est la violer que de chercher à la reconnaître, que toute situation honteuse, tout état indécent dont une fille est obligée de rougir intérieurement, est une vraie défloration.

Je n'espère pas réussir à détruire les préjugés ridicules qu'on s'est formés sur ce sujet ; les choses qui font plaisir à croire seront toujours crues, quelque vaines et quelque déraisonnables qu'elles puissent être, cependant comme dans une histoire on rapporte non seulement la suite des événements et les circonstances des faits, mais aussi l'origine des opinions et des erreurs dominantes, j'ai cru que dans l'Histoire de l'Homme je ne pourrais me dispenser de parler de l'idole favorite à laquelle il sacrifie, d'examiner quelles peuvent être les raisons de son culte, et de rechercher si la virginité est un être réel, ou si ce n'est qu'une divinité fabuleuse[41].

Fallope, Vésale, Diemerbroek, Riolan, Bartholin, Heister, Ruysch et quelques autres anatomistes prétendent que la membrane de l'hymen est une partie réellement existante, qui doit être mise au nombre des parties de la génération des femmes, et ils disent que cette membrane est charnue, qu'elle est fort mince dans les enfants, plus épaisse dans les filles adultes, qu'elle est située au-dessous de l'orifice de l'urètre, qu'elle ferme en partie l'entrée du vagin, que cette membrane est percée d'une ouverture ronde, quelquefois longue, etc., que l'on pourrait à peine y faire passer un pois dans l'enfance, et une grosse fève dans l'âge de puberté. L'hymen, selon M. Winslow, est un repli membraneux plus ou moins circulaire, plus ou moins large, plus ou moins égal, quelquefois semi-lunaire, qui laisse une ouverture très petite dans les unes, plus grande dans les autres, etc. Ambroise Paré, Du Laurens, Graaf, Pinæus, Dionis, Mauriceau, Palfyn et plusieurs autres anatomistes aussi fameux et tout au moins aussi accrédités que les premiers que nous avons cités, soutiennent au contraire que la membrane de l'hymen n'est qu'une chimère, que cette partie n'est point naturelle aux filles, et ils s'étonnent de ce que les autres en ont parlé comme d'une chose réelle et constante : ils leur opposent une multitude d'expériences par lesquelles ils se sont assurés que cette membrane n'existe pas ordinairement ; ils rapportent les observations qu'ils ont faites sur un grand nombre de filles de différents âges, qu'ils ont disséquées et dans lesquelles ils n'ont pu trouver cette membrane, ils avouent seulement qu'ils ont vu quelquefois, mais bien rarement, une membrane qui unissait des protubérances charnues, qu'ils ont appelées caroncules myrtiformes, mais ils soutiennent que cette membrane était contre l'état naturel. Les anatomistes ne sont pas plus d'accord entre eux sur la qualité et le nombre de ces caroncules ; sont-elles seulement des rugosités du vagin ? sont-elles des parties distinctes et séparées ? sont-elles des restes de la membrane de l'hymen ? le nombre en est-il constant ? n'y en a-t-il qu'une seule ou plusieurs dans l'état de virginité ? chacune de ces questions a été faite, et chacune a été résolue différemment.

Cette contrariété d'opinions sur un fait qui dépend d'une simple inspection, prouve que les hommes ont voulu trouver dans la Nature ce qui n'était que dans leur imagination, puisqu'il y a plusieurs anatomistes qui disent de bonne foi qu'ils n'ont jamais trouvé d'hymen ni de caroncules dans les filles qu'ils ont disséquées, même avant l'âge de puberté, puisque ceux qui soutiennent au contraire que cette membrane et ces caroncules existent, avouent en même temps que ces parties ne sont pas toujours les mêmes, qu'elles varient de forme, de grandeur et de consistance, dans les différents sujets, que souvent au lieu d'hymen il n'y a qu'une caroncule, que d'autres fois il y en a deux ou plusieurs réunies par une membrane, que l'ouverture de cette membrane est de différente forme, etc.[42]. Quelles sont les conséquences qu'on doit tirer de toutes ces observations ? qu'en peut-on conclure, sinon que les causes du prétendu rétrécissement de l'entrée du vagin ne sont pas constantes, et que lorsqu'elles existent, elles n'ont tout au plus qu'un effet passager qui est susceptible de différentes modifications ?

... La forme de ce rétrécissement doit, comme l'on voit, être fort différente dans les différents sujets et dans les différents degrés de l'accroissement de ces parties : aussi paraît-il par ce qu'en disent les anatomistes, qu'il y a quelquefois quatre protubérances ou caroncules, quelquefois trois ou deux, et que souvent il se trouve une espèce d'anneau circulaire ou semilunaire, ou bien un froncement, une suite de petits plis ; mais ce qui n'est pas dit par les anatomistes, c'est que quelque forme que prenne ce rétrécissement, il n'arrive que dans le temps de la puberté. Les petites filles que j'ai eu l'occasion de voir disséquer, n'avaient rien de semblable, et ayant recueilli des faits sur ce sujet, je puis avancer que, quand elles ont commerce avec les hommes avant la puberté, il n'y a aucune effusion de sang, pourvu qu'il n'y ait pas une disproportion trop grande ou des efforts trop brusques ; au contraire, lorsqu'elles sont en pleine puberté et dans le temps de l'accroissement des parties, il y a très souvent effusion de sang pour peu qu'on y touche, surtout si elles ont de l'embonpoint, et si les règles vont bien, car celles qui sont maigres ou qui ont des fleurs blanches n'ont pas ordinairement cette apparence de virginité ; et ce qui prouve évidemment que ce n'est en effet qu'une apparence trompeuse, c'est qu'elle se répète même plusieurs fois, et après des intervalles de temps assez considérables ; une interruption de quelque temps fait reconnaître cette prétendue virginité, et il est certain qu'une jeune personne qui dans les premières approches aura répandu beaucoup de sang, en répandra encore après une absence, quand même le premier commerce aurait duré plusieurs mois et qu'il aurait été aussi intime et aussi fréquent qu'on le peut supposer : tant que le corps prend de l'accroissement l'effusion du sang peut se répéter, pourvu qu'il y ait une interruption de commerce assez longue pour donner le temps aux parties de se réunir et de reprendre leur premier état, et il est arrivé plus d'une fois que des filles qui avaient eu plus d'une faiblesse, n'ont pas laissé de donner ensuite à leur mari cette preuve de leur virginité sans autre artifice que celui d'avoir renoncé pendant quelque temps à leur commerce illégitime. Quoique nos mœurs aient rendu les femmes trop peu sincères sur cet article, il s'en est trouvé plus d'une qui ont avoué les faits que je viens de rapporter ; il y en a dont la prétendue virginité s'est renouvelée jusqu'à quatre et même cinq fois, dans l'espace de deux ou trois ans : il faut cependant convenir que ce renouvellement n'a qu'un temps, c'est ordinairement de quatorze à dix-sept, ou de quinze à dix-huit ans ; dès que le corps a achevé de prendre son accroissement, les choses demeurent dans l'état où elles sont, et elles ne peuvent paraître différentes qu'en employant des secours étrangers et des artifices dont nous nous dispenserons de parler.

Ces filles dont la virginité se renouvelle ne sont pas en aussi grand nombre que celles à qui la Nature a refusé cette espèce de faveur ; pour peu qu'il y ait de dérangement dans la santé, que l'écoulement périodique se montre mal et difficilement, que les parties soient trop humides et que les fleurs blanches viennent à les relâcher, il ne se fait aucun rétrécissement, aucun froncement, ces parties prennent de l'accroissement, mais, étant continuellement humectées, elles n'acquièrent pas assez de fermeté pour se réunir, il ne se forme ni caroncules, ni anneau, ni plis, l'on ne trouve que peu d'obstacles aux premières approches, et elles se font sans aucune effusion de sang.

Rien n'est donc plus chimérique que les préjugés des hommes à cet égard, et rien de plus incertain que ces prétendus signes de la virginité du corps ; une jeune personne aura commerce avec un homme avant l'âge de puberté, et pour la première fois, cependant elle ne donnera aucune marque de cette virginité ; ensuite la même personne après quelque temps d'interruption, lorsqu'elle sera arrivée à la puberté, ne manquera guère, si elle se porte bien, d'avoir tous ces signes et de répandre du sang dans de nouvelles approches ; elle ne deviendra pucelle qu'après avoir perdu sa virginité, elle pourra même le devenir plusieurs fois de suite et aux mêmes conditions : une autre au contraire qui sera vierge en effet, ne sera pas pucelle, ou du moins n'en aura pas la moindre apparence. Les hommes devraient donc bien se tranquilliser sur tout cela, au lieu de se livrer, comme ils le font souvent, à des soupçons injustes ou à de fausses joies, selon ce qu'ils s'imaginent avoir rencontré.

Si l'on voulait avoir un signe évident et infaillible de virginité pour les filles, il faudrait le chercher parmi ces nations sauvages et barbares, qui n'ayant point de sentiment de vertu et d'honneur à donner à leurs enfants par une bonne éducation, s'assurent de la chasteté de leurs filles par un moyen que leur a suggéré la grossièreté de leurs mœurs. Les Éthiopiens et plusieurs autres peuples de l'Afrique, les habitants du Pégu et de l'Arabie Pétrée et quelques autres nations de l'Asie, aussitôt que leurs filles sont nées, rapprochent par une sorte de couture les parties que la Nature a séparées, et ne laissent libre que l'espace qui est nécessaire pour les écoulements naturels : les chairs adhèrent peu à peu à mesure que l'enfant prend son accroissement, de sorte que l'on est obligé de les séparer par une incision lorsque le temps du mariage est arrivé ; on dit qu'ils emploient pour cette infibulation des femmes un fil d'amiante, parce que cette matière n'est pas sujette à la corruption. Il y a certains peuples qui passent seulement un anneau ; les femmes sont soumises, comme les filles, à cet usage outrageant pour la vertu, on les force de même à porter un anneau, la seule différence est que celui des filles ne peut s'ôter, et que celui des femmes a une espèce de serrure dont le mari seul a la clef. Mais pourquoi citer des nations barbares, lorsque nous avons de pareils exemples aussi près de nous ? la délicatesse dont quelques-uns de nos voisins se piquent sur la chasteté de leurs femmes, est-elle autre chose qu'une jalousie brutale et criminelle ?

Quel contraste dans les goûts et dans les mœurs des

différentes nations ! quelle contrariété dans leur façon de penser ! Après ce que nous venons de rapporter sur le cas que la plupart des hommes font de la virginité, sur les précautions qu'ils prennent et sur les moyens honteux qu'ils se sont avisés d'employer pour s'en assurer, imaginerait-on que d'autres peuples la méprisent, et qu'ils regardent comme un ouvrage servile la peine qu'il faut prendre pour l'ôter ?

La superstition a porté certains peuples à céder les prémices des vierges aux prêtres de leurs idoles, ou à en faire une espèce de sacrifice à l'idole même ; les prêtres des royaumes de Cochin et de Calicut jouissent de ce droit, et chez les Canarins de Goa les vierges sont prostituées de gré ou de force par leurs plus proches parents à une idole de fer, la superstition aveugle de ces peuples leur fait commettre ces excès dans des vues de religion ; des vues purement humaines en ont engagé d'autres à livrer avec empressement leurs filles à leurs chefs, à leurs maîtres, à leurs seigneurs ; les habitants des îles Canaries, du royaume de Congo, prostituent leurs filles de cette façon sans qu'elles en soient déshonorées : c'est à peu près la même chose en Turquie et en Perse, et dans plusieurs autres pays de l'Asie et de l'Afrique, où les plus grands seigneurs se trouvent trop honorés de recevoir de la main de leur maître les femmes dont il s'est dégoûté.

Au royaume d'Aracan et aux îles Philippines, un homme se croirait déshonoré s'il épousait une fille qui n'eût pas été déflorée par un autre, et ce n'est qu'à prix d'argent que l'on peut engager quelqu'un à prévenir l'époux. Dans la province de Thibet, les mères cherchent des étrangers et les prient instamment de mettre leurs filles en état de trouver des maris ; les Lapons préfèrent aussi les filles qui ont eu commerce avec des étrangers : ils pensent qu'elles ont plus de mérite que les autres, puisqu'elles ont su plaire à des hommes qu'ils regardent comme plus connaisseurs et meilleurs juges de la beauté qu'ils ne le sont eux-mêmes. A Madagascar et dans quelques autres pays, les filles les plus libertines et les plus débauchées sont celles qui sont le plus tôt mariées ; nous pourrions donner plusieurs autres exemples de ce goût singulier, qui ne peut venir que de la grossièreté ou de la dépravation des mœurs.

L'état naturel des hommes après la puberté est celui du mariage ; un homme ne doit avoir qu'une femme, comme une femme ne doit avoir qu'un homme ; cette loi est celle de la Nature, puisque le nombre des femelles est à peu près égal à celui des mâles : ce ne peut donc être qu'en s'éloignant du droit naturel, et par la plus injuste de toutes les tyrannies, que les hommes ont établi des lois contraires ; la raison, l'humanité, la justice réclament contre ces sérails odieux, où l'on sacrifie à la passion brutale ou dédaigneuse d'un seul homme, la liberté et le cœur de plusieurs femmes dont chacune pourrait faire le bonheur d'un autre homme. Ces tyrans du genre humain en sont-ils plus heureux ? environnés d'eunuques et de femmes inutiles à eux-mêmes et aux autres hommes, ils sont assez punis, ils ne voient que les malheureux qu'ils ont faits[43].

Le mariage tel qu'il est établi chez nous et chez les autres peuples raisonnables et religieux, est donc l'état qui convient à l'homme et dans lequel il doit faire usage des nouvelles facultés qu'il a acquises par la puberté, qui lui deviendraient à charge, et même quelquefois funestes, s'il s'obstinait à garder le célibat. Le trop long séjour de la liqueur séminale dans ses réservoirs peut causer des maladies dans l'un et dans l'autre sexe, ou du moins des irritations si violentes que la raison et la religion seraient à peine suffisantes pour résister à ces passions impétueuses, elles rendraient l'homme semblable aux animaux, qui sont furieux et indomptables lorsqu'ils ressentent ces impressions.

L'effet extrême de cette irritation dans les femmes est la fureur utérine ; c'est une espèce de manie qui leur trouble l'esprit et leur ôte toute pudeur, les discours les plus lascifs, les actions les plus indécentes accompagnent cette triste maladie et en décèlent l'origine. J'ai vu, et je l'ai vu comme un phénomène, une fille de douze ans, très brune, d'un teint vif et fort coloré, d'une petite taille, mais déjà formée, avec de la gorge et de l'embonpoint, faire les actions les plus indécentes au seul aspect d'un homme ; rien n'était capable de l'en empêcher, ni la présence de sa mère, ni les remontrances, ni les châtiments ; elle ne perdait cependant pas la raison, et son accès, qui était marqué au point d'en être affreux, cessait dans le moment qu'elle demeurait seule avec des femmes. Aristote prétend que c'est à cet âge que l'irritation est la plus grande et qu'il faut garder le plus soigneusement les filles. Cela peut être vrai pour le climat où il vivait, mais il paraît que dans les pays plus froids le tempérament des femmes ne commence à prendre de l'ardeur que beaucoup plus tard.

Lorsque la fureur utérine est à un certain degré, le mariage ne la calme point, il y a des exemples de femmes qui en sont mortes. Heureusement la force de la Nature cause rarement toute seule ces funestes passions, lors même que le tempérament y est disposé ; il faut, pour qu'elles arrivent à cette extrémité, le concours de plusieurs causes dont la principale est une imagination allumée par le feu des conversations licencieuses et des images obscènes. Le tempérament opposé est infiniment plus commun parmi les femmes, la plupart sont naturellement froides ou tout au moins fort tranquilles sur le physique de cette passion ; il y a aussi des hommes auxquels la chasteté ne coûte rien, j'en ai connu qui jouissaient d'une bonne santé, et qui avaient atteint l'âge de vingt-cinq et trente ans, sans que la nature leur eût fait sentir des besoins assez pressants pour les déterminer à les satisfaire en aucune façon.

Au reste les excès sont plus à craindre que la continence, le nombre des hommes immodérés est assez grand pour en donner des exemples ; les uns ont perdu la mémoire, les autres ont été privés de la vue, d'autres sont devenus chauves, d'autres ont péri d'épuisement ; la saignée est, comme l'on sait, mortelle en pareil cas. Les personnes sages ne peuvent trop avertir les jeunes gens du tort irréparable qu'ils font à leur santé, combien n'y en a-t-il pas qui cessent d'être hommes, ou du moins qui cessent d'en avoir les facultés, avant l'âge de trente ans ! combien d'autres prennent à quinze et à dix-huit ans les germes d'une maladie honteuse et souvent incurable[44] !

« De l'âge viril[45] »
(1749)

« *Description de l'homme*[46] »

Lorsqu'on vient à penser tout à coup à quelque chose qu'on désire ardemment ou qu'on regrette vivement, on ressent un tressaillement ou un serrement intérieur ; ce mouvement du diaphragme agit sur les poumons, les élève et occasionne une inspiration vive et prompte qui forme le soupir ; et lorsque l'âme a réfléchi sur la cause de son émotion, et qu'elle ne voit aucun moyen de remplir son désir ou de faire cesser ses regrets, les soupirs se répètent, la tristesse, qui est la douleur de l'âme, succède à ces premiers mouvements, et lorsque cette douleur de l'âme est profonde et subite, elle fait couler les larmes, et l'air entre dans la poitrine par secousses, il se fait plusieurs inspirations réitérées par une espèce de secousse involontaire ; chaque inspiration fait un bruit plus fort que celui du soupir, c'est ce qu'on appelle *sangloter* ; les sanglots se succèdent plus rapidement que les soupirs, et le son de la voix se fait entendre un peu dans le sanglot ; les accents en sont encore plus marqués dans le gémissement, c'est une espèce de sanglot continué, dont le son lent se fait entendre dans l'inspiration et dans l'expiration ; son expression consiste dans la continuation et la durée d'un ton plaintif formé par des sons inarticulés ; ces sons du gémissement sont plus ou moins longs, suivant le degré de tristesse, d'affliction et d'abattement qui les cause, mais ils sont toujours répétés plusieurs fois ; le temps de l'inspiration est celui de l'intervalle de silence qui est entre les gémissements, et ordinairement ces intervalles sont égaux pour la durée et pour la distance. Le cri plaintif est un gémissement exprimé avec force et à haute voix ; quelquefois ce cri se soutient dans toute son étendue sur le même ton, c'est surtout lorsqu'il est fort élevé et très aigu ; quelquefois aussi il finit par un ton plus bas, c'est ordinairement lorsque la force du cri est modérée.

Le ris est un son entrecoupé subitement et à plusieurs reprises par une sorte de trémoussement qui est marqué à l'extérieur par le mouvement du ventre qui s'élève et s'abaisse précipitamment, quelquefois pour faciliter ce mouvement on penche la poitrine et la tête en avant : la poitrine se resserre et reste immobile, les coins de la bouche s'éloignent du côté des joues qui se trouvent resserrées et gonflées ; l'air à chaque fois que le ventre s'abaisse, sort de la bouche avec bruit, et l'on entend un éclat de la voix qui se répète plusieurs fois de suite, quelquefois sur le même ton, d'autres fois sur des tons différents qui vont en diminuant à chaque répétition.

Dans le ris immodéré et dans presque toutes les passions violentes les lèvres sont fort ouvertes, mais dans des mouvements de l'âme plus doux et plus tranquilles les coins de la bouche s'éloignent sans qu'elle s'ouvre, les joues se gonflent, et dans quelques personnes il se forme sur chaque joue, à une petite distance des coins de la bouche, un léger enfoncement qu'on appelle *la fossette*, c'est un agrément qui se joint aux grâces dont le souris est ordinairement accompagné. Le souris est une marque de bienveillance, d'applaudissement et de satisfaction intérieure, c'est aussi une façon d'exprimer le mépris et la moquerie, mais dans ce souris malin on serre davantage les lèvres l'une contre l'autre par un mouvement de la lèvre inférieure.

Les joues sont des parties uniformes qui n'ont par elles-mêmes aucun mouvement, aucune expression, si ce n'est par la rougeur ou la pâleur qui les couvre involontairement dans des passions différentes ; ces parties forment le contour de la face et l'union des traits, elles contribuent plus à la beauté du visage qu'à l'expression des passions, il en est de même du menton, des oreilles et des tempes.

On rougit dans la honte, la colère, l'orgueil, la joie ; on pâlit dans la crainte, l'effroi et la tristesse ; cette altération de la couleur du visage est absolument involontaire, elle manifeste l'état de l'âme sans son consentement ; c'est un effet du sentiment sur lequel la volonté n'a aucun empire, elle peut commander à tout le reste, car un instant de réflexion suffit pour qu'on puisse arrêter les mouvements musculaires du visage dans les passions, et même pour les changer ; mais il n'est pas possible d'empêcher le changement de couleur, parce qu'il dépend d'un mouvement du sang occasionné par l'action du diaphragme qui est le principal organe du sentiment intérieur.

La tête en entier prend dans les passions, des positions et des mouvements différents, elle est abaissée en avant dans l'humilité, la honte, la tristesse, penchée à côté dans la langueur, la pitié, élevée dans l'arrogance, droite et fixe dans l'opiniâtreté ; la tête fait un mouvement en arrière dans l'étonnement, et plusieurs mouvements réitérés de côté et d'autre dans le mépris, la moquerie, la colère et l'indignation.

Dans l'affliction, la joie, l'amour, la honte, la compassion, les yeux se gonflent tout à coup, une humeur surabondante les couvre et les obscurcit, il en coule des larmes ; l'effusion des larmes est toujours accompagnée d'une tension des muscles du visage, qui fait ouvrir la bouche ; l'humeur qui se forme naturellement dans le nez devient plus abondante, les larmes s'y joignent par des conduits intérieurs, elles ne coulent pas uniformément, et elles semblent s'arrêter par intervalles.

Dans la tristesse les deux coins de la bouche s'abaissent, la lèvre inférieure remonte, la paupière est abaissée à demi, la prunelle de l'œil est élevée et à moitié cachée par la paupière, les autres muscles de la face sont relâchés, de sorte que l'intervalle qui est entre la bouche et les yeux, est plus grand qu'à l'ordinaire, et par conséquent le visage paraît allongé.

Dans la peur, la terreur, l'effroi, l'horreur, le front se ride, les sourcils s'élèvent, la paupière s'ouvre autant qu'il est possible, elle surmonte la prunelle et laisse paraître une partie du blanc de l'œil au-dessus de la prunelle qui est abaissée et un peu cachée par la paupière inférieure, la bouche est en même temps fort ouverte, les lèvres se retirent et laissent paraître les dents en haut et en bas.

Dans le mépris et la dérision, la lèvre supérieure se relève d'un côté et laisse paraître les dents, tandis que de l'autre côté elle a un petit mouvement comme pour sourire, le nez se fronce du même côté que la lèvre s'est élevée, et le coin de la bouche recule ; l'œil du même côté est presque fermé, tandis que l'autre est ouvert à l'ordinaire, mais les deux prunelles sont abaissées comme lorsqu'on regarde du haut en bas.

Dans la jalousie, l'envie, la malice, les sourcils descendent et se froncent, les paupières s'élèvent et les prunelles s'abaissent, la lèvre supérieure s'élève de chaque côté, tandis que les coins de la bouche s'abaissent un peu, et que le milieu de la lèvre inférieure se relève pour joindre le milieu de la lèvre supérieure.

Dans le ris les deux coins de la bouche reculent et s'élèvent un peu, la partie supérieure des joues se relève, les yeux se ferment plus ou moins, la lèvre supérieure s'élève, l'inférieure s'abaisse, la bouche s'ouvre et la peau du nez se fronce dans les ris immodérés.

Les bras, les mains et tout le corps entrent aussi dans l'expression des passions ; les gestes concourent avec les mouvements du visage pour exprimer les différents mouvements de l'âme. Dans la joie, par exemple, les yeux, la tête, les bras et tout le corps sont agités par des mouvements prompts et variés : dans la langueur et la tristesse les yeux sont abaissés, la tête est penchée sur le côté, les bras sont pendants et tout le corps est immobile : dans l'admiration, la surprise, l'étonnement, tout mouvement est suspendu, on reste dans une même attitude. Cette première expression des passions est indépendante de la volonté, mais il y a une autre sorte d'expression qui semble être produite par une réflexion de l'esprit et par le commandement de la volonté, qui fait agir les yeux, la tête, les bras et tout le corps : ces mouvements paraissent être autant d'efforts que fait l'âme pour défendre le corps, ce sont au moins autant de signes secondaires qui répètent les passions, et qui pourraient seuls les exprimer ; par exemple, dans l'amour, dans le désir, dans l'espérance on lève la tête et les yeux vers le ciel, comme pour demander le bien que l'on souhaite ; on porte la tête et le corps en avant, comme pour avancer, en s'approchant, la possession de l'objet désiré ; on étend les bras, on ouvre les mains pour l'embrasser et le saisir : au contraire dans la crainte, dans la haine, dans l'horreur nous avançons les bras avec précipitation, comme pour repousser ce qui fait l'objet de notre aversion, nous détournons les yeux et la tête, nous reculons pour l'éviter, nous fuyons pour nous en éloigner. Ces mouvements sont si prompts qu'ils paraissent involontaires, mais c'est un effet de l'habitude qui nous trompe, car ces mouvements dépendent de la réflexion, et marquent seulement la perfection des ressorts du corps humain, par la promptitude avec laquelle tous les membres obéissent aux ordres de la volonté.

Comme toutes les passions sont des mouvements de l'âme, la plupart relatifs aux impressions des sens, elles peuvent être exprimées par les mouvements du corps, et surtout par ceux du visage ; on peut juger de ce qui se passe à l'intérieur par l'action extérieure, et connaître à l'inspection des changements du visage, la situation actuelle de l'âme ; mais comme l'âme n'a point de forme qui puisse être relative à aucune forme matérielle, on ne peut pas la juger par la figure du corps ou par la forme du visage ; un corps mal fait peut renfermer une fort belle âme, et l'on ne doit pas juger du bon ou du mauvais naturel d'une personne par les traits de son visage, car ces traits n'ont aucun rapport avec la nature de l'âme, aucune analogie sur laquelle on puisse fonder des conjectures raisonnables.

Les Anciens étaient cependant fort attachés à cette espèce de préjugé, et dans tous les temps il y a eu des hommes qui ont voulu faire une science divinatoire de leurs prétendues connaissances en physionomie, mais il est bien évident qu'elles ne peuvent s'étendre qu'à deviner les mouvements de l'âme par ceux des yeux, du visage et du corps, et que la forme du nez, de la bouche et des autres traits ne fait pas plus à la forme de l'âme, au naturel de la personne, que la grandeur ou la grosseur des membres fait à la pensée. Un homme en sera-t-il plus spirituel parce qu'il aura le nez bien fait ? en sera-t-il moins sage parce qu'il aura les yeux petits et la bouche grande ? il faut donc avouer que tout ce que nous ont dit les physionomistes est destitué de tout fondement, et que rien n'est plus chimérique que les inductions qu'ils ont voulu tirer de leurs prétendues observations métoposcopiques[47].

La beauté des femmes[48]

Il se trouve cependant quelquefois parmi nous des hommes d'une force extraordinaire, mais ce don de la Nature, qui leur serait précieux s'ils étaient dans le cas de l'employer pour leur défense ou pour des travaux utiles, est un très petit avantage dans une société policée, où l'esprit fait plus que le corps, et où le travail de la main ne peut être que celui des hommes du dernier ordre.

Les femmes ne sont pas, à beaucoup près, aussi fortes que les hommes, et le plus grand usage, ou le plus grand abus que l'homme ait fait de sa force, c'est d'avoir asservi et traité souvent d'une manière tyrannique cette moitié du genre humain, faite pour partager avec lui les plaisirs et les peines de la vie. Les Sauvages obligent leurs femmes à travailler continuellement, ce sont elles qui cultivent la terre, qui font l'ouvrage pénible, tandis que le mari reste nonchalamment couché dans son hamac, dont il ne sort que pour aller à la chasse ou à la pêche, ou pour se tenir debout dans la même attitude pendant des heures entières; car les Sauvages ne savent ce que c'est que de se promener, et rien ne les étonne plus dans nos manières que de nous voir aller en droite ligne et revenir ensuite sur nos pas plusieurs fois de suite, ils n'imaginent pas qu'on puisse prendre cette peine sans aucune nécessité, et se donner ainsi du mouvement qui n'aboutit à rien. Tous les hommes tendent à la paresse, mais les sauvages des pays chauds sont les plus paresseux de tous les hommes, et les plus tyranniques à l'égard de leurs femmes par les services qu'ils en exigent avec une dureté vraiment sauvage : chez les peuples policés, les hommes, comme les plus forts, ont dicté des lois où les femmes sont toujours plus lésées, à proportion de la grossièreté des mœurs, et ce n'est que parmi les nations civilisées jusqu'à la politesse que les femmes ont obtenu cette égalité de condition, qui cependant est si naturelle et si nécessaire à la douceur de la société : aussi cette politesse dans les mœurs est-elle leur ouvrage [49] ; elles ont opposé à la force des armes victorieuses, lorsque par leur modestie elles nous ont appris à reconnaître l'empire de la beauté, avantage naturel plus grand que celui de la force, mais qui suppose l'art de le faire valoir. Car les idées que les différents peuples ont de la beauté, sont si singulières et si opposées qu'il y a tout lieu de croire que les femmes ont plus gagné par l'art de se faire désirer, que par ce don même de la Nature, dont les hommes jugent si différemment ; ils sont bien plus d'accord sur la valeur de ce qui est en effet l'objet de leurs désirs, le prix de la chose augmente par la difficulté d'en obtenir la possession. Les femmes ont eu de la beauté dès qu'elles ont su se respecter assez pour se refuser à tous ceux qui ont voulu les attaquer par d'autres voies que par celles du sentiment, et du sentiment une fois né la politesse des mœurs a dû suivre.

Les Anciens avaient des goûts de beauté différents des nôtres ; les petits fronts, les sourcils joints ou presque point séparés étaient des agréments dans le visage d'une femme : on fait encore aujourd'hui grand cas en Perse, de gros sourcils qui se joignent ; dans quelques pays des Indes il faut pour être belle avoir les dents noires et les cheveux blancs, et l'une des principales occupations des femmes aux îles Marianes, est de se noircir les dents avec des herbes, et de se blanchir les cheveux à force de les laver avec certaines eaux préparées. A la Chine et au Japon c'est une beauté que d'avoir le visage large, les yeux petits et couverts, le nez camus et large, les pieds extrêmement petits, le ventre fort gros, etc. Il y a des peuples parmi les Indiens de l'Amérique et de l'Asie, qui aplatissent la tête de leurs enfants en leur serrant le front et le derrière de la tête entre des planches, afin de rendre leur visage beaucoup plus large qu'il ne le serait naturellement ; d'autres aplatissent la tête et l'allongent en la serrant par les côtés, d'autres l'aplatissent par le sommet ; d'autres enfin la rendent la plus ronde qu'ils peuvent ; chaque nation a des préjugés différents sur la beauté, chaque homme a même sur cela ses idées et son goût particulier ; ce goût est apparemment relatif aux premières impressions agréables qu'on a reçues de certains objets dans le temps de l'enfance, et dépend peut-être plus de l'habitude et du hasard que de la disposition de nos organes. Nous verrons, lorsque nous traiterons du développement des sens, sur quoi peuvent être fondées les idées de beauté en général que les yeux peuvent nous en donner.

« De la vieillesse et de la mort[50] »
(1749)

Tout change dans la Nature, tout s'altère, tout périt ; le corps de l'homme n'est pas plutôt arrivé à son point de perfection, qu'il commence à déchoir : le dépérissement est d'abord insensible, il se passe même plusieurs années avant que nous nous apercevions d'un changement considérable, cependant nous devrions sentir le poids de nos années mieux que les autres ne peuvent en compter le nombre ; et comme ils ne se trompent pas sur notre âge en le jugeant par les changements extérieurs, nous devrions nous tromper encore moins sur l'effet intérieur qui les produit, si nous nous observions mieux, si nous nous flattions moins, et si dans tout, les autres ne nous jugeaient pas toujours beaucoup mieux que nous ne nous jugeons nous-mêmes.

Lorsque le corps a acquis toute son étendue en hauteur et en largeur par le développement entier de toutes ses parties, il augmente en épaisseur ; le commencement de cette augmentation est le premier point de son dépérissement, car cette extension n'est pas une continuation de développement ou d'accroissement intérieur de chaque partie par lesquels le corps continuerait de prendre plus d'étendue dans toutes ses parties organiques, et par conséquent plus de force et d'activité, mais c'est une simple addition de matière surabondante qui enfle le volume du corps et le charge d'un poids inutile. Cette matière est la graisse qui survient ordinairement à trente-cinq ou quarante ans, et à mesure qu'elle augmente, le corps a moins de légèreté et de liberté dans ses mouvements, ses facultés pour la génération diminuent, ses membres s'appesantissent, il n'acquiert de l'étendue qu'en perdant de la force et de l'activité.

D'ailleurs les os et les autres parties solides du corps ayant pris toute leur extension en longueur et en grosseur, continuent d'augmenter en solidité[51], les sucs nourriciers qui y arrivent, et qui étaient auparavant employés à en augmenter le volume par le développement, ne servent plus qu'à l'augmentation de la masse, en se fixant dans l'intérieur de ces parties ; les membranes deviennent cartilagineuses, les cartilages deviennent osseux, les os deviennent plus solides, toutes les fibres plus dures, la peau se dessèche, les rides se forment peu à peu, les cheveux blanchissent, les dents tombent, le visage se déforme, le corps se courbe, etc. les premières nuances de cet état se font apercevoir avant quarante ans, elles augmentent par degrés assez lents jusqu'à soixante, par degrés plus rapides jusqu'à soixante-dix ; la caducité commence à cet âge de soixante-dix ans, elle va toujours en augmentant ; la décrépitude suit, et la mort termine ordinairement avant l'âge de quatre-vingt-dix ou cent ans la vieillesse et la vie[52].

... Pourquoi donc craindre la mort, si l'on a assez bien vécu pour n'en pas craindre les suites ? pourquoi redouter cet instant, puisqu'il est préparé par une infinité d'autres instants du même ordre, puisque la mort est aussi naturelle que la vie, et que l'une et l'autre nous arrivent de la même façon sans que nous le sentions, sans que nous puissions nous en apercevoir ? qu'on interroge les Médecins et les Ministres de l'Église, accoutumés à observer les actions des mourants, et à recueillir leurs derniers sentiments, ils conviendront qu'à l'exception d'un très petit nombre de maladies aiguës, où l'agitation causée par des mouvements convulsifs semble indiquer les souffrances du malade, dans toutes les autres on meurt tranquillement, doucement et sans douleur ; et même ces terribles agonies effraient plus les spectateurs, qu'elles ne tourmentent le malade, car combien n'en a-t-on pas vu qui, après avoir été à cette dernière extrémité, n'avaient aucun souvenir de ce qui s'était passé, non plus que de ce qu'ils avaient senti ! ils avaient réellement cessé d'être pour eux pendant ce temps, puisqu'ils sont obligés de rayer du nombre de leurs jours tous ceux qu'ils ont passés dans cet état duquel il ne leur reste aucune idée.

La plupart des hommes meurent donc sans le savoir, et dans le petit nombre de ceux qui conservent de la connaissance jusqu'au dernier soupir, il ne s'en trouve peut-être pas un qui ne conserve en même temps de l'espérance, et qui ne se flatte d'un retour vers la vie ; la Nature a, pour le bonheur de l'homme, rendu ce sentiment plus fort que la raison. Un malade dont le mal est incurable, qui peut juger son état par des exemples fréquents et familiers, qui en est averti par les mouvements inquiets de sa famille, par les larmes de ses amis, par la contenance ou l'abandon des

Médecins, n'en est pas plus convaincu qu'il touche à sa dernière heure ; l'intérêt est si grand qu'on ne s'en rapporte qu'à soi, on n'en croit pas les jugements des autres, on les regarde comme des alarmes peu fondées ; tant qu'on se sent et qu'on pense, on ne réfléchit, on ne raisonne que pour soi, et tout est mort que l'espérance vit encore.

Jetez les yeux sur un malade qui vous aura dit cent fois qu'il se sent attaqué à mort, qu'il voit bien qu'il ne peut pas en revenir, qu'il est prêt à expirer, examinez ce qui se passe sur son visage lorsque par zèle ou par indiscrétion quelqu'un vient à lui annoncer que sa fin est prochaine en effet ; vous le verrez changer comme celui d'un homme auquel on annonce une nouvelle imprévue, ce malade ne croit donc pas ce qu'il dit lui-même, tant il est vrai qu'il n'est nullement convaincu qu'il doit mourir ; il a seulement quelque doute, quelque inquiétude sur son état, mais il craint toujours beaucoup moins qu'il n'espère, et si l'on ne réveillait pas ses frayeurs par ces tristes soins et cet appareil lugubre qui devancent la mort, il ne la verrait point arriver.

La mort n'est donc pas une chose aussi terrible que nous nous l'imaginons, nous la jugeons mal de loin, c'est un spectre qui nous épouvante à une certaine distance, et qui disparaît lorsqu'on vient à en approcher de près ; nous n'en avons donc que des notions fausses, nous la regardons non seulement comme le plus grand malheur, mais encore comme un mal accompagné de la plus vive douleur et des plus pénibles angoisses ; nous avons même cherché à grossir dans notre imagination ces funestes images, et à augmenter nos craintes en raisonnant sur la nature de la douleur. Elle doit être extrême, a-t-on dit, lorsque l'âme se sépare du corps, elle peut aussi être de très longue durée, puisque le temps n'ayant d'autre mesure que la succession de nos idées, un instant de douleur très vive pendant lequel ces idées se succèdent avec une rapidité proportionnée à la violence du mal, peut nous paraître plus long qu'un siècle pendant lequel elles coulent lentement et relativement aux sentiments tranquilles qui nous affectent ordinairement. Quel abus de la philosophie dans ce raisonnement ! il ne mériterait pas d'être relevé s'il était sans conséquence, mais il influe sur le malheur du genre humain, il rend l'aspect de la mort mille fois plus affreux qu'il ne peut être, et n'y eût-il qu'un très petit nombre de gens trompés par l'apparence spécieuse de ces idées, il serait toujours utile de les détruire et d'en faire voir la fausseté[53].

« *Du bonheur dans l'âge avancé* » *(1777)*

Voilà donc[54], dans l'espèce du cheval, l'exemple d'un individu qui a vécu cinquante ans, c'est-à-dire le double du temps de la vie ordinaire de ces animaux. L'analogie confirme en général ce que nous ne connaissons que par quelques faits particuliers, c'est qu'il doit se trouver dans toutes les espèces, et par conséquent dans l'espèce humaine comme dans celle du cheval, quelques individus dont la vie se prolonge au double de la vie ordinaire, c'est-à-dire à cent soixante ans au lieu de quatre-vingts. Ces privilèges de la nature sont, à la vérité, placés de loin en loin pour le temps, et à de grandes distances dans l'espace ; ce sont les gros lots dans la loterie universelle de la vie : néanmoins ils suffisent pour donner aux vieillards même les plus âgés l'espérance d'un âge encore plus grand.

Nous avons dit, qu'une raison pour vivre est d'avoir

vécu, et nous l'avons démontré par l'échelle des probabilités de la durée de la vie ; cette probabilité est à la vérité d'autant plus petite que l'âge est grand, mais lorsqu'il est complet, c'est-à-dire à quatre-vingts ans, cette même probabilité qui décroît de moins en moins, devient pour ainsi dire stationnaire et fixe. Si l'on peut parier un contre un qu'un homme de quatre-vingts ans vivra trois ans de plus, on peut le parier de même pour un homme de quatre-vingt-trois, de quatre-vingt-six, et peut-être encore pour un homme de quatre-vingt-dix ans. Nous avons donc toujours dans l'âge même le plus avancé, l'espérance légitime de trois années de vie. Et trois années ne sont-elles pas une vie complète, ne suffisent-elles pas aux projets d'un homme sage ? nous ne sommes donc jamais vieux si notre morale n'est pas trop jeune ; le Philosophe doit dès lors regarder la vieillesse comme un préjugé, comme une idée contraire au bonheur de l'homme, et qui ne trouble pas celui des animaux. Les chevaux de dix ans qui voyaient travailler ce cheval de cinquante ans, ne le jugeaient pas plus près qu'eux de la mort ; ce n'est que par notre arithmétique que nous jugeons autrement ; mais cette même arithmétique bien entendue nous démontre que dans notre grand âge nous sommes toujours à trois ans de distance de la mort, tant que nous nous portons bien ; que vous autres jeunes gens vous en êtes bien plus près, pour peu que vous abusiez des forces de votre âge ; que d'ailleurs, et tout abus égal, c'est-à-dire proportionnel, nous sommes aussi sûrs à quatre-vingts ans de vivre encore trois ans, que vous l'êtes à trente ans d'en vivre vingt-six. Chaque jour que je me lève en bonne santé, n'ai-je pas la jouissance de ce jour aussi présente, aussi plénière que la vôtre ? si je conforme mes mouvements, mes appétits, mes désirs, aux seules impulsions de la sage nature, ne suis-je pas aussi sage et plus heureux que vous ? ne suis-je pas même plus sûr de mes projets, puisqu'elle me défend de les étendre au-delà de trois ans ? et la vue du passé, qui cause les regrets des vieux fous ne m'offre-t-elle pas au contraire des jouissances de mémoire, des tableaux agréables, des images précieuses qui valent bien vos objets de plaisir ? car elles sont douces, ces images, elles sont pures, elles ne portent dans l'âme qu'un souvenir aimable ; les inquiétudes, les chagrins, toute la triste cohorte qui accompagne vos jouissances de jeunesse, disparaissent dans le tableau qui me les représente ; les regrets doivent disparaître de même, ils ne sont que les derniers élans de cette folle vanité qui ne vieillit jamais.

N'oublions pas un autre avantage, ou du moins une forte compensation pour le bonheur dans l'âge avancé ; c'est qu'il y a plus de gain au moral que de perte au physique ; tout au moral est acquis ; et si quelque chose au physique est perdu, on en est pleinement dédommagé. Quelqu'un demandait au philosophe Fontenelle, âgé de quatre-vingt-quinze ans, quelles étaient les vingt années de sa vie qu'il regrettait le plus ; il répondit qu'il regrettait peu de chose, que néanmoins l'âge où il avait été le plus heureux était de cinquante-cinq à soixante-quinze ans. Il fit cet aveu de bonne foi, et il prouva son dire par des vérités sensibles et consolantes. A cinquante-cinq ans la fortune est établie, la réputation faite, la considération obtenue, l'état de la vie fixe, les prétentions évanouies ou remplies, les projets avortés ou mûris, la plupart des passions calmées ou refroidies, la carrière à peu près remplie pour les travaux que chaque homme doit à la société, moins d'ennemis ou plutôt moins d'envieux nuisibles, parce que le contrepoids du mérite est connu par la voix du public ; tout concourt dans le moral à l'avantage de l'âge, jusqu'au temps où les infirmités et les autres maux physiques viennent à troubler la jouissance tranquille et douce de ces biens acquis par la sagesse, qui seuls peuvent faire notre bonheur.

L'idée la plus triste, c'est-à-dire la plus contraire au bonheur de l'homme, est la vue fixe de sa prochaine fin, cette idée fait le malheur de la plupart des vieillards, même de ceux qui se portent le mieux, et qui ne sont pas encore dans un âge fort avancé, je les prie de s'en rapporter à moi ; ils ont encore à soixante-dix ans l'espérance légitime de six ans deux mois, à soixante-quinze ans l'espérance tout aussi légitime de quatre ans six mois de vie ; enfin à quatre-vingts et même à quatre-vingt-six ans, celle de trois années de plus ; il n'y a donc de fin prochaine que pour ces âmes faibles qui se plaisent à la rapprocher ; néanmoins le meilleur usage que l'homme puisse faire de la vigueur de son esprit, c'est d'agrandir les images de tout ce qui peut lui plaire en les rapprochant, et de diminuer au contraire en les éloignant, tous les objets désagréables, et surtout les idées qui peuvent faire son malheur, et souvent il suffit pour cela de voir les choses telles qu'elles sont en effet. La vie, ou si l'on veut la continuité de notre existence ne nous appartient qu'autant que nous la sentons ; or ce sentiment de l'existence n'est-il pas détruit par le sommeil ? chaque nuit nous cessons d'être, et dès lors nous ne pouvons regarder la vie comme une suite non interrompue d'existences senties, ce n'est point une trame continue, c'est un fil divisé par des nœuds ou plutôt par des coupures qui toutes appartiennent à la mort, chacune nous rappelle l'idée du dernier coup de ciseau, chacune nous représente ce que c'est que de cesser d'être : pourquoi donc s'occuper de la longueur plus ou moins grande de cette chaîne qui se rompt chaque jour ? Pourquoi ne pas regarder et la vie et la mort pour ce qu'elles sont en effet ? mais comme il y a plus de cœurs pusillanimes que d'âmes fortes, l'idée de la mort se trouve toujours exagérée, sa marche toujours précipitée, ses approches trop redoutées, et son aspect insoutenable ; on ne pense pas que l'on anticipe malheureusement sur son existence toutes les fois que l'on s'affecte de la destruction de son corps ; car cesser d'être n'est rien, mais la mort est la crainte de l'âme. Je ne dirai pas avec le stoïcien, *Mors homini summum bonum Dis denegatum*[55], je ne la vois ni comme un grand bien ni comme un grand mal, et j'ai tâché de la représenter telle qu'elle est dans l'article de ce volume qui a pour titre *De la vieillesse et de la mort* ; j'y renvoie mes lecteurs, par le désir que j'ai de contribuer à leur bonheur[56].

« De la nature de l'homme[57] »
(1749)

Quelque intérêt que nous ayons à nous connaître nous-mêmes, je ne sais si nous ne connaissons pas mieux tout ce qui n'est pas nous[58]. Pourvus par la Nature, d'organes uniquement destinés à notre conservation, nous ne les employons qu'à recevoir les impressions étrangères, nous ne cherchons qu'à nous répandre au-dehors, et à exister hors de nous ; trop occupés à multiplier les fonctions de nos sens, et à augmenter l'étendue extérieure de notre être, rarement faisons-nous usage de ce sens intérieur qui nous réduit à nos vraies dimensions et qui sépare de nous tout ce qui n'en est pas ; c'est cependant de ce sens dont il faut nous servir, si nous voulons nous connaître, c'est le seul par lequel nous puissions nous juger ; mais comment donner à ce sens son activité et toute son étendue ? comment dégager notre âme dans laquelle il réside, de toutes les illusions de notre esprit ? Nous avons perdu l'habitude de l'employer, elle est demeurée sans exercice au milieu du tumulte de nos sensations corporelles, elle s'est desséchée par le feu de nos passions ; le cœur, l'esprit, les sens, tout a travaillé contre elle.

Cependant inaltérable dans sa substance, impassible par son essence, elle est toujours la même ; sa lumière offusquée a perdu son éclat sans rien perdre de sa force, elle nous éclaire moins, mais elle nous guide aussi sûrement : recueillons pour nous conduire ces rayons qui parviennent encore jusqu'à nous, l'obscurité qui nous environne, diminuera, et si la route n'est pas également éclairée d'un bout à l'autre, au moins aurons-nous un flambeau avec lequel nous marcherons sans nous égarer.

Le premier pas et le plus difficile que nous ayons à faire pour parvenir à la connaissance de nous-mêmes, est de reconnaître nettement la nature des deux substances qui nous composent ; dire simplement que l'une est inétendue, immatérielle, immortelle, et que l'autre est étendue, matérielle et mortelle, se réduit à nier de l'une ce que nous assurons de l'autre ; quelle connaissance pouvons-nous acquérir par cette voie de négation ? ces expressions privatives ne peuvent représenter aucune idée réelle et positive : mais dire que nous sommes certains de l'existence de la première, et peu assurés de l'existence de l'autre, que la substance de l'une est simple, indivisible, et qu'elle n'a qu'une forme, puisqu'elle ne se manifeste que par une seule modification qui est la pensée, que l'autre est moins une substance qu'un sujet capable de recevoir des espèces de formes relatives à celles de nos sens, toutes aussi incertaines, toutes aussi variables que la nature même de ces organes, c'est établir quelque chose, c'est attribuer à l'une et à l'autre des propriétés différentes, c'est leur donner des attributs positifs et suffisants pour parvenir au premier degré de connaissance de l'une et de l'autre, et commencer à les comparer.

Pour peu qu'on ait réfléchi sur l'origine de nos connaissances, il est aisé de s'apercevoir que nous ne pouvons en acquérir que par la voie de la comparaison ; ce qui est absolument incomparable, est entièrement incompréhensible ; Dieu est le seul exemple que nous puissions donner ici, il ne peut être compris, parce qu'il ne peut être comparé ; mais tout ce qui est susceptible de comparaison, tout ce que nous pouvons apercevoir par des faces différentes, tout ce que nous pouvons considérer relativement, peut toujours être du ressort de nos connaissances ; plus nous aurons de sujets de comparaison, de côtés différents, de points particuliers sous lesquels nous pourrons envisager notre objet, plus aussi nous aurons de moyens pour le connaître et de facilité à réunir les idées sur lesquelles nous devons fonder notre jugement.

L'existence de notre âme nous est démontrée, ou plutôt nous ne faisons qu'un, cette existence et nous : être et penser, sont pour nous la même chose, cette vérité est intime et plus qu'intuitive, elle est indépendante de nos sens, de notre imagination, de notre mémoire, et de toutes nos autres facultés relatives. L'existence de notre corps et des autres objets extérieurs est douteuse pour quiconque raisonne sans préjugé, car cette étendue en longueur, largeur et profondeur, que nous appelons notre corps, et qui semble nous appartenir de si près, qu'est-elle autre chose sinon un rapport de nos sens ? les organes matériels de nos sens, que sont-ils eux-mêmes, sinon des convenances avec ce qui les affecte ? et notre sens intérieur, notre âme a-t-elle rien de semblable, rien qui lui soit commun avec la nature de ces organes extérieurs ? la sensation excitée dans notre âme par la lumière ou par le son, ressemble-t-elle à cette matière ténue qui semble propager la lumière, ou bien à ce trémoussement que le son produit dans l'air ? ce sont nos yeux et nos oreilles qui ont avec ces matières toutes les convenances nécessaires, parce que ces organes sont en effet de la même nature que cette matière elle-même, mais la sensation que nous éprouvons n'a rien de commun, rien de semblable ; cela seul ne suffirait-il pas pour nous prouver que notre âme est en effet d'une nature différente de celle de la matière ?

Nous sommes donc certains que la sensation intérieure est tout à fait différente de ce qui peut la causer, et nous voyons déjà que s'il existe des choses hors de nous, elles sont en elles-mêmes tout à fait différentes de ce que nous les jugeons, puisque la sensation ne ressemble en aucune façon à ce qui peut la causer ; dès lors ne doit-on pas conclure que ce qui cause nos sensations, est nécessairement et par sa nature tout autre chose que ce que nous croyons ? cette étendue que nous apercevons par les yeux, cette impénétrabilité dont le toucher nous donne une idée, toutes ces qualités réunies qui constituent la matière, pourraient bien ne pas exister, puisque notre sensation intérieure, et ce qu'elle nous représente par l'étendue, l'impénétrabilité, etc. n'est nullement étendue ni impénétrable, et n'a même rien de commun avec ces qualités.

Si l'on fait attention que notre âme est souvent pendant le sommeil et l'absence des objets, affectée de sensations, que ces sensations sont quelquefois fort différentes de celles qu'elle a éprouvées par la présence de ces mêmes objets en faisant usage des sens, ne viendra-t-on pas à penser que cette présence des objets n'est pas nécessaire à l'existence de ces sensations, et que par conséquent notre âme et nous, pouvons exister tout seuls et indépendamment de ces objets ? car dans le sommeil et après la mort notre corps existe, il a même tout le genre d'existence qu'il peut comporter, il est le même qu'il était auparavant, cependant l'âme ne s'aperçoit plus de l'existence du corps, il a cessé d'être pour nous : or je demande si quelque chose qui peut être, et ensuite n'être plus, si cette chose qui nous affecte d'une manière toute différente de ce qu'elle est, ou de ce qu'elle a été, peut être quelque chose d'assez réel pour que nous ne puissions pas douter de son existence.

Cependant nous pouvons croire qu'il y a quelque chose hors de nous, mais nous n'en sommes pas sûrs, au lieu que nous sommes assurés de l'existence réelle de tout ce qui est en nous ; celle de notre âme est donc certaine, et celle de notre corps paraît douteuse, dès qu'on vient à penser que la matière pourrait bien n'être qu'un mode de notre âme, une de ses façons de voir ; notre âme voit de cette façon quand nous veillons, elle voit d'une autre façon pendant le sommeil, elle verra d'une manière bien plus différente encore après notre mort, et tout ce qui cause aujourd'hui ses sensations, la matière en général, pourrait bien ne pas plus exister pour elle alors que notre propre corps qui ne sera plus rien pour nous.

Mais admettons cette existence de la matière, et quoiqu'il soit impossible de la démontrer, prêtons-nous aux idées ordinaires, et disons qu'elle existe, et qu'elle existe même comme nous la voyons[59] ; nous trouverons, en comparant notre âme avec cet objet matériel, des différences si grandes, des oppositions si marquées, que nous ne pourrons pas douter un instant qu'elle ne soit d'une nature totalement différente, et d'un ordre infiniment supérieur.

« *Des sens en général*[60] » *(1749)*

C'est par le toucher seul que nous pouvons acquérir des connaissances complètes et réelles, c'est ce sens qui rectifie tous les autres sens dont les effets ne seraient que des illusions et ne produiraient que des erreurs dans notre esprit, si le toucher ne nous apprenait à juger. Mais comment se fait le développement de ce sens important ? comment nos premières connaissances arrivent-elles à notre âme ? n'avons-nous pas oublié tout ce qui s'est passé dans les ténèbres de notre enfance ? comment retrouverons-nous la première trace de nos pensées ? n'y a-t-il pas même de la témérité à vouloir remonter jusque-là ? Si la chose était moins importante, on aurait raison de nous blâmer ; mais elle est peut-être plus que toute autre digne de nous occuper, et ne sait-on pas qu'on doit faire des efforts toutes les fois qu'on veut atteindre à quelque grand objet ?

J'imagine donc un homme tel qu'on peut croire qu'était le premier homme au moment de la création[61], c'est-à-dire, un homme dont le corps et les organes seraient parfaitement formés, mais qui s'éveillerait tout neuf pour lui-même et pour tout ce qui l'environne. Quels seraient ses premiers mouvements, ses premières sensations, ses premiers jugements ? Si cet homme voulait nous faire l'histoire de ses premières pensées, qu'aurait-il à nous dire ? quelle serait cette histoire ? Je ne puis me dispenser de le faire parler lui-même, afin d'en rendre les faits plus sensibles : ce récit philosophique qui sera court, ne sera pas une digression inutile.

Je me souviens de cet instant plein de joie et de trouble, où je sentis pour la première fois ma singulière existence ; je ne savais ce que j'étais, où j'étais, d'où je venais. J'ouvris les yeux, quel surcroît de sensation ! la lumière, la voûte céleste, la verdure de la terre, le cristal des eaux, tout m'occupait, m'animait, et me donnait un sentiment inexprimable de plaisir ; je crus d'abord que tous ces objets étaient en moi et faisaient partie de moi-même.

Je m'affermissais dans cette pensée naissante lorsque je tournai les yeux vers l'astre de la lumière, son éclat me blessa ; je fermai involontairement la paupière, et je sentis une légère douleur. Dans ce moment d'obscurité je crus avoir perdu presque tout mon être.

Affligé, saisi d'étonnement, je pensais à ce grand changement, quand tout à coup j'entends des sons ; le chant des oiseaux, le murmure des airs formaient un concert dont la douce impression me remuait jusqu'au fond de l'âme ; j'écoutai longtemps, et je me persuadai bientôt que cette harmonie était moi.

Attentif, occupé tout entier de ce nouveau genre d'existence, j'oubliais déjà la lumière cette autre partie de mon être que j'avais connue la première, lorsque je rouvris les yeux. Quelle joie de me retrouver en possession de tant d'objets brillants ! mon plaisir surpassa tout ce que j'avais senti la première fois, et suspendit pour un temps le charmant effet des sons.

Je fixai mes regards sur mille objets divers, je m'aperçus bientôt que je pouvais perdre et retrouver ces objets, et que j'avais la puissance de détruire et de reproduire à mon gré cette belle partie de moi-même, et quoiqu'elle me parût immense en grandeur par la quantité des accidents de lumière et par la variété des couleurs, je crus recon-

naître que tout était contenu dans une portion de mon être.

Je commençais à voir sans émotion et à entendre sans trouble, lorsqu'un air léger dont je sentis la fraîcheur, m'apporta des parfums qui me causèrent un épanouissement intime et me donnèrent un sentiment d'amour pour moi-même.

Agité par toutes ces sensations, pressé par les plaisirs d'une si belle et si grande existence, je me levai tout d'un coup, et je me sentis transporté par une force inconnue.

Je ne fis qu'un pas, la nouveauté de ma situation me rendit immobile, ma surprise fut extrême, je crus que mon existence fuyait, le mouvement que j'avais fait, avait confondu les objets, je m'imaginais que tout était en désordre.

Je portai la main sur ma tête, je touchai mon front et mes yeux, je parcourus mon corps, ma main me parut être alors le principal organe de mon existence ; ce que je sentais dans cette partie était si distinct et si complet, la jouissance m'en paraissait si parfaite en comparaison du plaisir que m'avaient causé la lumière et les sons, que je m'attachai tout entier à cette partie solide de mon être, et je sentis que mes idées prenaient de la profondeur et de la réalité.

Tout ce que je touchais sur moi semblait rendre à ma main sentiment pour sentiment, et chaque attouchement produisait dans mon âme une double idée.

Je ne fus pas longtemps sans m'apercevoir que cette faculté de sentir était répandue dans toutes les parties de mon être, je reconnus bientôt les limites de mon existence qui m'avait paru d'abord immense en étendue.

J'avais jeté les yeux sur mon corps, je le jugeais d'un volume énorme et si grand que tous les objets qui avaient frappé mes yeux, ne me paraissaient être en comparaison que des points lumineux.

Je m'examinai longtemps, je me regardais avec plaisir, je suivais ma main de l'œil et j'observais ses mouvements ; j'eus sur tout cela les idées les plus étranges, je croyais que le mouvement de ma main n'était qu'une espèce d'existence fugitive, une succession de choses semblables, je l'approchai de mes yeux, elle me parut alors plus grande que tout mon corps, et elle fit disparaître à ma vue un nombre infini d'objets.

Je commençai à soupçonner qu'il y avait de l'illusion dans cette sensation qui me venait par les yeux ; j'avais vu distinctement que ma main n'était qu'une petite partie de mon corps, et je ne pouvais comprendre qu'elle fût augmentée au point de me paraître d'une grandeur démesurée, je résolus donc de ne me fier qu'au toucher qui ne m'avait pas encore trompé, et d'être en garde sur toutes les autres façons de sentir et d'être.

Cette précaution me fut utile, je m'étais remis en mouvement et je marchais la tête haute et levée vers le ciel, je me heurtai légèrement contre un palmier ; saisi d'effroi, je portai ma main sur ce corps étranger, je le jugeai tel, parce qu'il ne me rendit pas sentiment pour sentiment ; je me détournai avec une espèce d'horreur, et je connus pour la première fois qu'il y avait quelque chose hors de moi.

Plus agité par cette nouvelle découverte que je ne l'avais été par toutes les autres, j'eus peine à me rassurer, et après avoir médité sur cet événement je conclus que je devais juger des objets extérieurs comme j'avais jugé des parties de mon corps, et qu'il n'y avait que le toucher qui pût m'assurer de leur existence.

Je cherchai donc à toucher tout ce que je voyais, je voulais toucher le soleil, j'étendais les bras pour embrasser l'horizon, et je ne trouvais que le vide des airs.

A chaque expérience que je tentais, je tombais de surprise en surprise, car tous les objets me paraissaient être également près de moi, et ce ne fut qu'après une infinité d'épreuves que j'appris à me servir de mes yeux pour guider ma main, et comme elle me donnait des idées toutes différentes des impressions que je recevais par le sens de la vue, mes sensations n'étant pas d'accord entre elles, mes jugements n'en étaient que plus imparfaits, et le total de mon être n'était encore pour moi-même qu'une existence en confusion.

Profondément occupé de moi, de ce que j'étais, de ce que je pouvais être, les contrariétés que je venais d'éprouver m'humilièrent, plus je réfléchissais, plus il se présentait de doutes ; lassé de tant d'incertitudes, fatigué des mouvements de mon âme, mes genoux fléchirent et je me trouvai dans une situation de repos. Cet état de tranquillité donna de nouvelles forces à mes sens, j'étais assis à l'ombre d'un bel arbre, des fruits d'une couleur vermeille descendaient en forme de grappe à la portée de ma main, je les touchai légèrement, aussitôt ils se séparèrent de la branche, comme la figue s'en sépare dans le temps de sa maturité.

J'avais saisi un de ces fruits, je m'imaginais avoir fait une conquête, et je me glorifiais de la faculté que je sentais, de pouvoir contenir dans ma main un autre être tout entier ; sa pesanteur, quoique peu sensible, me parut une résistance animée que je me faisais un plaisir de vaincre.

J'avais approché ce fruit de mes yeux, j'en considérais la forme et les couleurs, une odeur délicieuse me le fit approcher davantage, il se trouva près de mes lèvres, je tirais à longues inspirations le parfum, et goûtais à longs traits les plaisirs de l'odorat ; j'étais intérieurement rempli de cet air embaumé, ma bouche s'ouvrit pour l'exhaler, elle se rouvrit pour en reprendre, je sentis que je possédais un odorat intérieur plus fin, plus délicat encore que le premier, enfin je goûtai.

Quelle saveur ! quelle nouveauté de sensation ! jusque-là je n'avais eu que des plaisirs, le goût me donna le sentiment de la volupté, l'intimité de la jouissance fit naître l'idée de la possession, je crus que la substance de ce fruit était devenue la mienne, et que j'étais le maître de transformer les êtres.

Flatté de cette idée de puissance, incité par le plaisir que j'avais senti, je cueillis un second et un troisième fruit, et je ne me lassais pas d'exercer ma main pour satisfaire mon goût ; mais une langueur agréable s'emparant peu à peu de tous mes sens, appesantit mes membres et suspendit l'activité de mon âme ; je jugeai de son inaction par la mollesse de mes pensées, mes sensations émoussées arrondissaient tous les objets et ne me présentaient que des images faibles et mal terminées ; dans cet instant mes yeux devenus inutiles se fermèrent, et ma tête n'étant plus soutenue par la force des muscles, pencha pour trouver un appui sur le gazon.

Tout fut effacé, tout disparut, la trace de mes pensées fut interrompue, je perdis le sentiment de mon existence : ce sommeil fut profond, mais je ne sais s'il fut de longue durée, n'ayant point encore l'idée du temps et ne pouvant le mesurer ; mon réveil ne fut qu'une seconde naissance, et je sentis seulement que j'avais cessé d'être.

Cet anéantissement que je venais d'éprouver, me donna quelque idée de crainte, et me fit sentir que je ne devais pas exister toujours.

J'eus une autre inquiétude, je ne savais si je n'avais pas laissé dans le sommeil quelque partie de mon être, j'essayai mes sens, je cherchai à me reconnaître.

Mais tandis que je parcourais des yeux les bornes de mon corps pour m'assurer que mon existence m'était demeurée tout entière, quelle fut ma surprise de voir à mes côtés une forme semblable à la mienne ! je la pris pour un autre moi-même, loin d'avoir rien perdu pendant que j'avais cessé d'être, je crus m'être doublé.

Je portai ma main sur ce nouvel être, quel saisissement ! ce n'était pas moi, mais c'était plus que moi, mieux que moi, je crus que mon existence allait changer de lieu et passer tout entière à cette seconde moitié de moi-même.

Je la sentis s'animer sous ma main, je la vis prendre de la pensée dans mes yeux, les siens firent couler dans mes veines une nouvelle source de vie, j'aurais voulu lui donner tout mon être ; cette volonté vive acheva mon existence, je sentis naître un sixième sens.

Dans cet instant l'astre du jour sur la fin de sa course éteignit son flambeau, je m'aperçus à peine que je perdais le sens de la vue, j'existais trop pour craindre de cesser d'être, et ce fut vainement que l'obscurité où je me trouvais, me rappela l'idée de mon premier sommeil.

Le système nerveux, le cerveau[62] *(1758)*

Quelle que soit la matière qui sert de véhicule au sentiment, et qui produit le mouvement musculaire, il est sûr qu'elle se propage par les nerfs, et se communique dans un instant indivisible d'une extrémité à l'autre du système sensible. De quelque manière que ce mouvement s'opère, que ce soit par des vibrations comme dans des cordes élastiques, que ce soit par un feu subtil, par une matière semblable à celle de l'électricité, laquelle non seulement réside dans les corps animés, comme dans tous les autres corps, mais y est même continuellement régénérée par le mouvement du cœur et des poumons, par le frottement du sang dans les artères, et aussi par l'action des causes extérieures sur les organes des sens, il est encore sûr que les nerfs et les membranes sont les seules parties sensibles dans le corps animal. Le sang, la lymphe, toutes les autres liqueurs, les graisses, les os, les chairs, tous les autres solides, sont par eux-mêmes insensibles ; la cervelle l'est aussi, c'est une substance molle et sans élasticité, incapable dès lors de produire, de propager ou de rendre le mouvement, les vibrations ou les ébranlements du sentiment. Les méninges au contraire sont très sensibles, ce sont les enveloppes de tous les nerfs ; elles prennent, comme eux, leur origine dans la tête, elles se divisent comme les branches des nerfs, et s'étendent jusqu'à leurs plus petites ramifications ; ce sont, pour ainsi dire, des nerfs aplatis, elles sont de la même substance, elles ont à peu près le même degré d'élasticité, elles font partie, et partie nécessaire, du système sensible. Si l'on veut donc que le siège des sensations soit dans la tête, il sera dans les méninges, et non dans la partie médullaire du cerveau, dont la substance est toute différente.

Ce qui a pu donner lieu à cette opinion, que le siège de toutes les sensations et le centre de toutes les sensibilités étaient dans le cerveau, c'est que les nerfs, qui sont les organes du sentiment, aboutissent tous à la cervelle, qu'on a regardée dès lors comme la seule partie commune qui pût en recevoir tous les ébranlements, toutes les impressions. Cela seul a suffi pour faire du cerveau le principe du sentiment, l'organe essentiel des sensations, en un mot le *sensorium* commun. Cette supposition a paru si simple et si naturelle, qu'on n'a fait aucune attention à l'impossibilité physique qu'elle renferme, et qui cependant est assez évidente ; car comment se peut-il qu'une partie insensible, une substance molle et inactive, telle qu'est la cervelle, soit l'organe même du sentiment et du mouvement ? comment se peut-il que cette partie molle et insensible, non seulement reçoive ces impressions, mais les conserve longtemps et en propage les ébranlements dans toutes les parties solides et sensibles ? L'on dira peut-être, d'après Descartes, ou d'après M. de la Peyronie, que ce n'est point dans la cervelle, mais dans la glande pinéale ou dans le corps calleux que réside ce principe ; mais il suffit de jeter les yeux sur la conformation du cerveau pour reconnaître que ces parties, la glande pinéale, le corps calleux, dans lesquelles on a voulu mettre le siège des sensations, ne tiennent point aux nerfs, qu'elles sont toutes environnées de la substance insensible de la cervelle, et séparées des nerfs de manière qu'elles ne peuvent en recevoir les mouvements, et dès lors ces suppositions tombent aussi bien que la première.

Mais quel sera donc l'usage, quelles seront les fonctions de cette partie si noble, si capitale ? Le cerveau ne se trouve-t-il pas dans tous les animaux ? n'est-il pas, dans l'homme, dans les quadrupèdes, dans les oiseaux, qui tous ont beaucoup de sentiment, plus étendu, plus grand, plus considérable que dans les poissons, les insectes et les autres animaux, qui en ont peu ? Dès qu'il est comprimé, tout mouvement n'est-il pas suspendu ? toute action ne cesse-t-elle pas ? Si cette partie n'est pas le principe du mouvement, pourquoi y est-elle si nécessaire, si essentielle ? pourquoi même est-elle proportionnelle, dans chaque espèce d'animal, à la quantité de sentiment dont il est doué ?

Je crois pouvoir répondre d'une manière satisfaisante à ces questions, quelque difficiles qu'elles paraissent ; mais pour cela il faut se prêter un instant à ne voir avec moi le cerveau que comme de la cervelle, et n'y rien supposer que ce que l'on peut y apercevoir par une inspection attentive et par un examen réfléchi. La cervelle, aussi bien que la moelle allongée et la moelle épinière, qui n'en sont que la prolongation, est une espèce de mucilage à peine organisé ; on y distingue seulement les extrémités des petites artères qui y aboutissent en très grand nombre, et qui n'y portent pas du sang, mais une lymphe blanche et nourricière : ces mêmes petites artères ou vaisseaux lymphatiques, paraissent dans toute leur longueur en forme de filets très déliés, lorsqu'on désunit les parties de la cervelle par la macération. Les nerfs au contraire ne pénètrent point la substance de la cervelle, ils n'aboutissent qu'à la surface ; ils perdent auparavant leur solidité, leur élasticité ; et les dernières extrémités des nerfs, c'est-à-dire, les extrémités les plus voisines du cerveau, sont molles et presque mucilagineuses. Par cette exposition, dans laquelle il n'entre rien d'hypothétique, il paraît que le cerveau, qui est nourri par les artères lymphatiques, fournit à son tour la nourriture aux nerfs, et que l'on doit les considérer comme une espèce de végétation qui part du cerveau par troncs et par branches ; lesquelles se divisent ensuite en une infinité de rameaux. Le cerveau est aux nerfs ce que la terre est aux plantes ; les dernières extrémités des nerfs sont les racines qui, dans tout végétal, sont plus tendres et plus molles que le tronc ou les branches ; elles contiennent une matière ductile, propre à faire croître et à nourrir l'arbre des nerfs ; elles tirent cette matière ductile de la substance même du cerveau, auquel les artères rapportent continuellement la lymphe nécessaire pour y suppléer. Le cerveau, au lieu d'être le siège des sensations, le principe du sentiment, ne sera donc qu'un organe de sécrétion et de nutrition, mais un organe très essentiel, sans lequel les nerfs ne pourraient ni croître, ni s'entretenir.

Cet organe est plus grand dans l'homme, dans les quadrupèdes, dans les oiseaux, parce que le nombre ou le volume des nerfs, dans ces animaux, est plus grand que dans les poissons et les insectes, dont le sentiment est faible par cette même raison ; ils n'ont qu'un petit cerveau proportionné à la petite quantité de nerfs qu'il nourrit. Et je ne puis me dispenser de remarquer à cette occasion, que l'homme n'a pas, comme on l'a prétendu, le cerveau plus grand qu'aucun des animaux ; car il y a des espèces de singes et de cétacés qui, proportionnellement au volume de leur corps, ont plus de cerveau que l'homme ; autre fait qui prouve que le cerveau n'est ni le siège des sensations, ni le principe du sentiment, puisque alors ces animaux auraient plus de sensations et plus de sentiment que l'homme.

Si l'on considère la manière dont se fait la nutrition des plantes, on observera qu'elles ne tirent pas les parties grossières de la terre ou de l'eau ; il faut que ces parties soient réduites par la chaleur en vapeurs ténues, pour que les racines puissent les pomper. De même, dans les nerfs, la nutrition ne se fait qu'au moyen des parties les plus subtiles de l'humidité du cerveau, qui sont pompées par les extrémités ou racines des nerfs, et de là sont portées dans toutes les branches du système sensible : ce système fait, comme nous l'avons dit, un tout dont les parties ont une connexion si serrée, une correspondance si intime, qu'on ne peut en blesser une sans ébranler violemment les autres ; la blessure, le simple tiraillement du plus petit nerf, suffit pour causer une vive irritation dans tous les autres, et mettre le corps en convulsion ; et l'on ne peut faire cesser la douleur et les convulsions qu'en coupant ce nerf au-dessus de l'endroit lésé, mais dès lors toutes les parties auxquelles le nerf aboutissait deviennent à jamais immobiles, insensibles. Le cerveau ne doit pas être considéré comme partie du même genre, ni comme portion organique du système des nerfs, puisqu'il n'a pas les mêmes propriétés, ni la même substance, n'étant ni solide, ni élastique, ni sensible. J'avoue que lorsqu'on le comprime, on fait cesser l'action du sentiment ; mais cela même prouve que c'est un corps étranger à ce système, qui, agissant alors par son poids sur les extrémités des nerfs, les presse et les engourdit, de la même manière qu'un poids appliqué sur le bras, la jambe, ou sur quelque autre partie du corps, en engourdit les nerfs, et en amortit le sentiment. Il est si vrai que cette cessation du sentiment par la compression n'est qu'une suspension, un engourdissement, qu'à l'instant où le cerveau cesse d'être comprimé le sentiment renaît et le mouvement se rétablit. J'avoue encore qu'en déchirant la substance médullaire, et en blessant le cerveau jusqu'au corps calleux, la convulsion, la privation de sentiment, et la mort même suivent ; mais c'est qu'alors les nerfs sont entièrement dérangés, qu'ils sont, pour ainsi dire, déracinés et blessés tous ensemble et dans leur origine.

Je pourrais ajouter à toutes ces raisons des faits particuliers, qui prouvent également que le cerveau n'est ni le centre du sentiment, ni le siège des sensations. On a vu des animaux, et même des enfants, naître sans tête et sans cerveau, qui cependant avaient sentiment, mouvement et vie. Il y a des classes entières d'animaux, comme les insectes et les vers, dans lesquels le cerveau ne fait point une masse distincte ni un volume sensible ; ils ont seulement une partie correspondante à la moelle allongée et à la moelle épinière. Il y aurait donc plus de raison de mettre le siège des sensations et du sentiment dans la moelle épinière, qui ne manque à aucun animal, que dans le cerveau, qui n'est pas une partie générale et commune à tous les êtres sensibles.

LES PASSIONS[63]
(1753)

Plaisir, douleur ; bonheur du sage

Si dans l'animal le plaisir n'est autre chose que ce qui flatte les sens, et que dans le physique ce qui flatte les sens ne soit que ce qui convient à la Nature ; si la douleur au contraire n'est que ce qui blesse les organes et ce qui répugne à la Nature ; si, en un mot, le plaisir est le bien et la douleur le mal physiques, on ne peut guère douter que tout être sentant n'ait en général plus de plaisir que de douleur : car tout ce qui est convenable à sa nature, tout ce qui peut contribuer à sa conservation, tout ce qui soutient son existence est plaisir ; tout ce qui tend au contraire à sa destruction, tout ce qui peut déranger son organisation, tout ce qui change son état naturel, est douleur. Ce n'est donc que par le plaisir qu'un être sentant peut continuer d'exister ; et si la somme des sensations flatteuses, c'est-à-dire, des effets convenables à sa nature, ne surpassait pas celle des sensations douloureuses ou des effets qui lui sont contraires, privé de plaisir il languirait d'abord faute de bien ; chargé de douleur il périrait ensuite par l'abondance du mal.

Dans l'homme le plaisir et la douleur physiques ne sont que la moindre partie de ses peines et de ses plaisirs, son imagination qui travaille continuellement fait tout, ou plutôt ne fait rien que pour son malheur ;

car elle ne présente à l'âme que des fantômes vains ou des images exagérées, et la force à s'en occuper ; plus agitée par ces illusions qu'elle ne le peut être par les objets réels, l'âme perd sa faculté de juger, et même son empire, elle ne compare que des chimères, elle ne veut plus qu'en second, et souvent elle veut l'impossible ; sa volonté qu'elle ne détermine plus lui devient donc à charge, ses désirs outrés sont des peines, et ses vaines espérances sont tout au plus de faux plaisirs qui disparaissent et s'évanouissent dès que le calme succède, et que l'âme prenant sa place vient à les juger.

Nous nous préparons donc des peines toutes les fois que nous cherchons des plaisirs ; nous sommes malheureux dès que nous désirons d'être plus heureux. Le bonheur est au-dedans de nous-mêmes, il nous a été donné ; le malheur est au-dehors et nous l'allons chercher. Pourquoi ne sommes-nous pas convaincus que la jouissance paisible de notre âme est notre seul et vrai bien, que nous ne pouvons l'augmenter sans risquer de le perdre, que moins nous désirons et plus nous possédons ; qu'enfin tout ce que nous voulons au-delà de ce que la Nature peut nous donner, est peine, et que rien n'est plaisir que ce qu'elle nous offre.

Or la Nature nous a donné et nous offre encore à tout instant des plaisirs sans nombre ; elle a pourvu à nos besoins, elle nous a munis contre la douleur ; il y a dans le physique infiniment plus de bien que de mal ; ce n'est donc pas la réalité, c'est la chimère qu'il faut craindre ; ce n'est, ni la douleur du corps, ni les maladies, ni la mort, mais l'agitation de l'âme, les passions et l'ennui qui sont à redouter.

Les animaux n'ont qu'un moyen d'avoir du plaisir, c'est d'exercer leur sentiment pour satisfaire leur appétit ; nous avons cette même faculté, et nous avons de plus un autre moyen de plaisir, c'est d'exercer notre esprit, dont l'appétit est de savoir. Cette source de plaisirs serait la plus abondante et la plus pure, si nos passions, en s'opposant à son cours, ne venaient à la troubler, elles détournent l'âme de toute contemplation ; dès qu'elles ont pris le dessus, la raison est dans le silence, ou du moins elle n'élève plus qu'une voix faible et souvent importune, le dégoût de la vérité suit, le charme de l'illusion augmente, l'erreur se fortifie, nous entraîne et nous conduit au malheur : car quel malheur plus grand que de ne plus rien voir tel qu'il est, de ne plus rien juger que relativement à sa passion, de n'agir que par son ordre, de paraître en conséquence injuste ou ridicule aux autres, et d'être forcé de se mépriser soi-même lorsqu'on vient à s'examiner ?

Dans cet état d'illusion et de ténèbres, nous voudrions changer la nature même de notre âme ; elle ne nous a été donnée que pour connaître, nous ne voudrions l'employer qu'à sentir ; si nous pouvions étouffer en entier sa lumière, nous n'en regretterions pas la perte, nous envierions volontiers le sort des insensés : comme ce n'est plus que par intervalles que nous sommes raisonnables, et que ces intervalles de raison nous sont à charge et se passent en reproches secrets, nous voudrions les supprimer ; ainsi marchant toujours d'illusions en illusions, nous cherchons volontairement à nous perdre de vue pour arriver bientôt à ne nous plus connaître, et finir par nous oublier.

Une passion sans intervalles est démence, et l'état de démence est pour l'âme un état de mort. De violentes passions avec des intervalles sont des accès de folie, des maladies de l'âme d'autant plus dangereuses qu'elles sont plus longues et plus fréquentes. La sagesse n'est que la somme des intervalles de santé que ces accès nous laissent, cette somme n'est point celle de notre bonheur, car nous sentons alors que notre âme a été malade, nous blâmons nos passions, nous condamnons nos actions. La folie est le germe du malheur, et c'est la sagesse qui le développe ; la plupart de ceux qui se disent malheureux sont des hommes passionnés, c'est-à-dire, des fous, auxquels il reste quelques intervalles de raison, pendant lesquels ils connaissent leur folie, et sentent par conséquent leur malheur ; et comme il y a dans les conditions élevées plus de faux désirs, plus de vaines prétentions, plus de passions désordonnées, plus d'abus de son âme, que dans les états inférieurs, les Grands sont sans doute de tous les hommes les moins heureux.

Mais détournons les yeux de ces tristes objets et de ces vérités humiliantes, considérons l'homme sage, le seul qui soit digne d'être considéré : maître de lui-même, il l'est des événements ; content de son état, il ne veut être que comme il a toujours été, ne vivre que comme il a toujours vécu ; se suffisant à lui-même, il n'a qu'un faible besoin des autres, il ne peut leur être à charge ; occupé continuellement à exercer les facultés de son âme, il perfectionne son entendement, il cultive son esprit, il acquiert de nouvelles connaissances, et se satisfait à tout instant sans remords, sans dégoût, il jouit de tout l'Univers en jouissant de lui-même.

Un tel homme est sans doute l'être le plus heureux de la Nature, il joint aux plaisirs du corps, qui lui sont communs avec les animaux, les joies de l'esprit, qui n'appartiennent qu'à lui : il a deux moyens d'être heureux, qui s'aident et se fortifient mutuellement ; et si par un dérangement de santé, ou par quelque autre accident, il vient à ressentir de la douleur, il souffre moins qu'un autre, la force de son âme le soutient, la raison le console ; il a même de la satisfaction en souffrant, c'est de se sentir assez fort pour souffrir.

Le rêve et l'imagination[64]

Mais quand même on voudrait soutenir qu'il y a quelquefois des rêves d'idées[65], quand on citerait pour le prouver les somnambules, les gens qui parlent en dormant et disent des choses suivies, qui répondent à des questions, etc., et que l'on en inférerait que les idées ne sont pas exclues des rêves, du moins aussi absolument que je le prétends, il me suffirait, pour ce que j'avais à prouver, que le renouvellement des sensations puisse les produire ; car dès lors les animaux n'auront que des rêves de cette espèce, et ces rêves, bien loin de supposer la mémoire, n'indiquent au contraire que la réminiscence matérielle.

Cependant je suis bien éloigné de croire que les somnambules, les gens qui parlent en dormant, qui répondent à des questions, etc., soient en effet occupés d'idées : l'âme ne me paraît avoir aucune part à toutes ces actions ; car les somnambules vont, viennent, agissent sans réflexion, sans connaissance de leur situation, ni du péril, ni des inconvénients qui accompagnent leurs démarches, les seules facultés animales sont en exercice, et même elles n'y sont pas toutes ; un somnambule est dans cet état plus stupide qu'un imbécile, parce qu'il n'y a qu'une partie de ses sens et de son sentiment qui soit alors en exercice, au lieu que l'imbécile dispose de tous ses sens, et jouit du sentiment dans toute son étendue : et à l'égard des gens qui parlent en dormant, je ne crois pas qu'ils disent rien de nouveau ; la réponse à certaines questions triviales et usitées, la répétition de quelques phrases communes, ne prouvent pas l'action de l'âme, tout cela peut s'opérer indépendamment du principe de la connaissance et de la pensée. Pourquoi dans le sommeil ne parlerait-on pas sans penser, puisqu'en s'examinant soi-même lorsqu'on est le mieux éveillé, on s'aperçoit, surtout dans les passions, qu'on dit tant de choses sans réflexion ?

A l'égard de la cause occasionnelle des rêves, qui fait que les sensations antérieures se renouvellent sans être excitées par les objets présents ou par des sensations actuelles, on observera que l'on ne rêve point lorsque le sommeil est profond, tout est alors assoupi, on dort en dehors et en dedans ; mais le sens intérieur s'endort le dernier et se réveille le premier, parce qu'il est plus vif, plus actif, plus aisé à ébranler que les sens extérieurs ; le sommeil est dès lors moins complet et moins profond, c'est là le temps des songes illusoires ; les sensations antérieures, surtout celles sur lesquelles nous n'avons pas réfléchi se renouvellent ; le sens intérieur ne pouvant être occupé par des sensations actuelles à cause de l'inaction des sens externes, agit et s'exerce sur ses sensations passées ; les plus fortes sont celles qu'il saisit le plus souvent, plus elles sont fortes, plus les situations sont excessives, et c'est par cette raison que presque tous les rêves sont effroyables ou charmants.

Il n'est pas même nécessaire que les sens extérieurs soient absolument assoupis pour que le sens intérieur matériel[66] puisse agir de son propre mouvement, il suffit qu'ils soient sans exercice. Dans l'habitude où nous sommes de nous livrer régulièrement à un repos anticipé, on ne s'endort pas toujours aisément ; le corps et les membres mollement étendus sont sans mouvement ; les yeux doublement voilés par la paupière et les ténèbres ne peuvent s'exercer ; la tranquillité du lieu et le silence de la nuit rendent l'oreille inutile ; les autres sens sont également inactifs, tout est en repos, et rien n'est encore assoupi : dans cet état, lorsqu'on ne s'occupe pas d'idées, et que l'âme est aussi dans l'inaction, l'empire appartient au sens intérieur matériel, il est alors la seule puissance qui agisse, c'est là le temps des images chimériques, des ombres voltigeantes ; on veille, et cependant on éprouve les effets du sommeil : si l'on est en pleine santé, c'est une suite d'images agréables, d'illusions charmantes ; mais pour peu que le corps soit souffrant ou affaissé, les tableaux sont bien différents, on voit des figures grimaçantes, des visages de vieilles, des fantômes hideux qui semblent s'adresser à nous, et qui se succèdent avec autant de bizarrerie que de rapidité, c'est la lanterne magique, c'est une scène de chimères qui remplissent le cerveau vide alors de toute autre sensation, et les objets de cette scène sont d'autant plus vifs, d'autant plus nombreux, d'autant plus désagréables que les autres facultés animales sont plus lésées, que les nerfs sont plus délicats, et que l'on est plus faible, parce que les ébranlements causés par les sensations réelles étant dans cet état de faiblesse ou de maladie, beaucoup plus forts et plus désagréables que dans l'état de santé, les représentations de ces sensations, que produit le renouvellement de ces ébranlements, doivent aussi être plus vives et plus désagréables.

Au reste nous nous souvenons de nos rêves, par la même raison que nous nous souvenons des sensations que nous venons d'éprouver, et la seule différence qu'il y ait ici entre les animaux et nous, c'est que nous distinguons parfaitement ce qui appartient à nos rêves de ce qui appartient à nos idées ou à nos sensations réelles, et ceci est une comparaison, une opération de la mémoire, dans laquelle entre l'idée du temps ; les animaux au contraire, qui sont privés de la mémoire et de cette puissance de comparer les temps, ne peuvent distinguer leurs rêves de leurs sensations réelles, et l'on peut dire que ce qu'ils ont rêvé leur est effectivement arrivé.

Je crois avoir déjà prouvé d'une manière démonstrative, dans ce que j'ai écrit sur la nature de l'homme, que les animaux n'ont pas la puissance de réfléchir ; or l'entendement est, non seulement une faculté de cette puissance de réfléchir, mais c'est l'exercice même de cette puissance, c'en est le résultat, c'est ce qui la manifeste ; seulement nous devons distinguer dans l'entendement deux opérations différentes, dont la première sert de base à la seconde et la précède nécessairement, cette première action de la puissance de réfléchir est de comparer les sensations et d'en former des idées, et la seconde est de comparer les idées mêmes et d'en former des raisonnements : par la première de ces opérations nous acquérons des idées particulières et qui suffisent à la connaissance de toutes les choses sensibles, par la seconde, nous nous élevons à des idées générales, nécessaires pour arriver à l'intelligence des choses abstraites. Les animaux n'ont ni l'une ni l'autre de ces facultés, parce qu'ils n'ont point d'entendement, et l'entendement de la plupart des hommes paraît être borné à la première de ces opérations.

Car si tous les hommes étaient également capables de comparer des idées, de les généraliser et d'en former de nouvelles combinaisons, tous manifesteraient leur génie par des productions nouvelles, toujours différentes de celles des autres, et souvent plus parfaites ; tous auraient le don d'inventer, ou du moins les talents de perfectionner. Mais non ; réduits à une imitation servile, la plupart des hommes ne font que ce qu'ils voient faire, ne pensent que de mémoire et dans le même ordre que les autres ont pensé ; les formules, les méthodes, les métiers remplissent toute la capacité de leur entendement, et les dispensent de réfléchir assez pour créer[67].

L'imagination est aussi une faculté de l'âme : si nous entendons par ce mot imagination la puissance que nous avons de comparer des images avec des idées, de donner des couleurs à nos pensées, de représenter et d'agrandir nos sensations, de peindre le sentiment, en un mot de saisir vivement les circonstances et de voir nettement les rapports éloignés des objets que nous considérons, cette puissance de notre âme en est même la qualité la plus brillante et la plus active, c'est l'esprit supérieur, c'est le génie, les animaux en sont encore plus dépourvus que d'entendement et de mémoire ; mais il y a une autre imagination, un autre principe qui dépend uniquement des organes corporels, et qui nous est commun avec les animaux ; c'est cette action tumultueuse et forcée qui s'excite au-dedans de nous-mêmes par les objets analogues ou contraires à nos appétits ; c'est cette impression vive et profonde des images de ces objets, qui malgré nous se renouvelle à tout instant, et nous contraint d'agir comme les animaux, sans réflexion, sans délibération ; cette représentation des objets, plus active encore que leur présence, exagère tout, falsifie tout. Cette imagination est l'ennemie de notre âme, c'est la source de l'illusion, la mère des passions qui nous maîtrisent, nous emportent malgré les efforts de la raison, et nous rendent le malheureux théâtre d'un combat continuel, où nous sommes presque toujours vaincus.

« *Homo duplex* »

L'homme intérieur est double, il est composé de deux principes différents par leur nature, et contraires par leur action. L'âme, ce principe spirituel, ce principe de toute connaissance, est toujours en opposition avec cet autre principe animal et purement matériel : le premier est une lumière pure qu'accompagnent le calme et la sérénité, une source salutaire dont émanent la science, la raison, la sagesse ; l'autre est une fausse lueur qui ne brille que par la tempête et dans l'obscurité, un torrent impétueux qui roule et entraîne à sa suite les passions et les erreurs.

Le principe animal se développe le premier ; comme il est purement matériel et qu'il consiste dans la durée des ébranlements et le renouvellement des impressions formées dans notre sens intérieur matériel par les objets analogues ou contraires à nos appétits, il commence à agir dès que le corps peut sentir de la douleur ou du plaisir ; il nous détermine le premier et aussitôt que nous pouvons faire usage de nos sens. Le principe spirituel se manifeste plus tard, il se développe, il se perfectionne au moyen de l'éducation ; c'est par la communication des pensées d'autrui que l'enfant en acquiert et devient lui-même pensant et raisonnable, et sans cette communication il ne serait que stupide ou fantasque, selon le degré d'inaction ou d'activité de son sens intérieur matériel.

Considérons un enfant lorsqu'il est en liberté et loin de l'œil de ses maîtres, nous pouvons juger de ce qui se passe au-dedans de lui par le résultat de ses actions extérieures, il ne pense ni ne réfléchit à rien, il suit indifféremment toutes les routes du plaisir, il obéit à toutes les impressions des objets extérieurs, il s'agite sans raison, il s'amuse, comme les jeunes animaux, à courir, à exercer son corps, il va, vient et revient sans dessein, sans projet, il agit sans ordre et sans suite ; mais bientôt, rappelé par la voix de ceux qui lui ont appris à penser, il se compose, il dirige ses actions, et donne des preuves qu'il a conservé les pensées qu'on lui a communiquées. Le principe matériel domine donc dans l'enfance, et il continuerait de dominer et d'agir presque seul pendant toute la vie, si l'éducation ne venait à développer le principe spirituel et à mettre l'âme en exercice.

Il est aisé, en rentrant dans soi-même, de reconnaître l'existence de ces deux principes : il y a des instants dans la vie, il y a même des heures, des jours, des saisons où nous pouvons juger, non seulement de la certitude de leur existence, mais aussi de leur contrariété d'action. Je veux parler de ces temps d'ennui, d'indolence, de dégoût où nous ne pouvons nous déterminer à rien, où nous voulons ce que nous ne faisons pas et faisons ce que nous ne voulons pas ; de cet état ou de cette maladie à laquelle on a donné le nom de vapeurs, état où se trouvent si souvent les hommes oisifs, et même les hommes qu'aucun travail ne commande. Si nous nous observons dans cet état, notre *moi*, nous paraîtra divisé en deux personnes, dont la première, qui représente la faculté raisonnable, blâme ce que fait la seconde, mais n'est pas assez forte pour s'y opposer efficacement et la vaincre, au contraire cette dernière étant formée de toutes les illusions de nos sens et de notre imagination, elle contraint, elle enchaîne, et souvent elle accable la première, et nous fait agir contre ce que nous pensons, ou nous force à l'inaction, quoique nous ayons la volonté d'agir.

Dans le temps où la faculté raisonnable domine, on s'occupe tranquillement de soi-même, de ses amis, de ses affaires, mais on s'aperçoit encore, ne fût-ce que par des distractions involontaires, de la présence de l'autre principe. Lorsque celui-ci vient à dominer à son tour, on se livre ardemment à la dissipation, à ses goûts, à ses passions, et à peine réfléchit-on par instants sur les objets mêmes qui nous occupent et qui nous remplissent tout entiers. Dans ces deux états nous sommes heureux, dans le premier nous commandons avec satisfaction, et dans le second nous obéissons encore avec plus de plaisir ; comme il n'y a que l'un des deux principes qui soit alors en action, et qu'il agit sans opposition de la part de l'autre, nous ne sentons aucune contrariété intérieure, notre *moi* nous paraît simple, parce que nous n'éprouvons qu'une impulsion simple, et c'est dans cette unité d'action que consiste notre bonheur : car pour peu que par des réflexions nous venions à blâmer nos plaisirs, ou que par la violence de nos passions nous cherchions à haïr la raison, nous cessons dès lors d'être heureux, nous perdons l'unité de notre existence en quoi consiste notre tranquillité ; la contrariété intérieure se renouvelle, les deux personnes se représentent en opposition, et les deux principes se font sentir et se manifestent par les doutes, les inquiétudes et les remords.

De là on peut conclure que le plus malheureux de tous les états est celui où ces deux puissances souveraines de la nature de l'homme sont toutes deux en grand mouvement, mais en mouvement égal et qui fait équilibre ; c'est là le point de l'ennui le plus profond et de cet horrible dégoût de soi-même, qui ne nous laisse d'autre désir que celui de cesser d'être, et ne nous permet qu'autant d'action qu'il en faut pour nous détruire, en tournant froidement contre nous des armes de fureur.

Quel état affreux ! je viens d'en peindre la nuance la plus noire ; mais combien n'y a-t-il pas d'autres sombres nuances qui doivent la précéder ! Toutes les situations voisines de cette situation, tous les états qui approchent de cet état d'équilibre, et dans lesquels les deux principes opposés ont peine à se surmonter, et agissent en même temps et avec des forces presque égales, sont des temps de trouble, d'irrésolution et de malheur ; le corps même vient à souffrir de ce désordre et de ces combats intérieurs, il languit dans l'accablement, ou se consume par l'agitation que cet état produit.

Le bonheur de l'homme consistant dans l'unité de son intérieur, il est heureux dans le temps de l'enfance, parce que le principe matériel domine seul et agit presque continuellement. La contrainte, les remontrances, et même les châtiments, ne sont que de petits chagrins, l'enfant ne les ressent que comme on sent les douleurs corporelles, le fond de son existence n'en est point affecté, il reprend dès qu'il est en liberté, toute l'action, toute la gaieté que lui donnent la vivacité et la nouveauté de ses sensations : s'il était entièrement livré à lui-même, il serait parfaitement heureux ; mais ce bonheur cesserait, il produirait même le malheur pour les âges suivants ; on est donc obligé de contraindre l'enfant, il est triste, mais nécessaire de le rendre malheureux par instants, puisque ces instants même de malheur sont les germes de tout son bonheur à venir.

Dans la jeunesse, lorsque le principe spirituel commence à entrer en exercice et qu'il pourrait déjà nous conduire, il naît un nouveau sens matériel qui prend un empire absolu, et commande si impérieusement à toutes nos facultés, que l'âme elle-même semble se prêter avec plaisir aux passions impétueuses qu'il produit : le principe matériel domine donc encore, et peut-être avec plus d'avantage que jamais ; car non seulement il efface et soumet la raison, mais il la pervertit et s'en sert comme d'un moyen de plus ; on ne pense et on n'agit que pour approuver et pour satisfaire sa passion : tant que cette ivresse dure, on est heureux, les contradictions et les peines extérieures semblent resserrer encore l'unité de l'intérieur, elles fortifient la passion, elles en remplissent les intervalles languissants, elles réveillent l'orgueil, et achèvent de tourner toutes nos vues vers le même objet et toutes nos puissances vers le même but.

Mais ce bonheur va passer comme un songe, le charme disparaît, le dégoût suit, un vide affreux succède à la plénitude des sentiments dont on était occupé. L'âme, au sortir de ce sommeil léthargique, a peine à se reconnaître, elle a perdu par l'esclavage l'habitude de commander, elle n'en a plus la force, elle regrette même la servitude, et cherche un nouveau maître, un nouvel objet de passion qui disparaît bientôt à son tour, pour être suivi d'un autre qui dure encore moins : ainsi les excès et les dégoûts se multiplient, les plaisirs fuient, les organes s'usent, le sens matériel, loin de pouvoir commander, n'a plus la force d'obéir. Que reste-t-il à l'homme après une telle jeunesse ? un corps énervé, une âme amollie, et l'impuissance de se servir de tous deux.

Aussi a-t-on remarqué que c'est dans le moyen âge que les hommes sont le plus sujets à ces langueurs de l'âme, à cette maladie intérieure, à cet état de vapeurs dont j'ai parlé. On court encore à cet âge après les plaisirs de la jeunesse, on les cherche par habitude et non par besoin ; et comme à mesure qu'on avance il arrive toujours plus fréquemment qu'on sent moins le plaisir que l'impuissance d'en jouir, on se trouve contredit par soi-même, humilié par sa propre faiblesse, si nettement et si souvent, qu'on ne peut s'empêcher de se blâmer, de condamner ses actions, et de se reprocher même ses désirs.

D'ailleurs, c'est à cet âge que naissent les soucis et que la vie est la plus contentieuse ; car on a pris un état, c'est-à-dire, qu'on est entré par hasard ou par choix dans une carrière qu'il est toujours honteux de ne pas fournir, et souvent très dangereux de remplir avec éclat. On marche donc péniblement entre deux écueils également formidables, le mépris et la haine, on s'affaiblit par les efforts qu'on fait pour les éviter, et l'on tombe dans le découragement ; car lorsque à force d'avoir vécu et d'avoir reconnu, éprouvé les injustices des hommes, on a pris l'habitude d'y compter comme sur un mal nécessaire, lorsqu'on s'est enfin accoutumé à faire moins de cas de leurs jugements que de son repos, et que le cœur endurci par les cicatrices mêmes des coups qu'on lui a portés, est devenu plus insensible, on arrive aisément à cet état d'indifférence, à cette quiétude indolente, dont on aurait rougi quelques années auparavant. La gloire, ce puissant mobile de toutes les grandes âmes, et qu'on voyait de loin comme un but éclatant qu'on s'efforçait d'atteindre par des actions brillantes et des travaux utiles, n'est plus qu'un objet sans attraits pour ceux qui en ont approché, et un fantôme vain et trompeur pour les autres qui sont restés dans l'éloignement. La paresse prend sa place, et semble offrir à tous des routes plus aisées et des biens plus solides, mais le dégoût la précède et l'ennui la suit, l'ennui, ce triste tyran de toutes les âmes qui pensent, contre lequel la sagesse peut moins que la folie.

« Variétés dans l'espèce humaine[68] »

Tout ce que nous avons dit jusqu'ici de la génération de l'homme, de sa formation, de son développement, de son état dans les différents âges de sa vie, de ses sens et de la structure de son corps, telle qu'on la connaît par les dissections anatomiques, ne fait encore que l'histoire de l'individu, celle de l'espèce demande un détail particulier, dont les faits principaux ne peuvent se tirer que des variétés qui se trouvent entre les hommes des différents climats. La première et la plus remarquable de ces variétés est celle de la couleur, la seconde est celle de la forme et de la grandeur, et la troisième est celle du naturel des différents peuples : chacun de ces objets considéré dans toute son étendue, pourrait fournir un ample traité, mais nous nous bornerons à ce qu'il y a de plus général et de plus avéré.

Les Nègres[69] (1749)

Le P. Charlevoix dit que les Sénégalais sont de tous les Nègres les mieux faits, les plus aisés à discipliner et les plus propres au service domestique ; que les Bambaras sont les plus grands, mais qu'ils sont fripons ; que les Aradas sont ceux qui entendent le mieux la culture des terres ; que les Congos sont les plus petits, qu'ils sont fort habiles pêcheurs, mais qu'ils désertent aisément ; que les Nagos sont les plus humains, les Mondongos les plus cruels, les Mimes les plus résolus, les plus capricieux et les plus sujets à se désespérer ; et que les Nègres créoles, de quelque nation qu'ils tirent leur origine, ne tiennent de leurs pères et mères que l'esprit de servitude et la couleur ; qu'ils sont plus spirituels, plus raisonnables, plus adroits, mais plus fainéants et plus libertins que ceux qui sont venus d'Afrique. Il ajoute que tous les Nègres de Guinée ont l'esprit extrêmement borné, qu'il y en a même plusieurs qui paraissent être tout à fait stupides, qu'on en voit qui ne peuvent jamais compter au-delà de trois, que d'eux-mêmes ils ne pensent à rien, qu'ils n'ont point de mémoire, que le passé leur est aussi inconnu que l'avenir ; que ceux qui ont de l'esprit font d'assez bonnes plaisanteries et saisissent assez bien le ridicule ; qu'au reste ils sont très dissimulés et qu'ils mourraient plutôt que de dire leur secret, qu'ils ont communément le naturel fort doux, qu'ils sont humains, dociles, simples, crédules et même superstitieux ; qu'ils sont assez fidèles, assez braves, et que si on voulait les discipliner et les conduire, on en ferait d'assez bons soldats.

Quoique les Nègres aient peu d'esprit, ils ne laissent pas d'avoir beaucoup de sentiment, ils sont gais ou mélancoliques, laborieux ou fainéants, amis ou ennemis, selon la manière dont on les traite ; lorsqu'on les nourrit bien et qu'on ne les maltraite pas, ils sont contents, joyeux, prêts à tout faire, et la satisfaction de leur âme est peinte sur leur visage ; mais quand on les traite mal, ils prennent le chagrin fort à cœur et périssent quelquefois de mélancolie : ils sont donc fort sensibles aux bienfaits et aux outrages, et ils portent une haine mortelle contre ceux qui les ont maltraités ; lorsque au contraire ils s'affectionnent à un maître, il n'y a rien qu'ils ne fussent capables de faire pour lui marquer leur zèle et leur dévouement. Ils sont naturellement compatissants et même tendres pour leurs enfants, pour leurs amis, pour leurs compatriotes ; ils partagent volontiers le peu qu'ils ont avec ceux qu'ils voient dans le besoin, sans même les connaître autrement que par leur indigence. Ils ont donc, comme l'on voit, le cœur excellent, ils ont le germe de toutes les vertus, je ne puis écrire leur histoire sans m'attendrir sur leur état, ne sont-ils pas assez malheureux d'être réduits à la servitude, d'être obligés de toujours travailler sans pouvoir jamais rien acquérir ? faut-il encore les excéder, les frapper, et les traiter comme des animaux ? l'humanité se révolte contre ces traitements odieux que l'avidité du gain a mis en usage, et qu'elle renouvellerait peut-être tous les jours, si nos lois n'avaient pas mis un frein à la brutalité des maîtres, et resserré les limites de la misère de leurs esclaves. On les force de travail, on leur épargne la nourriture, même la plus commune, ils supportent, dit-on, très aisément la faim ; pour vivre trois jours il ne leur faut que la portion d'un Européen pour un repas ; quelque peu qu'ils mangent et qu'ils dorment, ils sont toujours également durs, également forts au travail. Comment des hommes à qui il reste quelque sentiment d'humanité peuvent-ils adopter ces maximes, en faire un préjugé et chercher à légitimer par ces raisons les excès que la soif de l'or leur fait commettre ?... Mais laissons ces hommes durs, et revenons à notre objet.

... Tout concourt donc à prouver[70] que le genre humain n'est pas composé d'espèces essentiellement différentes entre elles, qu'au contraire il n'y a eu originairement qu'une seule espèce d'hommes, qui s'étant multipliée et répandue sur toute la surface de la terre, a subi différents changements par l'influence du climat, par la différence de la nourriture, par celle de la manière de vivre, par les maladies épidémiques, et aussi par le mélange varié à l'infini des individus plus ou moins ressemblants ; que d'abord ces altérations n'étaient pas si marquées, et ne produisaient que des variétés individuelles ; qu'elles sont ensuite devenues variétés de l'espèce, parce qu'elles sont devenues plus générales, plus sensibles et plus constantes par l'action continuée de ces mêmes causes ; qu'elles se sont perpétuées et qu'elles se perpétuent de génération en génération, comme les difformités ou les maladies des pères et mères passent à leurs enfants ; et qu'enfin, comme elles n'ont été produites originairement que par le concours de causes extérieures et accidentelles, qu'elles n'ont été confirmées et rendues constantes que par le temps et l'action continuée de ces mêmes causes, il est très probable qu'elles disparaîtraient aussi peu à peu, et avec le temps, ou même qu'elles deviendraient différentes de ce qu'elles sont aujourd'hui, si ces mêmes causes ne subsistaient plus ou si elles venaient à varier dans d'autres circonstances et par d'autres combinaisons.

Sauvages et société[71] *(1749)*

Je ne crois donc pas devoir m'étendre beaucoup sur ce qui a rapport aux coutumes de ces nations sauvages, tous les auteurs qui en ont parlé n'ont pas fait attention que ce qu'ils nous donnaient pour des usages constants et pour les mœurs d'une société d'hommes, n'était que des actions particulières à quelques individus souvent déterminés par les circonstances ou par le caprice ; certaines nations, nous disent-ils, mangent leurs ennemis, d'autres les brûlent, d'autres les mutilent, les unes sont perpétuellement en guerre, d'autres cherchent à vivre en paix ; chez les unes on tue son père lorsqu'il a atteint un certain âge, chez les autres les pères et mères mangent leurs enfants ; toutes ces histoires sur lesquelles les voyageurs se sont étendus avec tant de complaisance se réduisent à des récits de faits particuliers, et signifient seulement que tel sauvage a mangé son ennemi, tel autre l'a brûlé ou mutilé, tel autre a tué ou mangé son enfant, et tout cela peut se trouver dans une seule nation de sauvages comme dans plusieurs nations, car toute nation où il n'y a ni règle, ni loi, ni maître, ni société habituelle, est moins une nation qu'un assemblage tumultueux d'hommes barbares et indépendants, qui n'obéissent qu'à leurs passions particulières, et qui ne pouvant avoir un intérêt commun, sont incapables de se diriger vers un même but et de se soumettre à des usages constants, qui tous supposent une suite de desseins raisonnés et approuvés par le plus grand nombre.

La même nation, dira-t-on, est composée d'hommes qui se reconnaissent, qui parlent la même langue, qui se réunissent, lorsqu'il le faut, sous un chef, qui s'arment de même, qui hurlent de la même façon, qui se barbouillent de la même couleur ; oui si ces usages étaient constants, s'ils ne se réunissaient pas souvent sans savoir pourquoi, s'ils ne se séparaient pas sans raison, si leur chef ne cessait pas de l'être par son caprice ou par le leur, si leur langue même n'était pas si simple qu'elle leur est presque commune à tous.

Comme ils n'ont qu'un très petit nombre d'idées, ils n'ont aussi qu'une très petite quantité d'expressions, qui toutes ne peuvent rouler que sur les choses les plus générales et les objets les plus communs ; et quand même la plupart de ces expressions seraient différentes, comme elles se réduisent à un fort petit nombre de termes, ils ne peuvent manquer de s'entendre en très peu de temps, et il doit être plus facile à un sauvage d'entendre et de parler toutes les langues des autres sauvages, qu'il ne l'est à un homme d'une nation policée d'apprendre celle d'une autre nation également policée.

Autant il est donc inutile de se trop étendre sur les coutumes et les mœurs de ces prétendues nations, autant il serait peut-être nécessaire d'examiner la nature de l'individu ; l'homme sauvage est en effet de tous les animaux le plus singulier, le moins connu, et le plus difficile à décrire, mais nous distinguons si peu ce que la Nature seule nous a donné de ce que l'éducation, l'imitation, l'art et l'exemple, nous ont communiqué, ou nous le confondons si bien, qu'il ne serait pas étonnant que nous nous méconnussions totalement au portrait d'un sauvage, s'il nous était présenté avec les vraies couleurs et les seuls traits naturels qui doivent en faire le caractère.

Un sauvage absolument sauvage, tel que l'enfant élevé avec les ours, dont parle Conor, le jeune homme trouvé dans les forêts d'Hanower, ou la petite fille trouvée dans les bois en France, serait un spectacle curieux pour un philosophe, il pourrait en observant son sauvage, évaluer au juste la force des appétits de la nature ; il y verrait l'âme à découvert, il en distinguerait tous les mouvements naturels, et peut-être y reconnaîtrait-il plus de douceur, de tranquillité et de calme que dans la sienne, peut-être verrait-il clairement que la vertu appartient à l'homme sauvage plus qu'à l'homme civilisé, et que le vice n'a pris naissance que dans la société.

Contre la société des mouches[72] *(1753)*

Après avoir comparé l'homme à l'animal, pris chacun individuellement, je vais comparer l'homme en société avec l'animal en troupe, et rechercher en même temps quelle peut être la cause de cette espèce d'industrie qu'on remarque dans certains animaux, même dans les espèces les plus viles et les plus nombreuses : que de choses ne dit-on pas de celle de certains insectes ! nos observateurs admirent à l'envi l'intelligence et les talents des abeilles, elles ont, disent-ils, un génie particulier, un art qui n'appartient qu'à elles, l'art de se bien gouverner, il faut savoir observer pour s'en apercevoir ; mais une ruche est une république où chaque individu ne travaille que pour la société, où tout est ordonné, distribué, réparti avec une prévoyance, une équité, une prudence admirables ; Athènes n'était pas mieux conduite ni mieux policée : plus on observe ce panier de mouches[73], et plus on découvre de merveilles, un fond de gouvernement inaltérable et toujours le même, un respect profond pour la personne en place, une vigilance singulière pour son service, la plus soigneuse attention pour ses plaisirs, un amour constant pour la patrie, une ardeur inconcevable pour le travail, une assiduité à l'ouvrage que rien n'égale, le plus grand désintéressement joint à la plus grande économie, la plus fine géométrie employée à la plus élégante architecture, etc. je ne finirais point si je voulais seulement parcourir les annales de cette république, et tirer de l'histoire de ces insectes tous les traits qui ont excité l'admiration de leurs historiens.

C'est qu'indépendamment de l'enthousiasme qu'on prend pour son sujet, on admire toujours d'autant plus qu'on observe davantage et qu'on raisonne moins. Y a-t-il en effet rien de plus gratuit que cette admiration pour les mouches, et que ces vues morales qu'on voudrait leur prêter, que cet amour du bien commun qu'on leur suppose, que cet instinct singulier qui équivaut à la géométrie la plus sublime, instinct qu'on leur a nouvellement accordé, par lequel les abeilles résolvent, sans hésiter, le problème de ***bâtir le plus solidement qu'il soit possible dans le moindre espace possible et avec la plus grande économie possible***[74] !, que penser de l'excès auquel on a porté le détail de ces éloges ? car enfin une mouche ne doit pas tenir dans la tête d'un Naturaliste plus de place qu'elle n'en tient dans la Nature ; et cette république merveilleuse ne sera jamais aux yeux de la raison, qu'une foule de petites bêtes qui n'ont d'autre rapport avec nous que celui de nous fournir de la cire et du miel.

Ce n'est point la curiosité que je blâme ici, ce sont les raisonnements et les exclamations : qu'on ait observé avec attention leurs manœuvres, qu'on ait suivi avec soin leurs procédés et leur travail, qu'on ait décrit exactement leur génération, leur multiplication, leurs métamorphoses, etc., tous ces objets peuvent occuper le loisir d'un Naturaliste ; mais c'est la morale, c'est la théologie des insectes que je ne puis entendre prêcher[75] ; ce sont les merveilles que les observateurs y mettent et sur lesquelles ensuite ils se récrient comme si elles y étaient en effet, qu'il faut examiner ; c'est cette intelligence, cette prévoyance, cette connaissance même de l'avenir qu'on leur accorde avec tant de complaisance, et que cependant on doit leur refuser rigoureusement, que je vais tâcher de réduire à sa juste valeur.

Les mouches solitaires n'ont, de l'aveu de ces observateurs, aucun esprit en comparaison des mouches qui vivent ensemble ; celles qui ne forment que de petites troupes en ont moins que celles qui sont en grand nombre ; et les abeilles, qui de toutes sont peut-être celles qui forment la société la plus nombreuse, sont aussi celles qui ont le plus de génie. Cela seul ne suffit-il pas pour faire penser que cette apparence d'esprit ou de génie n'est qu'un résultat purement mécanique, une combinaison de mouvements proportionnelle au nombre, un rapport qui n'est compliqué que parce qu'il dépend de plusieurs milliers d'individus ? Ne sait-on pas que tout rapport, tout désordre même, pourvu qu'il soit constant, nous paraît une harmonie dès que nous en ignorons les causes, et que de la supposition de cette apparence d'ordre à celle de l'intelligence il n'y a qu'un pas, les hommes aimant mieux admirer qu'approfondir ?

On conviendra donc d'abord, qu'à prendre les mouches une à une, elles ont moins de génie que le chien, le singe et la plupart des animaux ; on conviendra qu'elles ont moins de docilité, moins d'attachement, moins de sentiment, moins en un mot de qualités relatives aux nôtres : dès lors on doit convenir que leur intelligence apparente ne vient que de leur multitude réunie : cependant cette réunion même ne suppose aucune intelligence, car ce n'est point par des vues morales qu'elles se réunissent, c'est sans leur consentement qu'elles se trouvent ensemble. Cette société n'est donc qu'un assemblage physique ordonné par la Nature, et indépendant de toute vue, de toute connaissance, de tout raisonnement. La mère abeille produit dix mille individus tout à la fois et dans un même lieu ; ces dix mille individus, fussent-ils encore mille fois plus stupides que je ne le suppose, seront obligés, pour continuer seulement d'exister, de s'arranger de quelque façon : comme ils agissent tous les uns contre les autres avec des forces égales, eussent-ils commencé par se nuire, à force de se nuire ils arriveront bientôt à se nuire le moins qu'il sera possible, c'est-à-dire à s'aider ; ils auront donc l'air de s'entendre et de concourir au même but. L'observateur leur prêtera bientôt des vues et tout l'esprit qui leur manque, il voudra rendre raison de chaque action, chaque mouvement aura bientôt son motif, et de là sortiront des merveilles ou des monstres de raisonnement sans nombre, car ces dix mille individus, qui ont été tous produits à la fois, qui ont habité ensemble, qui se sont tous métamorphosés à peu près en même temps, ne peuvent manquer de faire tous la même chose, et pour peu qu'ils aient de sentiment, de prendre des habitudes communes, de s'arranger, de se trouver bien ensemble, de s'occuper de leur demeure, d'y revenir après s'en être éloignés, etc. et de là l'architecture, la géométrie, l'ordre, la prévoyance, l'amour de la patrie, la république en un mot, le tout fondé, comme l'on voit, sur l'admiration de l'observateur.

La Nature n'est-elle pas assez étonnante par elle-même, sans chercher encore à nous surprendre en nous étourdissant de merveilles qui n'y sont pas et que nous y mettons ? Le Créateur n'est-il pas assez grand par ses ouvrages, et croyons-nous le faire plus grand par notre imbécillité ? ce serait, s'il pouvait l'être, la façon de le rabaisser. Lequel en effet a de l'Etre suprême la plus grande idée, celui qui le voit créer l'Univers, ordonner les existences, fonder la Nature sur des lois invariables et perpétuelles, ou celui qui le cherche et veut le trouver attentif à conduire une république de mouches, et fort occupé de la manière dont se doit plier l'aile d'un scarabée ?

Il y a parmi certains animaux une espèce de société qui semble dépendre du choix de ceux qui la composent, et qui par conséquent approche bien davantage de l'intelligence et du dessein, que la société des abeilles, qui n'a d'autre principe qu'une nécessité physique : les éléphants, les castors, les singes et plusieurs autres espèces d'animaux se cherchent, se rassemblent, vont par troupe, se secourent, se défendent, s'avertissent et se soumettent à des allures communes : si nous ne troublions pas si souvent ces sociétés, et que nous pussions les observer aussi facilement que celle des mouches, nous y verrions sans doute bien d'autres merveilles, qui cependant ne seraient que des rapports et des convenances physiques. Qu'on mette ensemble et dans un même lieu un grand nombre d'animaux de même espèce, il en résultera nécessairement un certain arrangement, un certain ordre, de certaines habitudes communes, comme nous le dirons dans l'histoire du daim, du lapin, etc. Or toute habitude commune, bien loin d'avoir pour cause le principe d'une intelligence éclairée, ne suppose au contraire que celui d'une aveugle imitation.

Parmi les hommes, la société dépend moins des convenances physiques que des relations morales. L'homme a d'abord mesuré sa force et sa faiblesse, il a comparé son ignorance et sa curiosité, il a senti que seul il ne pouvait suffire ni satisfaire par lui-même à la multiplicité de ses besoins, il a reconnu l'avantage qu'il aurait à renoncer à l'usage illimité de sa volonté pour acquérir un droit sur la volonté des autres, il a réfléchi sur l'idée du bien et du mal, il l'a gravé au fond de son cœur à la faveur de la lumière naturelle qui lui a été départie par la bonté du Créateur, il a vu que la solitude n'était pour lui qu'un état de danger et de guerre, il a cherché la sûreté et la paix dans la société, il y a porté ses forces et ses lumières pour les augmenter en les réunissant à celles des autres : cette réunion est de l'homme l'ouvrage le meilleur, c'est de sa raison l'usage le plus sage. En effet il n'est tranquille, il n'est fort, il n'est grand, il ne commande à l'Univers que parce qu'il a su se commander à lui-même, se dompter, se soumettre et s'imposer des lois ; l'homme en un mot n'est homme que parce qu'il a su se réunir à l'homme.

Il est vrai que tout a concouru à rendre l'homme sociable ; car quoique les grandes sociétés, les sociétés policées, dépendent certainement de l'usage et quelquefois de l'abus qu'il a fait de sa raison, elles ont sans doute été précédées par de petites sociétés, qui ne dépendaient, pour ainsi dire, que de la Nature. Une famille est une société naturelle, d'autant plus stable, d'autant mieux fondée, qu'il n'y a plus de besoins, plus de causes d'attachement. Bien différent des animaux, l'homme n'existe presque pas encore lorsqu'il vient de naître ; il est nu, faible, incapable d'aucun mouvement, privé de toute action, réduit à tout souffrir, sa vie dépend des secours qu'on lui donne. Cet état de l'enfance imbécile, impuissante, dure longtemps ; la nécessité du secours devient donc une habitude, qui seule serait capable de produire l'attachement mutuel de l'enfant et des père et mère ; mais comme à mesure qu'il avance, l'enfant acquiert de quoi se passer plus aisément de secours, comme il a physiquement moins besoin d'aide ; que les parents au contraire continuent à s'occuper de lui beaucoup plus qu'il ne s'occupe d'eux, il arrive toujours que l'amour descend beaucoup plus qu'il ne remonte : l'attachement des père et mère devient excessif, aveugle, idolâtre, et celui de l'enfant reste tiède et ne reprend des forces que lorsque la raison vient à développer le germe de la reconnaissance.

Ainsi la société, considérée même dans une seule famille, suppose dans l'homme la faculté raisonnable ; la société, dans les animaux qui semblent se réunir librement et par convenance, suppose l'expérience du sentiment ; et la société des bêtes, qui comme les abeilles, se trouvent ensemble sans s'être cherchées, ne suppose rien ; quels qu'en puissent être les résultats, il est clair qu'ils n'ont été, ni prévus, ni ordonnés, ni conçus par ceux qui les exécutent, et qu'ils ne dépendent que du mécanisme universel et des lois du mouvement établies par le Créateur. Qu'on mette ensemble dans le même lieu, dix mille automates animés d'une force vive et tous déterminés, par la ressemblance parfaite de leur forme extérieure et intérieure, et par la conformité de leurs mouvements, à faire chacun la même chose dans ce même lieu ; il en résultera nécessairement un ouvrage régulier ; les rapports d'égalité, de similitude, de situation s'y trouveront, puisqu'ils dépendent de ceux de mouvement que nous supposons égaux et conformes ; les rapports de juxtaposition, d'étendue, de figure s'y trouveront aussi, puisque nous supposons l'espace donné et circonscrit ; et si nous accordons à ces automates le plus petit degré de sentiment, celui seulement qui est nécessaire pour sentir son existence, tendre à sa propre conservation, éviter les choses nuisibles, appéter les choses convenables, etc. l'ouvrage sera, non seulement régulier, proportionné, situé, semblable, égal, mais il aura encore l'air de la symétrie, de la solidité, de la commodité, etc. au plus haut point de perfection, parce que en le formant, chacun de ces dix mille individus a cherché à s'arranger de la manière la plus commode pour lui, et qu'il a en même temps été forcé d'agir et de se placer de la manière la moins incommode aux autres.

L'état de nature[76] *(1758)*

Nous nous contenterons de rappeler certains faits qui, quoique dépendants de la théorie du sentiment et de l'appétit, sur laquelle nous ne voulons pas, quant à présent, nous étendre davantage, suffiront cependant seuls pour prouver que l'homme, dans l'état de nature, ne s'est jamais borné à vivre d'herbes, de graines ou de fruits, et qu'il a dans tous les temps, aussi bien que la plupart des animaux, cherché à se nourrir de chair.

La diète Pythagorique, préconisée par des philosophes anciens et nouveaux, recommandée même par quelques Médecins, n'a jamais été indiquée par la Nature. Dans le premier âge aux siècles d'or, l'homme, innocent comme la colombe, mangeait du gland, buvait de l'eau ; trouvant partout sa subsistance, il était sans inquiétude, vivait indépendant, toujours en paix avec lui-même, avec les animaux ; mais dès qu'oubliant sa noblesse, il sacrifia sa liberté pour se réunir aux autres, la guerre, l'âge de fer prirent la place de l'or et de la paix ; la cruauté, le goût de la chair et du sang furent les premiers fruits d'une nature dépravée, que les mœurs et les arts achevèrent de corrompre.

Voilà ce que dans tous les temps certains philosophes austères, sauvages par tempérament, ont reproché à l'homme en société : rehaussant leur orgueil individuel par l'humiliation de l'espèce entière, ils ont exposé ce tableau, qui ne vaut que par le contraste, et peut-être parce qu'il est bon de présenter quelquefois aux hommes des chimères de bonheur.

Cet état idéal d'innocence, de haute tempérance, d'abstinence entière de la chair, de tranquillité parfaite, de paix profonde, a-t-il jamais existé ? n'est-ce pas un apologue, une fable, où l'on emploie l'homme comme un animal, pour nous donner des leçons ou des exemples ? peut-on même supposer qu'il y eût des vertus avant la société ? peut-on dire de bonne foi que cet état sauvage mérite nos regrets, que l'homme animal farouche fut plus digne que l'homme citoyen civilisé ? Oui, car tous les malheurs viennent de la société ; et qu'importe qu'il y eût des vertus dans l'état de nature, s'il y avait du bonheur, si l'homme dans cet état était seulement moins malheureux qu'il ne l'est ? la liberté, la santé, la force, ne sont-elles pas préférables à la mollesse, à la sensualité, à la volupté même, accompagnées de l'esclavage ? La privation des peines vaut bien l'usage des plaisirs ; et pour être heureux, que faut-il, sinon ne rien désirer ?

Si cela est, disons en même temps qu'il est plus doux de végéter que de vivre, de ne rien appéter que de satisfaire son appétit, de dormir d'un sommeil apathique que d'ouvrir les yeux pour voir et pour sentir ; consentons à laisser notre âme dans l'engourdissement, notre esprit dans les ténèbres, à ne nous jamais servir ni de l'une ni de l'autre, à nous mettre au-dessous des animaux, à n'être enfin que des masses de matière brute attachées à la terre.

Mais au lieu de disputer, discutons ; après avoir dit des raisons, donnons des faits. Nous avons sous les yeux, non l'état idéal, mais l'état réel de la nature : le sauvage habitant les déserts est-il un animal tranquille ? est-il un homme heureux ? Car nous ne supposerons pas avec un Philosophe, l'un des plus fiers censeurs de notre humanité[77], qu'il y a une plus grande distance de l'homme en pure nature au sauvage, que du sauvage à nous ; que les âges qui se sont écoulés avant l'invention de l'art et de la parole, ont été bien plus longs que les siècles qu'il a fallu pour perfectionner les signes et les langues, parce qu'il me paraît que lorsqu'on veut raisonner sur des faits, il faut éloigner les suppositions, et se faire une loi de n'y remonter qu'après avoir épuisé tout ce que la Nature nous offre. Or nous voyons qu'on descend par degrés assez insensibles des nations les plus éclairées, les plus polies, à des peuples moins industrieux, de ceux-ci à d'autres plus grossiers, mais encore soumis à des Rois, à des lois ; de ces hommes grossiers aux sauvages, qui ne se ressemblent pas tous, mais chez lesquels on trouve autant de nuances différentes que parmi les peuples policés ; que les uns forment des nations assez nombreuses soumises à des chefs ; que d'autres en plus petite société ne sont soumis qu'à des usages ; qu'enfin les plus solitaires, les plus indépendants, ne laissent pas de former des familles et d'être soumis à leurs pères. Un Empire, un Monarque, une famille, un père, voilà les deux extrêmes de la société : ces extrêmes sont aussi les limites de la Nature ; si elles s'étendaient au-delà, n'aurait-on pas trouvé, en parcourant toutes les solitudes du globe, des animaux humains privés de la parole, sourds à la voix comme aux signes, les mâles et les femelles dispersés, les petits abandonnés, etc. ? Je dis même qu'à moins de prétendre que la constitution du corps fût toute différente de celle qu'elle est aujourd'hui, et que son accroissement fût bien plus prompt, il n'est pas possible de soutenir que l'homme ait jamais existé sans former des familles, puisque les enfants périraient s'ils n'étaient secourus et soignés pendant plusieurs années ; au lieu que les animaux nouveau-nés n'ont besoin de leur mère que pendant quelques mois. Cette nécessité physique suffit donc seule pour démontrer que l'espèce humaine n'a pu durer et se multiplier qu'à la faveur de la société ; que l'union des pères et mères aux enfants est naturelle, puisqu'elle est nécessaire. Or cette union ne peut manquer de produire un attachement respectif et durable entre les parents et l'enfant, et cela seul suffit encore pour qu'ils s'accoutument entre eux à des gestes, à des signes, à des sons, en un mot à toutes les expressions du sentiment et du besoin ; ce qui est aussi prouvé par le fait, puisque les sauvages les plus solitaires ont, comme les autres hommes, l'usage des signes et de la parole.

Ainsi l'état de pure nature est un état connu ; c'est le Sauvage vivant dans le désert, mais vivant en famille, connaissant ses enfants, connu d'eux, usant de la parole et se faisant entendre. La fille sauvage ramassée dans les bois de Champagne, l'homme trouvé dans les forêts d'Hanovre, ne prouvent pas le contraire ; ils avaient vécu dans une solitude absolue, ils ne pouvaient donc avoir aucune idée de société, aucun usage des signes ou de la parole ; mais s'ils se fussent seulement rencontrés, la pente de nature les aurait entraînés, le plaisir les aurait réunis ; attachés l'un à l'autre, ils se seraient bientôt entendus, ils auraient d'abord parlé la langue de l'amour entre eux, et ensuite celle de la tendresse entre eux et leurs enfants ; et d'ailleurs ces deux Sauvages étaient issus d'hommes en société et avaient sans doute été abandonnés dans les bois, non pas dans le premier âge, car ils auraient péri, mais à quatre, cinq ou six ans, à l'âge en un mot auquel ils étaient déjà assez forts de corps pour se procurer leur subsistance, et encore trop faibles de tête pour conserver les idées qu'on leur avait communiquées.

Examinons donc cet homme en pure nature, c'est-à-dire, ce Sauvage en famille. Pour peu qu'elle prospère ; il sera bientôt le chef d'une société plus nombreuse, dont tous les membres auront les mêmes manières, suivront les mêmes usages et parleront la même langue ; à la troisième, ou tout au plus tard à la quatrième génération, il y aura de nouvelles familles qui pourront demeurer séparées, mais qui, toujours réunies par les liens communs des usages et du langage, formeront une petite nation, laquelle s'augmentant avec le temps, pourra, suivant les circonstances, ou devenir un peuple, ou demeurer dans un état semblable à celui des nations sauvages que nous connaissons. Cela dépendra surtout de la proximité ou de l'éloignement où ces hommes nouveaux se trouveront des hommes policés : si sous un climat doux, dans un terrain abondant, ils peuvent en liberté occuper un espace considérable au-delà duquel ils ne rencontrent que des solitudes ou des hommes tout aussi neufs qu'eux, ils demeureront sauvages et deviendront, suivant d'autres circonstances, ennemis ou amis de leurs voisins ; mais lorsque sous un ciel dur, dans une terre ingrate, ils se trouveront gênés entre eux par le nombre et serrés par l'espace, ils feront des colonies ou des irruptions, ils se répandront, ils se confondront avec les autres peuples dont ils seront devenus les conquérants ou les esclaves. Ainsi l'homme, en tout état, dans toutes les situations et sous tous les climats, tend également à la société ; c'est un effet constant d'une cause nécessaire, puisqu'elle tient à l'essence même de l'espèce, c'est-à-dire, à sa propagation.

Voilà pour la société ; elle est, comme l'on voit, fondée sur la Nature. Examinant de même quels sont les appétits, quel est le goût de nos Sauvages, nous trouverons qu'aucun ne vit uniquement de fruits, d'herbes ou de graines, que tous préfèrent la chair et le poisson aux autres aliments, que l'eau pure leur déplaît, et qu'ils cherchent les moyens de faire eux-mêmes ou de se procurer d'ailleurs une boisson moins insipide. Les Sauvages du Midi boivent l'eau du palmier ; ceux du Nord avalent à longs traits l'huile dégoûtante de la baleine ; d'autres font des boissons fermentées, et tous en général ont le goût le plus décidé, la passion la plus vive pour les liqueurs fortes. Leur industrie, dictée par les besoins de première nécessité, excitée par leurs appétits naturels, se réduit à faire des instruments pour la chasse et pour la pêche. Un arc, des flèches, une massue, des filets, un canot, voilà le sublime de leurs arts, qui tous n'ont pour objet que les moyens de se procurer une subsistance convenable à leur goût. Et ce qui convient à leur goût convient à la nature; car, comme nous l'avons déjà dit [78], l'homme ne pourrait pas se nourrir d'herbe seule, il périrait d'inanition s'il ne prenait des aliments plus substantiels; n'ayant qu'un estomac et des intestins courts, il ne peut pas, comme le bœuf qui a quatre estomacs et des boyaux très longs, prendre à la fois un grand volume de cette maigre nourriture, ce qui serait cependant absolument nécessaire pour compenser la qualité par la quantité. Il en est à peu près de même des fruits et des graines, elles ne lui suffiraient pas, il en faudrait encore un trop grand volume pour fournir la quantité de molécules organiques nécessaire à la nutrition; et quoique le pain soit bien fait de ce qu'il y a de plus pur dans le blé, que le blé même et nos autres grains et légumes, ayant été perfectionnés par l'art, soient plus substantiels et plus nourrissants que les graines qui n'ont que leurs qualités naturelles, l'homme, réduit au pain et aux légumes pour toute nourriture, traînerait à peine une vie faible et languissante.

Voyez ces pieux solitaires qui s'abstiennent de tout ce qui a eu vie, qui, par de saints motifs, renoncent aux dons du Créateur, se privent de la parole, fuient la société, s'enferment dans des murs sacrés contre lesquels se brise la Nature; confinés dans ces asiles, ou plutôt dans ces tombeaux vivants, où l'on ne respire que la mort, le visage mortifié, les yeux éteints, ils ne jettent autour d'eux que des regards languissants, leur vie semble ne se soutenir que par efforts; ils prennent leur nourriture sans que le besoin cesse : quoique soutenus par leur ferveur (car l'état de la tête fait à celui du corps) ils ne résistent que pendant peu d'années à cette abstinence cruelle ; ils vivent moins qu'ils ne meurent chaque jour par une mort anticipée, et ne s'éteignent pas en finissant de vivre, mais en achevant de mourir[79].

« *Addition à l'article précédent*[80] » *(1777)*

Dans la suite entière de mon ouvrage sur l'Histoire Naturelle, il n'y a peut-être pas un seul des articles qui soit plus susceptible d'additions et même de corrections que celui des variétés de l'espèce humaine ; j'ai néanmoins traité ce sujet avec beaucoup d'étendue ; et j'y ai donné toute l'attention qu'il mérite ; mais on sent bien que j'ai été obligé de m'en rapporter, pour la plupart des faits, aux relations des voyageurs les plus accrédités ; malheureusement ces relations fidèles, à de certains égards, ne le sont pas à d'autres ; les hommes qui prennent la peine d'aller voir des choses au loin, croient se dédommager de leurs travaux pénibles en rendant ces choses plus merveilleuses ; à quoi bon sortir de son pays si l'on n'a rien d'extraordinaire à présenter ou à dire à son retour ? de là les exagérations, les contes et les récits bizarres dont tant de voyageurs ont souillé leurs écrits en croyant les orner. Un esprit attentif, un Philosophe instruit reconnaît aisément les faits purement controuvés qui choquent la vraisemblance ou l'ordre de la Nature ; il distingue de même le faux du vrai, le merveilleux du vraisemblable, et se met surtout en garde contre l'exagération. Mais dans les choses qui ne sont que de simple description, dans celles où l'inspection et même le coup d'œil suffirait pour les désigner, comment distinguer les erreurs qui semblent ne porter que sur des faits aussi simples qu'indifférents ? comment se refuser à admettre comme vérités tous ceux que le relateur assure, lorsqu'on n'aperçoit pas la source de ses erreurs, et même qu'on ne devine pas les motifs qui ont pu le déterminer à dire faux ? ce n'est qu'avec le temps que ces sortes d'erreurs peuvent être corrigées, c'est-à-dire lorsqu'un grand nombre de nouveaux témoignages viennent à détruire les premiers. Il y a trente ans que j'ai écrit cet article des variétés de l'espèce humaine ; il s'est fait dans cet intervalle de temps plusieurs voyages, dont quelques-uns ont été entrepris et rédigés par des hommes instruits ; c'est d'après les nouvelles connaissances qui nous ont été rapportées que je vais tâcher de réintégrer les choses dans la plus exacte vérité, soit en supprimant quelques faits que j'ai trop légèrement affirmés sur la foi des premiers voyageurs, soit en confirmant ceux que quelques critiques ont impugnés et niés mal à propos.

Les Tahitiens (1777)

« Les insulaires d'Otahiti (dit Samuel Wallis[81]) sont grands, bien faits, agiles, dispos et d'une figure agréable. La taille des hommes est en général de cinq pieds sept à cinq pieds dix pouces ; celle des femmes est de cinq pieds six pouces. Le teint des hommes est basané : leurs cheveux sont noirs ordinairement, et quelquefois bruns, roux ou blonds, ce qui est digne de remarque, parce que les cheveux de tous les naturels de l'Asie méridionale, de l'Afrique et de l'Amérique sont noirs ; les enfants des deux sexes les ont ordinairement blonds. Toutes les femmes sont jolies, et quelques-unes d'une très grande beauté. Ces Insulaires ne paraissent pas regarder la continence comme une vertu, puisque leurs femmes vendent leurs faveurs librement en public. Leurs pères, leurs frères les amenaient souvent eux-mêmes. Ils connaissent le prix de la beauté ; car la grandeur des clous qu'on demandait pour la jouissance d'une femme, était toujours proportionnée à ses charmes. L'habillement des hommes et des femmes est fait d'une espèce d'étoffe blanche[82] qui ressemble beaucoup au gros papier de la Chine ; elle est fabriquée comme le papier avec le *liber* ou écorce intérieure des arbres qu'on a mise en macération. Les plumes, les fleurs, les coquillages et les perles, font partie de leurs ornements : ce sont les femmes surtout qui portent les perles. C'est un usage reçu pour les hommes et pour les femmes de se peindre les fesses et le derrière des cuisses avec des lignes noires très serrées, et qui représentent différentes figures. Les garçons et les filles au-dessous de douze ans ne portent point ces marques.

« Ils se nourrissent de cochons, de volailles, de chiens et de poissons qu'ils font cuire, de *fruits à pain,* de bananes, d'ignames et d'un autre fruit aigre qui n'est pas bon en lui-même, mais qui donne un goût fort agréable au *fruit à pain* grillé, avec lequel ils le mangent souvent. Il y a beaucoup de rats dans l'île, mais on ne leur en a point vu manger. Ils ont des filets pour la pêche. Les coquilles leur servent de couteaux. Ils n'ont point de vases ni poteries qui aillent au feu. Il paraît qu'ils n'ont point d'autre boisson que de l'eau. »

M. de Bougainville nous a donné des connaissances encore plus exactes sur ces habitants de l'île d'Otahiti ou Taïti[83]. Il paraît, par tout ce qu'en dit ce célèbre voyageur, que les Taïtiens parviennent à une grande vieillesse sans aucune incommodité et sans perdre la finesse de leurs sens.

... « Au reste, tandis qu'en Europe les femmes se peignent en rouge les joues, celles de Taïti se peignent d'un bleu foncé les reins et les fesses ; c'est une parure et en même temps une marque de distinction[84]. Les hommes ainsi que les femmes ont les oreilles percées pour porter des perles ou des fleurs de toute espèce ; ils sont de la plus grande propreté, et se baignent sans cesse[85]. Leur unique passion est l'amour ; le grand nombre de femmes est le seul luxe des riches[86]. »

Voici maintenant l'extrait de la description que le capitaine Cook donne de cette même île d'Otahiti et de ses habitants ; j'en tirerai les faits qu'on doit ajouter aux relations du capitaine Wallis et de M. de Bougainville, et qui les confirment au point de n'en pouvoir douter[87].

... « Les flûtes et les tambours sont leurs seuls instruments, ils font peu de cas de la chasteté : les hommes offrent aux étrangers leurs sœurs ou leurs filles par civilité ou en forme de récompense. Ils portent la licence des mœurs et la lubricité, à un point que les autres nations dont on a parlé depuis le commencement du monde jusqu'à présent, n'avaient pas encore atteint.

« Le mariage chez eux n'est qu'une convention entre l'homme et la femme, dont les Prêtres ne se mêlent point. Ils ont adopté la circoncision sans autre motif que celui de la propreté ; cette opération, à proprement parler, ne doit pas être appelée circoncision, parce qu'ils ne font pas au prépuce une amputation circulaire ; ils le fendent seulement à travers la partie supérieure, pour empêcher qu'il ne se recouvre sur le gland, et les Prêtres seuls peuvent faire cette opération. »

La négresse blanche (1777)

Par la description de tous ces peuples nouvellement découverts, et dont nous n'avions pu faire l'énumération dans notre article de *Variétés dans l'espèce humaine,* il paraît que les grandes différences, c'est-à-dire les principales variétés dépendent entièrement de l'influence du climat ; on doit entendre par climat, non seulement la latitude plus ou moins élevée, mais aussi la hauteur ou la dépression des terres, leur voisinage ou leur éloignement des mers, leur situation par rapport aux vents, et surtout au vent d'est, toutes les circonstances en un mot qui concourent à former la température de chaque contrée ; car c'est de cette température plus ou moins chaude ou froide, humide ou sèche, que dépend non seulement la couleur des hommes, mais l'existence même des espèces d'animaux et de plantes, qui tous affectent de certaines contrées, et ne se trouvent pas dans d'autres : c'est de cette même température que dépend par conséquent la différence de la nourriture des hommes, seconde cause qui influe beaucoup sur leur tempérament, leur naturel, leur grandeur et leur force.

Sur les Blafards et Nègres blancs. Mais indépendamment des grandes variétés produites par ces causes générales, il y en a de particulières dont quelques-unes me paraissent avoir des caractères fort bizarres, et dont nous n'avons pas encore pu saisir toutes les nuances. Ces hommes blafards dont nous avons parlé, et qui sont différents des blancs, des noirs nègres, des noirs cafres, des basanés, des rouges, etc., se trouvent plus répandus que je ne l'ai dit[88] ; on les connaît à Ceylan sous le nom de Bedas, à Java sous celui de

Chacrelas ou Kacrelas, à l'isthme d'Amérique sous le nom d'Albinos, dans d'autres endroits sous celui de Dondos ; on les a aussi appelés *Nègres blancs*. Il s'en trouve aux Indes méridionales en Asie, à Madagascar en Afrique, à Carthagène et dans les Antilles en Amérique ; l'on vient de voir qu'on en trouve aussi dans les îles de la mer du Sud : on serait donc porté à croire que les hommes de toute race et de toute couleur, produisent quelquefois des individus blafards, et que dans tous les climats chauds il y a des races sujettes à cette espèce de dégradation : néanmoins par toutes les connaissances que j'ai pu recueillir, il me paraît que ces blafards forment plutôt des branches stériles de dégénération, qu'une tige ou vraie race dans l'espèce humaine ; car nous sommes, pour ainsi dire, assurés que les blafards mâles sont inhabiles ou très peu habiles à la génération, et qu'ils ne produisent avec leurs femelles blafardes, ni même avec les négresses. Néanmoins on prétend que les femelles blafardes produisent avec les nègres, des enfants pies, c'est-à-dire marqués de taches noires et blanches, grandes et très distinctes, quoique semées irrégulièrement. Cette dégradation de nature, paraît donc être encore plus grande dans les mâles que dans les femelles, et il y a plusieurs raisons pour croire que c'est une espèce de maladie ou plutôt une sorte de détraction dans l'organisation du corps, qu'une affection de nature qui doive se propager : car il est certain qu'on n'en trouve que des individus et jamais des familles entières ; et l'on assure que quand par hasard ces individus produisent des enfants, ils se rapprochent de la couleur primitive de laquelle les pères ou mères avaient dégénéré. On prétend aussi que les Dondos produisent avec les nègres des enfants noirs, et que les Albinos de l'Amérique avec les Européens produisent des mulâtres ;

M. Schreber, dont j'ai tiré ces deux derniers faits, ajoute qu'on peut encore mettre avec les Dondos les nègres jaunes ou rouges qui ont des cheveux de cette même couleur, et dont on ne trouve aussi que quelques individus : il dit qu'on en a vu en Afrique et dans l'île de Madagascar, mais que personne n'a encore observé qu'avec le temps ils changent de couleur et deviennent noirs ou bruns ; qu'enfin on les a toujours vus constamment conserver leur première couleur : mais je doute beaucoup de la réalité de tous ces faits.

... « Il existe à Darien (dit l'auteur vraiment philosophe de l'*Histoire philosophique et politique des deux Indes*) une race de petits hommes blancs dont on retrouve l'espèce en Afrique et dans quelques îles de l'Asie ; ils sont couverts d'un duvet d'une blancheur de lait éclatante ; ils n'ont point de cheveux, mais de la laine ; ils ont la prunelle rouge ; ils ne voient bien que la nuit ; ils sont faibles, et leur instinct paraît plus borné que celui des autres hommes. »

Nous allons comparer à ces descriptions celle que j'ai faite moi-même d'une négresse blanche que j'ai eu occasion d'examiner et de faire dessiner d'après nature (voy. planche 1). Cette fille, nommée *Geneviève*, était âgée de près de dix-huit ans, en avril 1777, lorsque je l'ai décrite : elle est née de parents nègres dans l'île de la Dominique ; ce qui prouve qu'il naît des Albinos non seulement à dix degrés de l'équateur, mais jusqu'à seize et peut-être vingt degrés, car on assure qu'il s'en trouve à Saint-Domingue et à Cuba. Le père et la mère de cette négresse blanche, avaient été amenés de la Côte-d'Or en Afrique, et tous deux étaient parfaitement noirs. *Geneviève* était blanche sur tout le corps, elle avait quatre pieds onze pouces six lignes de hauteur, et son corps était assez bien proportionné [89].

MÉTHODE ET THÉORIE[90]

(1749)

UNE MÉTHODE

Difficultés[91]

Parcourant ensuite successivement et par ordre les différents objets qui composent l'Univers, et se mettant à la tête de tous les êtres créés, il verra avec étonnement qu'on peut descendre par des degrés presque insensibles, de la créature la plus parfaite jusqu'à la matière la plus informe, de l'animal le mieux organisé jusqu'au minéral le plus brut ; il reconnaîtra que ces nuances imperceptibles sont le grand œuvre de la Nature ; il les trouvera ces nuances, non seulement dans les grandeurs et dans les formes, mais dans les mouvements, dans les générations, dans les successions de toute espèce.

En approfondissant cette idée, on voit clairement qu'il est impossible de donner un système général, une méthode parfaite, non seulement pour l'Histoire Naturelle entière, mais même pour une seule de ses branches ; car pour faire un système, un arrangement, en un mot une méthode générale, il faut que tout y soit compris ; il faut diviser ce tout en différentes classes, partager ces classes en genres, sous-diviser ces genres en espèces, et tout cela suivant un ordre dans lequel il entre nécessairement de l'arbitraire. Mais la Nature marche par des gradations inconnues, et par conséquent elle ne peut pas se prêter totalement à ces divisions, puisqu'elle passe d'une espèce à une autre espèce, et souvent d'un genre à un autre genre, par des nuances imperceptibles[92] ; de sorte qu'il se trouve un grand nombre d'espèces moyennes et d'objets mi-partis qu'on ne sait où placer, et qui dérangent nécessairement le projet du système général : cette vérité est trop importante pour que je ne l'appuie pas de tout ce qui peut la rendre claire et évidente.

Prenons pour exemple la Botanique, cette belle partie de l'Histoire Naturelle, qui par son utilité a mérité de tout temps d'être la plus cultivée, et rappelons à l'examen les principes de toutes les méthodes que les Botanistes nous ont données ; nous verrons avec quelque surprise qu'ils ont eu tous en vue de comprendre dans leurs méthodes généralement toutes les espèces de plantes, et qu'aucun d'eux n'a parfaitement réussi ; il se trouve toujours dans chacune de ces méthodes un certain nombre de plantes anomales dont l'espèce est moyenne entre deux genres, et sur laquelle il ne leur a pas été possible de prononcer juste, parce qu'il n'y a pas plus de raison de rapporter cette espèce à l'un plutôt qu'à l'autre de ces deux genres : en effet se proposer de faire une méthode parfaite, c'est se proposer un travail impossible ; il faudrait un ouvrage qui représentât exactement tous ceux de la Nature, et au contraire tous les jours il arrive qu'avec toutes les méthodes connues, et avec tous les secours qu'on peut tirer de la Botanique la plus éclairée, on trouve des espèces qui ne peuvent se rapporter à aucun des genres compris dans ces méthodes : ainsi l'expérience est d'accord avec la raison sur ce point, et l'on doit être convaincu qu'on ne peut pas faire une méthode générale et parfaite en Botanique.

Critique[93]

J'aurais pu faire un livre gros comme celui de Burnet ou de Whiston, si j'eusse voulu délayer les idées qui composent le système qu'on vient de voir, et en leur donnant l'air géométrique, comme l'a fait ce dernier Auteur, je leur eusse en même temps donné du poids ; mais je pense que des hypothèses, quelque vraisemblables qu'elles soient, ne doivent point être traitées avec cet appareil qui tient un peu de la charlatanerie[94].

... Voilà donc l'histoire de la création, les causes du déluge universel, celles de la longueur de la vie des premiers hommes, et celles de la figure de la terre ; tout cela semble n'avoir rien coûté à notre auteur, mais l'arche de Noé paraît l'inquiéter beaucoup : comment imaginer en effet qu'au milieu d'un désordre aussi affreux, au milieu de la confusion de la queue d'une comète avec le grand abîme, au milieu des ruines de l'orbe terrestre, et dans ces terribles moments où non seulement les éléments de la terre étaient confondus, mais où il arrivait encore du ciel et du tartare de nouveaux éléments pour augmenter le chaos, comment imaginer que l'arche voguât tranquillement avec sa nombreuse cargaison sur la cime des flots ? Ici notre auteur rame et fait de grands efforts pour arriver et pour donner une raison physique de la conservation de l'arche ; mais comme il m'a paru qu'elle était insuffisante, mal imaginée et peu orthodoxe, je ne la rapporterai point ; il me suffira de faire sentir combien il est dur pour un homme qui a expliqué de si grandes choses sans avoir recours à une puissance surnaturelle ou au miracle, d'être arrêté par une circonstance particulière ; aussi notre auteur aime mieux risquer de se noyer avec l'arche, que d'attribuer, comme il le devait, à la bonté immédiate du Tout-puissant la conservation de ce précieux vaisseau.

Je ne ferai qu'une remarque sur ce système dont je viens de faire une exposition fidèle ; c'est que toutes les fois qu'on sera assez téméraire pour vouloir expliquer par des raisons physiques les vérités théologiques, qu'on se permettra d'interpréter dans des vues purement humaines le texte divin des livres sacrés, et que l'on voudra raisonner sur les volontés du Très-haut et sur l'exécution de ses décrets, on tombera nécessairement dans les ténèbres et dans le chaos où est tombé l'auteur de ce système, qui cependant a été reçu avec grand applaudissement : il ne doutait ni de la vérité du déluge, ni de l'authenticité des livres sacrés ; mais comme il s'en était beaucoup moins occupé que de Physique et d'Astronomie, il a pris les passages de l'écriture sainte pour des faits de Physique et pour des résultats d'observations astronomiques, et il a si étrangement mêlé la science divine avec nos sciences humaines qu'il en a résulté la chose du monde la plus extraordinaire, qui est le système que nous venons d'exposer.

... Cet échantillon du système de Burnet [95] suffit pour en donner une idée ; c'est un roman bien écrit, et un livre qu'on peut lire pour s'amuser, mais qu'on ne doit pas consulter pour s'instruire. L'auteur ignorait les principaux phénomènes de la terre, et n'était nullement informé des observations ; il a tout tiré de son imagination qui, comme l'on sait, sert volontiers aux dépens de la vérité.

... En voilà assez pour faire voir quel était le système que l'auteur[96] méditait. Deviner de cette façon le passé, vouloir prédire l'avenir, et encore deviner et prédire à peu près comme les autres ont prédit et deviné, ne me paraît pas être un effort ; aussi cet auteur avait beaucoup plus de connaissances et d'érudition que de vues saines et générales, et il m'a paru manquer de cette partie si nécessaire aux physiciens, de cette métaphysique qui rassemble les idées particulières, qui les rend plus générales, et qui élève l'esprit au point où il doit être pour voir l'enchaînement des causes et des effets.

Le fameux Leibnitz donna en 1683, dans les actes de Leipsic, pag. 40, un projet de système bien différent, sous le titre de *Protogœa.* La terre, selon Bourguet[97] et tous les autres, doit finir par le feu ; selon Leibnitz elle a commencé par là, et a souffert beaucoup plus de changements et de révolutions qu'on ne l'imagine. La plus grande partie de la matière terrestre a été embrasée par un feu violent dans le temps que Moyse dit que la lumière fut séparée des ténèbres. Les planètes, aussi bien que la terre, étaient autrefois des étoiles fixes et lumineuses par elles-mêmes. Après avoir brûlé longtemps, il prétend qu'elles se sont éteintes faute de matière combustible, et qu'elles sont devenues des corps opaques. Le feu a produit par la fonte des matières une croûte vitrifiée, et la base de toute la matière qui compose le globe terrestre est du verre, dont les sables ne sont que des fragments ; les autres espèces de terre se sont formées du mélange de ce sable avec des sels fixes et de l'eau, et quand la croûte fut refroidie, les parties humides qui s'étaient élevées en forme de vapeurs, retombèrent et formèrent les mers. Elles enveloppèrent d'abord toute la surface du globe, et surmontèrent même les endroits les plus élevés qui forment aujourd'hui les continents et les îles. Selon cet auteur, les coquilles et les autres débris de la mer qu'on trouve partout, prouvent que la mer a couvert toute la terre ; et la grande quantité de sels fixes, de sables et d'autres matières fondues et calcinées qui sont renfermées dans les entrailles de la terre, prouvent que l'incendie a été général, et qu'il a précédé l'existence des mers. Quoique ces pensées soient dénuées de preuves, elles sont élevées, et on sent bien qu'elles sont le produit des méditations d'un grand génie. Les idées ont de la liaison, les hypothèses ne sont pas absolument impossibles, et les conséquences qu'on en peut tirer ne sont pas contradictoires ; mais le grand défaut de cette théorie, c'est qu'elle ne s'applique point à l'état présent de la terre, c'est le passé qu'elle explique, et ce passé est si ancien et nous a laissé si peu de vestiges qu'on peut en dire tout ce qu'on voudra, et qu'à proportion qu'un homme aura plus d'esprit, il en pourra dire des choses qui auront l'air plus vraisemblables. Assurer, comme l'assure Whiston, que la terre a été comète, ou prétendre avec Leibnitz qu'elle a été soleil, c'est dire des choses également possibles ou impossibles, et auxquelles il serait superflu d'appliquer les règles des probabilités : dire que la mer a autrefois couvert toute la terre, qu'elle a enveloppé le globe tout entier, et que c'est par cette raison qu'on trouve des coquilles partout, c'est ne pas faire attention à une chose très essentielle, qui est l'unité du temps de la création ; car si cela était, il faudrait nécessairement dire que les coquillages et les autres animaux habitants des mers, dont on trouve les dépouilles dans l'intérieur de la terre, ont existé les premiers, et longtemps avant l'homme et les animaux terrestres : or indépendamment du témoignage des livres sacrés, n'a-t-on pas raison de croire que toutes les espèces d'animaux et de végétaux sont à peu près aussi anciennes les unes que les autres[98] ?

Conclusion

Il n'est pas possible de douter [...] qu'il ne soit arrivé une infinité de révolutions, de bouleversements, de changements particuliers et d'altérations sur la surface de la terre, tant par le mouvement naturel des eaux de la mer que par l'action des pluies, des gelées, des eaux courantes, des vents, des feux souterrains, des tremblements de terre, des inondations, etc. et que par conséquent la mer n'ait pû prendre successivement la place de la terre, surtout dans les premiers temps après la création où les matières terrestres étaient beaucoup plus molles qu'elles ne le sont aujourd'hui. Il faut cependant avouer que nous ne pouvons juger que très imparfaitement de la succession des révolutions naturelles ; que nous jugeons encore moins de la suite des accidents, des changements et des altérations ; que le défaut des monuments historiques nous prive de la connaissance des faits ; il nous manque de l'expérience et du temps ; nous ne faisons pas réflexion que ce temps qui nous manque, ne manque point à la Nature ; nous voulons rapporter à l'instant de notre existence les siècles passés et les âges à venir, sans considérer que cet instant, la vie humaine, étendue même autant qu'elle peut l'être par l'histoire, n'est qu'un point dans la durée, un seul fait dans l'histoire des faits de Dieu.

UNE THÉORIE

« *De la reproduction en général*[99] »

Examinons de plus près cette propriété commune à l'animal et au végétal, cette puissance de produire son semblable, cette chaîne d'existences successives d'individus, qui constitue l'existence réelle de l'espèce ; et sans nous attacher à la génération de l'homme ou à celle d'une espèce particulière d'animal, voyons en général les phénomènes de la reproduction, rassemblons des faits pour nous donner des idées[100], et faisons l'énumération des différents moyens dont la Nature fait usage pour renouveler les êtres organisés[101]. Le premier moyen, et, selon nous, le plus simple de tous, est de rassembler dans un être une infinité d'êtres organiques semblables, et de composer tellement sa substance, qu'il n'y ait pas une partie qui ne contienne un germe de la même espèce, et qui par conséquent ne puisse elle-même devenir un tout semblable à celui dans lequel elle est contenue. Cet appareil paraît d'abord supposer une dépense prodigieuse et entraîner la profusion, cependant ce n'est qu'une magnificence assez ordinaire à la Nature, et qui se manifeste même dans des espèces communes et inférieures, telles que sont les vers, les polypes, les ormes, les saules, les groseilliers et plusieurs autres plantes et insectes dont chaque partie contient un tout, qui par le seul développement peut devenir une plante ou un insecte. En considérant sous ce point de vue les êtres organisés et leur reproduction, un individu n'est qu'un tout uniformément organisé dans toutes ses parties intérieures, un composé d'une infinité de figures semblables et de parties similaires, un assemblage de germes ou de petits individus de la même espèce, lesquels peuvent tous se développer de la même façon, suivant les circonstances, et former de nouveaux tous composés comme le premier[102].

En approfondissant cette idée nous allons trouver aux végétaux et aux animaux un rapport avec les minéraux que nous ne soupçonnions pas : les sels et quelques autres minéraux sont composés de parties semblables entre elles et semblables au tout qu'elles composent ; un grain de sel marin est un cube composé d'une infinité d'autres cubes que l'on peut reconnaître distinctement au microscope[103], ces petits cubes sont eux-mêmes composés d'autres cubes qu'on aperçoit avec un meilleur microscope, et l'on ne peut guère douter que les parties primitives et constituantes de ce sel ne soient aussi des cubes d'une petitesse qui échappera toujours à nos yeux, et même à notre imagination. Les animaux et les plantes qui peuvent se multiplier et se reproduire par toutes leurs parties, sont des corps organisés composés d'autres corps organiques semblables, dont les parties primitives et constituantes sont aussi organiques et semblables, et dont nous discernons à l'œil la quantité accumulée, mais dont nous ne pouvons apercevoir les parties primitives que par le raisonnement et par l'analogie que nous venons d'établir.

Cela nous conduit à croire qu'il y a dans la Nature une infinité de parties organiques actuellement existantes, vivantes, et dont la substance est la même que celle des êtres organisés, comme il y a une infinité de particules brutes semblables aux corps bruts que nous connaissons, et que comme il faut peut-être des millions de petits cubes de sel accumulés pour faire l'individu sensible d'un grain de sel marin, il faut aussi des millions de parties organiques[104] semblables au tout, pour former un seul des germes que contient l'individu d'un orme ou d'un polype ; et comme il faut séparer, briser et dissoudre un cube de sel marin pour apercevoir, au moyen de la cristallisation, les petits cubes dont il est composé, il faut de même séparer les parties d'un orme ou d'un polype pour reconnaître ensuite, au moyen de la végétation ou du développement, les petits ormes ou les petits polypes contenus dans ces parties.

... Il me paraît donc très vraisemblable par les raisonnements que nous venons de faire, qu'il existe réellement dans la Nature une infinité de petits êtres organisés, semblables en tout aux grands êtres organisés qui figurent dans le monde, que ces petits êtres organisés sont composés de parties organiques vivantes qui sont communes aux animaux et aux végétaux, que ces parties organiques sont des parties primitives et incorruptibles, que l'assemblage de ces parties forme à nos yeux des êtres organisés, et que par conséquent la reproduction ou la génération n'est qu'un changement de forme qui se fait et s'opère par la seule addition de ces parties semblables, comme la destruction de l'être organisé se fait par la division de ces mêmes parties[105].

... Cherchons donc une hypothèse qui n'ait aucun des défauts dont nous venons de parler, et par laquelle on ne puisse tomber dans aucun des inconvénients que nous venons d'exposer ; et si nous ne réussissons pas à expliquer la mécanique dont se sert la Nature pour opérer la reproduction, au moins nous arriverons à quelque chose de plus vraisemblable que ce qu'on a dit jusqu'ici.

De la même façon que nous pouvons faire des moules

par lesquels nous donnons à l'extérieur des corps telle figure qu'il nous plaît, supposons que la Nature puisse faire des moules par lesquels elle donne non seulement la figure extérieure, mais aussi la forme intérieure, ne serait-ce pas un moyen par lequel la reproduction pourrait être opérée ?

Considérons d'abord sur quoi cette supposition est fondée, examinons si elle ne renferme rien de contradictoire, et ensuite nous verrons quelles conséquences on en peut tirer. Comme nos sens ne sont juges que de l'extérieur des corps, nous comprenons nettement les affections extérieures et les différentes figures des surfaces, et nous pouvons imiter la Nature et rendre les figures extérieures par différentes voies de représentation, comme la peinture, la sculpture et les moules ; mais quoique nos sens ne soient juges que des qualités extérieures, nous n'avons pas laissé de reconnaître qu'il y a dans les corps des qualités intérieures, dont quelques-unes sont générales, comme la pesanteur ; cette qualité ou cette force n'agit pas relativement aux surfaces, mais proportionnellement aux masses, c'est-à-dire, à la quantité de matière ; il y a donc dans la Nature des qualités, même fort actives, qui pénètrent les corps jusque dans les parties les plus intimes ; nous n'aurons jamais une idée nette de ces qualités, parce que, comme je viens de le dire, elles ne sont pas extérieures, et que par conséquent elles ne peuvent pas tomber sous nos sens, mais nous pouvons en comparer les effets, et il nous est permis d'en tirer des analogies pour rendre raison des effets de qualités du même genre.

Si nos yeux, au lieu de ne nous représenter que la surface des choses, étaient conformés de façon à nous représenter l'intérieur des corps, nous aurions alors une idée nette de cet intérieur, sans qu'il nous fût possible d'avoir par ce même sens aucune idée des surfaces ; dans cette supposition les moules pour l'intérieur, que j'ai dit qu'emploie la Nature, nous seraient aussi faciles à voir et à concevoir que nous le sont les moules pour l'extérieur, et même les qualités qui pénètrent l'intérieur des corps seraient les seules dont nous aurions des idées claires, celles qui ne s'exerceraient que sur les surfaces nous seraient inconnues, et nous aurions dans ce cas des voies de représentation pour imiter l'intérieur des corps, comme nous en avons pour imiter l'extérieur ; ces moules intérieurs, que nous n'aurons jamais, la Nature peut les avoir, comme elle a les qualités de la pesanteur, qui en effet pénètrent à l'intérieur ; la supposition de ces moules est donc fondée sur de bonnes analogies, il reste à examiner si elle ne renferme aucune contradiction[106].

... La puissance active de la Nature ne serait arrêtée que par la résistance des matières, qui n'étant pas toutes de l'espèce qu'il faudrait qu'elles fussent pour être susceptibles de cette organisation, ne se convertiraient pas en substance organique, et cela même nous prouve que la Nature ne tend pas à faire du brut, mais de l'organique, et que quand elle n'arrive pas à ce but, ce n'est que parce qu'il y a des inconvénients qui s'y opposent. Ainsi il paraît que son principal dessein est en effet de produire des corps organisés, et d'en produire le plus qu'il est possible, car ce que nous avons dit de la graine d'orme peut se dire de tout autre germe, et il serait facile de démontrer que si, à commencer d'aujourd'hui, on faisait éclore tous les œufs de toutes les poules, et que pendant trente ans on eût soin de faire éclore de même tous ceux qui viendraient, sans détruire aucun de ces animaux, au bout de ce temps il y en aurait assez pour couvrir la surface entière de la terre, en les mettant tous près les uns des autres.

En réfléchissant sur cette espèce de calcul on se familiarisera avec cette idée singulière, que l'organique est l'ouvrage le plus ordinaire de la Nature, et apparemment celui qui lui coûte le moins ; mais je vais plus loin, il me paraît que la division générale qu'on devrait faire de la matière, est *matière vivante et matière morte*, au lieu de dire *matière organisée et matière brute ;* le brut n'est que le mort, je pourrais le prouver par cette quantité énorme de coquilles et d'autres dépouilles des animaux vivants qui sont la principale substance des pierres, des marbres, des craies et des marnes, des terres, des tourbes, et de plusieurs autres matières que nous appelons *brutes*, et qui ne sont que les débris et les parties mortes d'animaux ou de végétaux[107].

... Le corps d'un animal est une espèce de moule intérieur[108], dans lequel la matière qui sert à son accroissement se modèle et s'assimile au total ; de manière que sans qu'il arrive aucun changement à l'ordre et à la proportion des parties, il en résulte cependant une augmentation dans chaque partie prise séparément, et c'est cette augmentation de volume qu'on appelle développement, parce qu'on a cru en rendre raison en disant que l'animal étant formé en petit comme il l'est en grand, il n'était pas difficile de concevoir que ses parties se développaient à mesure qu'une matière accessoire venait augmenter proportionnellement chacune de ces parties.

Mais cette même augmentation, ce développement, si on veut en avoir une idée nette, comment peut-il se faire, si ce n'est en considérant le corps de l'animal, et même chacune de ses parties qui doivent se développer, comme autant de moules intérieurs qui ne reçoivent la matière accessoire que dans l'ordre qui résulte de la position de toutes leurs parties ? et ce qui prouve que ce développement ne peut pas se faire, comme on se le persuade ordinairement, par la seule addition aux surfaces, et qu'au contraire il s'opère par une susception intime et qui pénètre la masse, c'est que dans la partie qui se développe, le volume et la masse augmentent proportionnellement et sans changer de forme, dès lors il est nécessaire que la matière qui sert à ce développement pénètre, par quelque voie que ce puisse être, l'intérieur de la partie et la pénètre dans toutes les dimensions ; et cependant il est en même temps tout aussi nécessaire que cette pénétration de substance se fasse dans un certain ordre et avec une certaine mesure, telle qu'il n'arrive pas plus de substance à un point de l'intérieur qu'à un autre point, sans quoi certaines parties du tout se développeraient plus vite que d'autres, et dès lors la forme serait altérée. Or que peut-il y avoir qui prescrive en effet à la matière accessoire cette règle, et qui la contraigne à arriver également et proportionnellement à tous les points de l'intérieur, si ce n'est le moule intérieur ?

Il nous paraît donc certain que le corps de l'animal ou du végétal est un moule intérieur qui a une forme constante, mais dont la masse et le volume peuvent augmenter proportionnellement, et que l'accroissement, ou, si l'on veut, le développement de l'animal ou du végétal, ne se fait que par l'extension de ce moule dans toutes ses dimensions extérieures et intérieures, que cette extension se fait par l'intussusception, d'une matière accessoire et étrangère qui pénètre dans l'intérieur, qui devient semblable à la forme, et identique avec la matière du moule.

Mais de quelle nature est cette matière que l'animal ou le végétal assimile à sa substance ? quelle peut être la force ou la puissance qui donne à cette matière l'activité et le mouvement nécessaires pour pénétrer le moule intérieur ? et s'il existe une telle puissance, ne serait-ce pas par une puissance semblable que le moule intérieur lui-même pourrait être reproduit ?

Ces trois questions renferment, comme l'on voit, tout ce qu'on peut demander sur ce sujet, et me paraissent dépendre les unes des autres, au point que je suis persuadé qu'on ne peut pas expliquer d'une manière satisfaisante la reproduction de l'animal et du végétal, si l'on n'a pas une idée claire de la façon dont peut s'opérer la nutrition : il faut donc examiner séparément ces trois questions, afin d'en comparer les conséquences.

La première par laquelle on demande de quelle nature est cette matière que le végétal assimile à sa substance, me paraît être en partie résolue par les raisonnements que nous avons faits, et sera pleinement démontrée par des observations que nous rapporterons dans les chapitres suivants : nous ferons voir qu'il existe dans la Nature une infinité de parties organiques vivantes, que les êtres organisés sont composés de ces parties organiques, que leur production ne coûte rien à la Nature, puisque leur existence est constante et invariable, que les causes de destruction ne font que les séparer sans les détruire ; ainsi la matière que l'animal ou le végétal assimile à sa substance, est une matière organique qui est de la même nature que celle de l'animal ou du végétal, laquelle par conséquent peut en augmenter la masse et le volume sans en changer la forme et sans altérer la qualité de la matière du moule, puisqu'elle est en effet de la même forme et de la même qualité que celle qui le constitue ; ainsi dans la quantité d'aliments que l'animal prend pour soutenir sa vie et pour entretenir le jeu de ses organes, et dans la sève que le végétal tire par ses racines et par ses feuilles, il y en a une grande partie qu'il rejette par la transpiration, les sécrétions et les autres voies excrétoires, et il n'y en a qu'une petite portion qui serve à la nourriture intime des parties et à leur développement : il est très vraisemblable qu'il se fait dans le corps de l'animal ou du végétal une séparation des parties brutes de la matière des aliments et des parties organiques, que les premières sont emportées par les causes dont nous venons de parler, qu'il n'y a que les parties organiques qui restent dans le corps de l'animal ou du végétal, et que la distribution s'en fait au moyen de quelque puissance active qui les porte à toutes les parties dans une proportion exacte, et telle qu'il n'en arrive ni plus ni moins qu'il ne faut pour que la nutrition, l'accroissement ou le développement se fassent d'une manière à peu près égale[109].

« *Récapitulation* »

Tous les animaux se nourrissent de végétaux ou d'autres animaux, qui se nourrissent eux-mêmes de végétaux ; il y a donc dans la Nature une matière commune aux uns et aux autres, qui sert à la nutrition et au développement de tout ce qui vit ou végète ; cette matière ne peut opérer la nutrition et le développement qu'en s'assimilant à chaque partie du corps de l'animal ou du végétal, et en pénétrant intimement la forme de ces parties, que j'ai appelée *le moule intérieur.* Lorsque cette matière nutritive est plus abondante qu'il ne faut pour nourrir et développer le corps animal ou végétal, elle est renvoyée de toutes les parties du corps dans un ou dans plusieurs réservoirs sous la forme d'une liqueur ; cette liqueur contient toutes les molécules analogues au corps de l'animal, et par conséquent tout ce qui est nécessaire à la reproduction d'un petit être entièrement semblable au premier. Ordinairement cette matière nutritive ne devient surabondante, dans le plus grand nombre des espèces d'animaux, que quand le corps a pris la plus grande partie de son accroissement, et c'est par cette raison que les animaux ne sont en état d'engendrer que dans ce temps.

Lorsque cette matière nutritive et productive, qui est universellement répandue, a passé par le moule intérieur de l'animal ou du végétal, et qu'elle trouve une matrice convenable, elle produit un animal ou un végétal de même espèce ; mais lorsqu'elle ne se trouve pas dans une matrice convenable, elle produit des êtres organisés différents des animaux et des végétaux, comme les corps mouvants et végétants que l'on voit dans les liqueurs séminales des animaux, dans les infusions des germes des plantes, etc.

Cette matière productive est composée de particules organiques toujours actives, dont le mouvement et l'action sont fixés par les parties brutes de la matière en général, et particulièrement par les particules huileuses et salines ; mais dès qu'on les dégage de cette matière étrangère, elles reprennent leur action et produisent différentes espèces de végétations et d'autres êtres animés qui se meuvent progressivement.

On peut voir au microscope les effets de cette matière productive dans les liqueurs séminales des animaux de l'un et l'autre sexe : la semence des femelles vivipares est filtrée par les corps glanduleux qui croissent sur leurs testicules, et ces corps glanduleux contiennent une assez bonne quantité de cette semence dans leur cavité intérieure ; les femelles ovipares ont, aussi bien que les femelles vivipares, une liqueur séminale, et cette liqueur séminale des femelles ovipares est encore plus active que celle des femelles vivipares, comme je l'expliquerai dans l'histoire des oiseaux. Cette semence de la femelle est en général semblable à celle du mâle, lorsqu'elles sont toutes deux dans l'état naturel ; elles se décomposent de la même façon, elles contiennent des corps organiques semblables, et elles offrent également tous les mêmes phénomènes.

Toutes les substances animales ou végétales renferment une grande quantité de cette matière organique et productive, il ne faut, pour le reconnaître, que séparer les parties brutes dans lesquelles les particules actives de cette matière sont engagées, et cela se fait en mettant ces substances animales ou végétales infuser dans de l'eau, les sels se fondent, les huiles se séparent, et les parties organiques se montrent en se mettant en mouvement ; elles sont en plus grande abondance dans les liqueurs séminales que dans toutes les autres substances animales, ou plutôt elles y sont dans leur état de développement et d'évidence, au lieu que dans la chair elles sont engagées et retenues par les parties brutes, et il faut les en séparer par l'infusion. Dans les premiers temps de cette infusion, lorsque la chair n'est encore que légèrement dissoute, on voit cette matière organique sous la forme de corps mouvants qui sont presque aussi gros que ceux des liqueurs séminales ; mais à mesure que la décomposition augmente, ces parties organiques diminuent de grosseur et augmentent en mouvement ; et quand la chair est entièrement décomposée ou corrompue par une longue infusion dans l'eau, ces mêmes parties organiques sont d'une petitesse extrême, et dans un mouvement d'une rapidité infinie ; c'est alors que cette matière peut devenir un poison, comme celui de la dent de la vipère, où

M. Mead a vu une infinité de petits corps pointus qu'il a pris pour des sels, et qui ne sont que ces mêmes parties organiques dans une très grande activité. Le pus qui sort des plaies, en fourmille, et il peut arriver très naturellement que le pus prenne un tel degré de corruption, qu'il devienne un poison des plus subtils, car toutes les fois que cette matière active sera exaltée à un certain point, ce qu'on pourra toujours reconnaître à la rapidité et à la petitesse des corps mouvants qu'elle contient, elle deviendra une espèce de poison ; il doit en être de même des poisons des végétaux. La même matière qui sert à nous nourrir, lorsqu'elle est dans son état naturel, doit nous détruire, lorsqu'elle est corrompue ; on le voit par la comparaison du bon blé et du blé ergoté qui fait tomber en gangrène les membres des animaux et des hommes qui veulent s'en nourrir ; on le voit par la comparaison de cette matière qui s'attache à nos dents, qui n'est qu'un résidu de nourriture qui n'est pas corrompue, et de celle de la dent de la vipère ou du chien enragé, qui n'est que cette même matière trop exaltée et corrompue au dernier degré.

Lorsque cette matière organique et productive se trouve rassemblée en grande quantité dans quelques parties de l'animal, où elle est obligée de séjourner, elle y forme des êtres vivants que nous avons toujours regardés comme des animaux, le tænia, les ascarides, tous les vers qu'on trouve dans les veines, dans le foie, etc., tous ceux qu'on tire des plaies, la plupart de ceux qui se forment dans les chairs corrompues, dans le pus, n'ont pas d'autre origine ; les anguilles de la colle de farine, celles du vinaigre, tous les prétendus animaux microscopiques ne sont que des formes différentes que prend d'elle-même, et suivant les circonstances, cette matière toujours active et qui ne tend qu'à l'organisation.

Dans toutes les substances animales ou végétales, décomposées par l'infusion, cette matière productive se manifeste d'abord sous la forme d'une végétation, on la voit former des filaments qui croissent et s'étendent comme une plante qui végète ; ensuite les extrémités et les nœuds de ces végétations se gonflent, se boursouflent et crèvent bientôt pour donner passage à une multitude de corps en mouvement qui paraissent être des animaux, en sorte qu'il semble qu'en tout la Nature commence par un mouvement de végétation ; on le voit par ces productions microscopiques, on le voit aussi par le développement de l'animal, car le fœtus dans les premiers temps ne fait que végéter.

Les matières saines et qui sont propres à nous nourrir, ne fournissent des molécules en mouvement qu'après un temps assez considérable, il faut quelques jours d'infusion dans l'eau pour que la chair fraîche, les graines, les amandes des fruits, etc. offrent aux yeux des corps en mouvement ; mais plus les matières sont corrompues, décomposées ou exaltées, comme le pus, le blé ergoté, le miel, les liqueurs séminales, etc. plus ces corps en mouvement se manifestent promptement ; ils sont tout développés dans les liqueurs séminales, il ne faut que quelques heures d'infusion pour les voir dans le pus, dans le blé ergoté, dans le miel, etc. il en est de même des drogues de médecine, l'eau où on les met infuser en fourmille au bout d'un très petit temps.

Il existe donc une matière organique animée, universellement répandue dans toutes les substances animales ou végétales, qui sert également à leur nutrition, à leur développement et à leur reproduction ; la nutrition s'opère par la pénétration intime de cette matière dans toutes les parties du corps de l'animal ou du végétal ; le développement n'est qu'une espèce de nutrition plus étendue, qui se fait et s'opère tant que les parties ont assez de ductilité pour se gonfler et s'étendre, et la reproduction ne se fait que par la même matière devenue surabondante au corps de l'animal ou du végétal ; chaque partie du corps de l'un ou de l'autre renvoie les molécules organiques qu'elle ne peut plus admettre : ces molécules sont absolument analogues à chaque partie dont elles sont renvoyées, puisqu'elles étaient destinées à nourrir cette partie ; dès lors quand toutes les molécules renvoyées de tout le corps viennent à se rassembler, elles doivent former un petit corps semblable au premier, puisque chaque molécule est semblable à la partie dont elle a été renvoyée ; c'est ainsi que se fait la reproduction dans toutes les espèces, comme les arbres, les plantes, les polypes, les pucerons, etc. où l'individu tout seul reproduit son semblable, et c'est aussi le premier moyen que la Nature emploie pour la reproduction des animaux qui ont besoin de la communication d'un autre individu pour se reproduire, car les liqueurs séminales des deux sexes contiennent toutes les molécules nécessaires à la reproduction ; mais il faut quelque chose de plus pour que cette reproduction se fasse en effet, c'est le mélange de ces deux liqueurs dans un lieu convenable au développement de ce qui doit en résulter, et ce lieu est la matrice de la femelle.

Il n'y a donc point de germes préexistants, point de germes contenus à l'infini les uns dans les autres, mais il y a une matière organique toujours active, toujours prête à se mouler, à s'assimiler et à produire des êtres semblables à ceux qui la reçoivent : les espèces d'animaux ou de végétaux ne peuvent donc jamais s'épuiser d'elles-mêmes, tant qu'il subsistera des individus l'espèce sera toujours toute neuve, elle l'est autant aujourd'hui qu'elle l'était il y a trois mille ans ; toutes subsisteront d'elles-mêmes, tant qu'elles ne seront pas anéanties par la volonté du Créateur.

Au Jardin du Roi, le 27 mai 1748.

D'UNE ESPÈCE A L'AUTRE[110]

DU PROTOTYPE A LA VARIÉTÉ

« Le cheval[111] *» (1753)*

Il y a dans la Nature un prototype général dans chaque espèce sur lequel chaque individu est modelé, mais qui semble, en se réalisant, s'altérer ou se perfectionner par les circonstances ; en sorte que, relativement à de certaines qualités, il y a une variation bizarre en apparence dans la succession des individus, et en même temps une constance qui paraît admirable dans l'espèce entière : le premier animal, le premier cheval, par exemple, a été le modèle extérieur et le moule intérieur sur lequel tous les chevaux qui sont nés, tous ceux qui existent et tous ceux qui naîtront ont été formés ; mais ce modèle, dont nous ne connaissons que les copies, a pu s'altérer ou se perfectionner en communiquant sa forme et se multipliant : l'empreinte originaire subsiste en son entier dans chaque individu ; mais quoiqu'il y en ait des millions, aucun de ces individus n'est cependant semblable en tout à un autre individu, ni par conséquent au modèle dont il porte l'empreinte : cette différence qui prouve combien la Nature est éloignée de rien faire d'absolu, et combien elle sait nuancer ses ouvrages, se trouve dans l'espèce humaine, dans celles de tous les animaux, de tous les végétaux, de tous les êtres en un mot qui se reproduisent ; et ce qu'il y a de singulier, c'est qu'il semble que le modèle du beau et du bon soit dispersé par toute la terre, et que dans chaque climat il n'en réside qu'une portion qui dégénère toujours, à moins qu'on ne la réunisse avec une autre portion prise au loin ; en sorte que pour avoir de bon grain, de belles fleurs, etc., il faut en échanger les graines et ne jamais les semer dans le même terrain qui les a produits ; et de même, pour avoir de beaux chevaux, de bons chiens, etc. il faut donner aux femelles du pays des mâles étrangers, et réciproquement aux mâles du pays des femelles étrangères ; sans cela les grains, les fleurs, les animaux dégénèrent, ou plutôt prennent une si forte teinture du climat, que la matière domine sur la forme et semble l'abâtardir : l'empreinte reste, mais défigurée par tous les traits qui ne lui sont pas essentiels ; en mêlant au contraire les races, et surtout en les renouvelant toujours par des races étrangères, la forme semble se perfectionner, et la Nature se relever et donner tout ce qu'elle peut produire de meilleur.

« *L'âne* » *(1753)*

A considérer cet animal, même avec des yeux attentifs et dans un assez grand détail, il paraît n'être qu'un cheval dégénéré, la parfaite similitude de conformation dans le cerveau, les poumons, l'estomac, le conduit intestinal, le cœur, le foie, les autres viscères, et la grande ressemblance du corps, des jambes, des pieds et du squelette en entier, semblent fonder cette opinion ; l'on pourrait attribuer les légères différences qui se trouvent entre ces deux animaux, à l'influence très ancienne du climat, de la nourriture, et à la succession fortuite de plusieurs générations de petits chevaux sauvages à demi dégénérés, qui peu à peu auraient encore dégénéré davantage, se seraient ensuite dégradés autant qu'il est possible, et auraient à la fin produit à nos yeux une espèce nouvelle et constante, ou plutôt une succession d'individus semblables, tous constamment viciés de la même façon, et assez différents des chevaux pour pouvoir être regardés comme formant une autre espèce. Ce qui paraît favoriser cette idée, c'est que les chevaux varient beaucoup plus que les ânes par la couleur de leur poil, qu'ils sont par conséquent plus anciennement domestiques, puisque tous les animaux domestiques varient par la couleur beaucoup plus que les animaux sauvages de la même espèce ; que la plupart des chevaux sauvages dont parlent les voyageurs, sont de petite taille, et ont, comme les ânes, le poil gris, la queue nue, hérissée à l'extrémité, et qu'il y a des chevaux sauvages, et même des chevaux domestiques qui ont la raie noire sur le dos, et d'autres caractères qui les rapprochent encore des ânes sauvages ou domestiques. D'autre côté, si l'on considère les différences du tempérament, du naturel, des mœurs, du résultat, en un mot, de l'organisation de ces deux animaux, et surtout l'impossibilité de les mêler pour en faire une espèce commune, ou même une espèce intermédiaire qui puisse se renouveler, on paraît encore mieux fondé à croire que ces deux animaux sont chacun d'une espèce aussi ancienne l'une que l'autre, et originairement aussi essentiellement différentes qu'elles le sont aujourd'hui, d'autant plus que l'âne ne laisse pas de différer matériellement du cheval par la petitesse de la taille, la grosseur de la tête, la longueur des oreilles, la dureté de la peau, la nudité de la queue, la forme de la croupe, et aussi par les dimensions des parties qui en sont voisines, par la voix, l'appétit, la manière de boire, etc. L'âne et le cheval viennent-ils donc originairement de la même souche ? sont-ils, comme le disent les nomenclateurs[112], de la même *famille* ? ou ne sont-ils pas, et n'ont-ils pas toujours été, des animaux différents ?

Cette question, dont les physiciens sentiront bien la généralité, la difficulté, les conséquences, et que nous avons cru devoir traiter dans cet article, parce qu'elle se présente pour la première fois, tient à la production des êtres de plus près qu'aucune autre, et demande, pour être éclaircie, que nous considérions la Nature sous un nouveau point de vue. Si, dans l'immense variété que nous présentent tous les êtres animés qui peuplent l'Univers, nous choisissons un animal, ou même le corps de l'homme pour servir de base à nos connaissances, et y rapporter, par la voie de la comparaison, les autres êtres organisés, nous trouverons que quoique tous ces êtres existent solitairement, et que tous varient par des différences graduées à l'infini, il existe en même temps un dessein primitif et général qu'on peut suivre très loin, et dont les dégradations sont bien plus lentes que celles des figures et des autres rapports apparents ; car, sans parler des organes de la digestion, de la circulation et de la génération, qui appartiennent à tous les animaux, et sans lesquels l'animal cesserait d'être animal et ne pourrait ni subsister ni se reproduire, il y a, dans les parties mêmes qui contribuent le plus à la variété de la forme extérieure, une prodigieuse ressemblance qui nous rappelle nécessairement l'idée d'un premier dessein, sur lequel tout semble avoir été conçu : le corps du cheval, par exemple, qui du premier coup d'œil paraît si différent du corps de l'homme, lorsqu'on vient à le comparer en détail et partie par partie, au lieu de surprendre par la différence, n'étonne plus que par la ressemblance singulière et presque complète qu'on y trouve : en effet, prenez le squelette de l'homme, inclinez les os du bassin, accourcissez les os des cuisses, des jambes et des bras, allongez ceux des pieds et des mains, soudez ensemble les phalanges, allongez les mâchoires en raccourcissant l'os frontal, et enfin allongez aussi l'épine du dos, ce squelette cessera de représenter la dépouille d'un homme, et sera le squelette d'un cheval, car on peut aisément supposer qu'en allongeant l'épine du dos et les mâchoires, on augmente en même temps le nombre des vertèbres, des côtes et des dents, et ce n'est en effet que par le nombre de ces os, qu'on peut regarder comme accessoires, et par l'allongement, le raccourcissement ou la jonction des autres, que la charpente du corps de cet animal diffère de la charpente du corps humain. On vient de voir, dans la description du cheval, ces faits trop bien établis pour pouvoir en douter ; mais, pour suivre ces rapports encore plus loin, que l'on considère séparément quelques parties essentielles à la forme, les côtes, par exemple, on les trouvera dans l'homme, dans tous les quadrupèdes, dans les oiseaux, dans les poissons, et on en suivra les vestiges jusque dans la tortue, où elles paraissent encore dessinées par les sillons qui sont sous son écaille ; que l'on considère, comme l'a remarqué M. Daubenton, que le pied d'un cheval, en apparence si différent de la main de l'homme, est cependant composé des mêmes os, et que nous avons, à l'extrémité de chacun de nos doigts, le même osselet en fer à cheval qui termine le pied de cet animal ; et l'on jugera si cette ressemblance cachée n'est pas plus merveilleuse que les différences apparentes, si cette conformité constante et de dessein suivi de l'homme aux quadrupèdes, des quadrupèdes aux cétacés, des cétacés aux oiseaux, des oiseaux aux reptiles, des reptiles aux poissons, etc., dans lesquels les parties essentielles, comme le cœur, les intestins, l'épine du dos, les sens, etc., se trouvent toujours, ne semblent pas indiquer qu'en créant les animaux, l'Être suprême n'a voulu employer qu'une idée, et la varier en même temps de toutes les manières possibles, afin que l'homme pût admirer également, et la magnificence de l'exécution, et la simplicité du dessein.

Dans ce point de vue, non seulement l'âne et le cheval, mais même l'homme, le singe, les quadrupèdes et tous les animaux, pourraient être regardés comme ne faisant que la même *famille;* mais en doit-on conclure que dans cette grande et nombreuse *famille,* que Dieu seul a conçue et tirée du néant, il y ait d'autres petites *familles* projetées par la Nature et produites par le temps, dont les unes ne seraient composées que de deux individus, comme le cheval et l'âne, d'autres de plusieurs individus, comme celle de la belette, de la martre, du furet, de la fouine, etc., et de même, que dans les végétaux il y ait des *familles* de dix, vingt, trente, etc., plantes ? Si ces *familles* existaient en effet, elles n'auraient pu se former que par le mélange, la variation successive et la dégénération des espèces originaires ; et si l'on admet une fois qu'il y ait des *familles* dans les plantes et dans les animaux, que l'âne soit de la *famille* du cheval, et qu'il n'en diffère que parce qu'il a dégénéré, on pourra dire également que le singe est de la *famille* de l'homme, que c'est un homme dégénéré, que l'homme et le singe ont eu une origine commune comme le cheval et l'âne, que chaque *famille*, tant dans les animaux que dans les végétaux, n'a eu qu'une seule souche, et même que tous les animaux sont venus d'un seul animal, qui, dans la succession des temps, a produit, en se perfectionnant et en dégénérant, toutes les races des autres animaux.

Les Naturalistes qui établissent si légèrement des familles dans les animaux et dans les végétaux, ne paraissent pas avoir assez senti toute l'étendue de ces conséquences, qui réduiraient le produit immédiat de la création à un nombre d'individus aussi petit que l'on voudrait : car s'il était une fois prouvé qu'on pût établir ces *familles* avec raison, s'il était acquis que dans les animaux, et même dans les végétaux, il y eût, je ne dis pas plusieurs espèces, mais une seule qui eût été produite par la dégénération d'une autre espèce ; s'il était vrai que l'âne ne fût qu'un cheval dégénéré, il n'y aurait plus de bornes à la puissance de la Nature, et l'on n'aurait pas tort de supposer que d'un seul être elle a su tirer avec le temps tous les autres êtres organisés.

Mais non, il est certain, par la révélation, que tous les animaux ont également participé à la grâce de la création, que les deux premiers de chaque espèce et de toutes les espèces sont sortis tout formés des mains du Créateur, et l'on doit croire qu'ils étaient tels alors, à peu près, qu'ils nous sont aujourd'hui représentés par leurs descendants ; d'ailleurs, depuis qu'on observe la Nature, depuis le temps d'Aristote jusqu'au nôtre, l'on n'a pas vu paraître d'espèces nouvelles, malgré le mouvement rapide qui entraîne, amoncelle ou dissipe les parties de la matière, malgré le nombre infini de combinaisons qui ont dû se faire pendant ces vingt siècles ; malgré les accouplements fortuits ou forcés des animaux d'espèces éloignées ou voisines, dont il n'a jamais résulté que des individus viciés et stériles, et qui n'ont pu faire souche pour de nouvelles générations. La ressemblance, tant extérieure qu'intérieure, fût-elle dans quelques animaux encore plus grande qu'elle ne l'est dans le cheval et dans l'âne, ne doit donc pas nous porter à confondre ces animaux dans la même *famille,* non plus qu'à leur donner une commune origine ; car s'ils venaient de la même souche, s'ils étaient en effet de la même *famille,* on pourrait les rapprocher, les allier de nouveau, et défaire avec le temps ce que le temps aurait fait.

Il faut de plus considérer que, quoique la marche de la Nature se fasse par nuances et par degrés, souvent imperceptibles, les intervalles de ces degrés ou de ces nuances ne sont pas tous égaux à beaucoup près ; que plus les espèces sont élevées, moins elles sont nombreuses, et plus les intervalles des nuances qui les séparent y sont grands ; que les petites espèces au contraire sont très nombreuses, et en même temps plus voisines les unes des autres, en sorte qu'on est d'autant plus tenté de les confondre ensemble dans une même *famille,* qu'elles nous embarrassent et nous fatiguent davantage par leur multitude et par leurs petites différences, dont nous sommes obligés de nous charger la mémoire : mais il ne faut pas oublier que ces *familles* sont notre ouvrage, que nous ne les avons faites que pour le soulagement de notre esprit, que s'il ne peut comprendre la suite réelle de tous les êtres, c'est notre faute et non pas celle de la Nature, qui ne connaît point ces prétendues *familles,* et ne contient en effet que des individus.

Un individu est un être à part, isolé, détaché, et qui n'a rien de commun avec les autres êtres, sinon qu'il leur ressemble ou bien qu'il en diffère : tous les individus semblables, qui existent sur la surface de la terre, sont regardés comme composant l'espèce de ces individus ; cependant ce n'est ni le nombre ni la collection des individus semblables qui fait l'espèce, c'est la succession constante et le renouvellement non interrompu de ces individus qui la constituent ; car un être qui durerait toujours ne serait pas une espèce, non plus qu'un million d'êtres semblables qui dureraient aussi toujours : l'espèce est donc un mot abstrait et général, dont la chose n'existe qu'en considérant la Nature dans la succession des temps, et dans la destruction constante et le renouvellement tout aussi constant des êtres : c'est en comparant la Nature d'aujourd'hui à celle des autres temps, et les individus actuels aux individus passés, que nous avons pris une idée nette de ce que l'on appelle espèce, et la comparaison du nombre ou de la ressemblance des individus n'est qu'une idée accessoire et souvent indépendante de la première : car l'âne ressemble au cheval plus que le barbet au levrier, et cependant le barbet et le levrier ne sont qu'une même espèce, puisqu'ils produisent ensemble des individus qui peuvent eux-mêmes en produire d'autres, au lieu que le cheval et l'âne sont certainement de différentes espèces, puisqu'ils ne produisent ensemble que des individus viciés et inféconds.

C'est donc dans la diversité caractéristique des espèces que les intervalles des nuances de la Nature sont le plus sensibles et le mieux marqués, on pourrait même dire que ces intervalles entre les espèces sont les plus égaux et les moins variables de tous, puisqu'on peut toujours tirer une ligne de séparation entre deux espèces, c'est-à-dire, entre deux successions d'individus qui se reproduisent et ne peuvent se mêler, comme l'on peut aussi réunir en une seule espèce deux successions d'individus qui se reproduisent en se mêlant : ce point est le plus fixe que nous ayons en Histoire

Naturelle, toutes les autres ressemblances et toutes les autres différences que l'on pourrait saisir dans la comparaison des êtres ne seraient, ni si constantes ni si réelles, ni si certaines ; ces intervalles sont aussi les seules lignes de séparation que l'on trouvera dans notre ouvrage, nous ne diviserons pas les êtres autrement qu'ils le sont en effet, chaque espèce, chaque succession d'individus qui se reproduisent et ne peuvent se mêler, sera considérée à part et traitée séparément, et nous ne nous servirons des *familles,* des genres, des ordres et des classes, pas plus que ne s'en sert la Nature.

L'espèce n'étant donc autre chose qu'une succession constante d'individus semblables et qui se reproduisent, il est clair que cette dénomination ne doit s'étendre qu'aux animaux et aux végétaux, et que c'est par un abus des termes ou des idées que les nomenclateurs l'ont employée pour désigner les différentes sortes de minéraux : on ne doit donc pas regarder le fer comme une espèce, et le plomb comme une autre espèce, mais seulement comme deux métaux différents ; et l'on verra dans notre discours sur les minéraux, que les lignes de séparation que nous emploierons dans la division des matières minérales, seront bien différentes de celles que nous employons pour les animaux et pour les végétaux.

Mais pour en revenir à la dégénération des êtres, et particulièrement à celle des animaux, observons et examinons encore de plus près les mouvements de la Nature dans les variétés qu'elle nous offre ; et comme l'espèce humaine nous est la mieux connue, voyons jusqu'où s'étendent ces mouvements de variation. Les hommes diffèrent du blanc au noir par la couleur, du double au simple par la hauteur de la taille, la grosseur, la légèreté, la force, etc., et du tout au rien pour l'esprit ; mais cette dernière qualité, n'appartenant point à la matière, ne doit point être ici considérée ; les autres sont les variations ordinaires de la Nature qui viennent de l'influence du climat et de la nourriture ; mais ces différences de couleur et de dimension dans la taille n'empêchent pas que le Nègre et le Blanc, le Lappon et le Patagon, le géant et le nain, ne produisent ensemble des individus qui peuvent eux-mêmes se reproduire, et que par conséquent ces hommes, si différents en apparence, ne soient tous d'une seule et même espèce, puisque cette reproduction constante est ce qui constitue l'espèce.

... Quoiqu'on ne puisse donc pas démontrer que la production d'une espèce par la dégénération soit une chose impossible à la Nature, le nombre des probabilités contraires est si énorme, que philosophiquement même on n'en peut guère douter ; car si quelque espèce a été produite par la dégénération d'une autre, si l'espèce de l'âne vient de l'espèce du cheval, cela n'a pu se faire que successivement et par nuances, il y aurait eu entre le cheval et l'âne un grand nombre d'animaux intermédiaires, dont les premiers se seraient peu à peu éloignés de la nature du cheval, et les derniers se seraient approchés peu à peu de celle de l'âne ; et pourquoi ne verrions-nous pas aujourd'hui les représentants, les descendants de ces espèces intermédiaires ? pourquoi n'en est-il demeuré que les deux extrêmes ?

L'âne est donc un âne, et n'est point un cheval dégénéré, un cheval à queue nue ; il n'est, ni étranger, ni intrus, ni bâtard ; il a, comme tous les autres animaux, sa famille, son espèce et son rang.

« La chèvre[113] *» (1755)*

Quoique les espèces dans les animaux soient toutes séparées par un intervalle que la Nature ne peut franchir, quelques-unes semblent se rapprocher par un si grand nombre de rapports, qu'il ne reste, pour ainsi dire, entre elles que l'espace nécessaire pour tirer la ligne de séparation ; et lorsque nous comparons ces espèces voisines, et que nous les considérons relativement à nous, les unes se présentent comme des espèces de première utilité, et les autres semblent n'être que des espèces auxiliaires, qui pourraient, à bien des égards, remplacer les premières, et nous servir aux mêmes usages. L'âne pourrait presque remplacer le cheval ; et de même, si l'espèce de la brebis venait à nous manquer, celle de la chèvre pourrait y suppléer. La chèvre fournit du lait comme la brebis, et même en plus grande abondance ; elle donne aussi du suif en quantité : son poil, quoique plus rude que la laine, sert à faire de très bonnes étoffes : sa peau vaut mieux que celle du mouton : la chair du chevreau approche assez de celle de l'agneau, etc. Ces espèces auxiliaires sont plus agrestes, plus robustes que les espèces principales ; l'âne et la chèvre ne demandent pas autant de soin que le cheval et la brebis ; partout ils trouvent à vivre et broutent également les plantes de toute espèce, les herbes grossières, les arbrisseaux chargés d'épines ; ils sont moins affectés de l'intempérie du climat, ils peuvent mieux se passer du secours de l'homme : moins ils nous appartiennent, plus ils semblent appartenir à la Nature ; et au lieu d'imaginer que ces espèces subalternes n'ont été produites que par la dégénération des espèces premières, au lieu de regarder l'âne comme un cheval dégénéré, il y aurait plus de raison de dire, que le cheval est un âne perfectionné, que la brebis n'est qu'une espèce de chèvre plus délicate que nous avons soignée, perfectionnée, propagée pour notre utilité, et qu'en général les espèces les plus parfaites, surtout dans les animaux domestiques, tirent leur origine de l'espèce moins parfaite des animaux sauvages qui en approchent le plus, la Nature seule ne pouvant faire autant que la Nature et l'homme réunis.

Quoi qu'il en soit, la chèvre est une espèce distincte, et peut-être encore plus éloignée de celle de la brebis, que l'espèce de l'âne ne l'est de celle du cheval. Le bouc s'accouple volontiers avec la brebis, comme l'âne avec la jument, et le bélier se joint avec la chèvre, comme le cheval avec l'ânesse ; mais quoique ces accouplements soient assez fréquents, et quelquefois prolifiques, il ne s'est point formé d'espèce intermédiaire entre la chèvre et la brebis, ces deux espèces sont distinctes, demeurent constamment séparées et toujours à la même distance l'une de l'autre ; elles n'ont donc point été altérées par ces mélanges, elles n'ont point fait de nouvelles souches, de nouvelles races d'animaux mitoyens, elles n'ont produit que des différences individuelles, qui n'influent pas sur l'unité de chacune des espèces primitives, et qui confirment au contraire la réalité de leur différence caractéristique.

Mais il y a bien des cas où nous ne pouvons ni distinguer ces caractères, ni prononcer sur leurs différences avec autant de certitude ; il y en a beaucoup d'autres où nous sommes obligés de suspendre notre jugement, et encore une infinité d'autres sur lesquels nous n'avons aucune lumière ; car indépendamment de l'incertitude où nous jette la contrariété des témoignages sur les faits qui nous ont été transmis, indépendamment du doute qui résulte du peu d'exactitude de ceux qui ont observé la Nature, le plus grand obstacle qu'il y ait à l'avancement de nos connaissances est l'ignorance presque forcée dans laquelle nous sommes d'un très grand nombre d'effets que le temps seul n'a pu présenter à nos yeux, et qui ne se dévoileront même à ceux de la postérité que par des expériences et des observations combinées : en attendant, nous errons dans les ténèbres, ou nous marchons avec perplexité entre des préjugés et des probabilités, ignorant même jusqu'à la possibilité des choses, et confondant à tout moment les opinions des hommes avec les actes de la Nature.

« Le rat[114] *» (1758)*

Descendant par degrés du grand au petit, du fort au faible, nous trouverons que la Nature a su tout compenser ; qu'uniquement attentive à la conservation de chaque espèce, elle fait profusion d'individus, et se soutient par le nombre dans toutes celles qu'elle a réduites au petit, ou qu'elle a laissées sans forces, sans armes et sans courage : et non seulement elle a voulu que ces espèces inférieures fussent en état de résister ou durer par le nombre ; mais il semble qu'elle ait en même temps donné des suppléments à chacune, en multipliant les espèces voisines. Le rat, la souris, le mulot, le rat d'eau, le campagnol, le loir, le lérot, le muscardin, la musaraigne, beaucoup d'autres que je ne cite point parce qu'ils sont étrangers à notre climat, forment autant d'espèces distinctes et séparées, mais assez peu différentes pour pouvoir en quelque sorte se suppléer et faire que, si l'une d'entre elles venait à manquer, le vide en ce genre serait à peine sensible ; c'est ce grand nombre d'espèces voisines qui a donné l'idée des genres aux Naturalistes ; idée que l'on ne peut employer qu'en ce sens, lorsqu'on ne voit les objets qu'en gros, mais qui s'évanouit dès qu'on l'applique à la réalité, et qu'on vient à considérer la Nature en détail.

Les hommes ont commencé par donner différents noms aux choses qui leur ont paru distinctement différentes, et en même temps ils ont fait des dénominations générales pour tout ce qui leur paraissait à peu près semblable. Chez les peuples grossiers et dans toutes les langues naissantes, il n'y a presque que des noms généraux, c'est-à-dire, des expressions vagues et informes de choses du même ordre et cependant très différentes entre elles ; un chêne, un hêtre, un tilleul, un sapin, un if, un pin, n'auront d'abord eu d'autre nom que celui d'*arbre* ; ensuite le chêne, le hêtre, le tilleul se seront tous trois appelés *chêne*, lorsqu'on les aura distingués du sapin, du pin, de l'if, qui tous trois se seront appelés *sapin*. Les noms particuliers ne sont venus qu'à la suite de la comparaison et de l'examen détaillé qu'on a faits de chaque espèce de choses : on a augmenté le nombre de ces noms à mesure qu'on a plus étudié et mieux connu la Nature ; plus on l'examinera, plus on la comparera, plus il y aura de noms propres et de dénominations particulières. Lorsqu'on nous la présente donc aujourd'hui par des dénominations générales, c'est-à-dire, par des genres, c'est nous renvoyer à l'ABC de toute connaissance, et rappeler les ténèbres de l'enfance des hommes : l'Ignorance a fait les genres, la Science a fait et fera les noms propres, et nous ne craindrons pas d'augmenter le nombre des dénominations particulières, toutes les fois que nous voudrons désigner des espèces différentes.

« *Le lion*[115] » *(1761)*

Dans l'espèce humaine l'influence du climat ne se marque que par des variétés assez légères, parce que cette espèce est une, et qu'elle est très distinctement séparée de toutes les autres espèces ; l'homme, blanc en Europe, noir en Afrique, jaune en Asie, et rouge en Amérique, n'est que le même homme teint de la couleur du climat : comme il est fait pour régner sur la terre, que le globe entier est son domaine, il semble que la nature se soit prêtée à toutes les situations ; sous les feux du midi, dans les glaces du nord il vit, il multiplie, il se trouve partout si anciennement répandu, qu'il ne paraît affecter aucun climat particulier [116]. Dans les animaux au contraire, l'influence du climat est plus forte et se marque par des caractères plus sensibles, parce que les espèces sont diverses et que leur nature est infir˙ment moins perfectionnée, moins étendue que celle de l'homme. Non seulement les variétés dans chaque espèce sont plus nombreuses et plus marquées que dans l'espèce humaine, mais les différences mêmes des espèces semblent dépendre des différents climats ; les unes ne peuvent se propager que dans les pays chauds, les autres ne peuvent subsister que dans des climats froids ; le lion n'a jamais habité les régions du nord, le renne ne s'est jamais trouvé dans les contrées du midi, et il n'y a peut-être aucun animal dont l'espèce soit comme celle de l'homme généralement répandue sur toute la surface de la terre ; chacun a son pays, sa patrie naturelle dans laquelle chacun est retenu par nécessité physique, chacun est fils de la terre qu'il habite, et c'est dans ce sens qu'on doit dire que tel ou tel animal est originaire de tel ou tel climat.

... A toutes ces nobles qualités individuelles, le lion joint aussi la noblesse de l'espèce ; j'entends par espèces nobles dans la Nature, celles qui sont constantes, invariables, et qu'on ne peut soupçonner de s'être dégradées ; ces espèces sont ordinairement isolées et seules de leur genre ; elles sont distinguées par des caractères si tranchés, qu'on ne peut ni les méconnaître, ni les confondre avec aucune des autres. A commencer par l'homme, qui est l'être le plus noble de la création, l'espèce en est unique, puisque les hommes de toutes les races, de tous les climats, de toutes les couleurs, peuvent se mêler et produire ensemble, et qu'en même temps l'on ne doit pas dire qu'aucun animal appartienne à l'homme ni de près ni de loin par une parenté naturelle. Dans le cheval l'espèce n'est pas aussi noble que l'individu, parce qu'elle a pour voisine l'espèce de l'âne, laquelle paraît même lui appartenir d'assez près ; puisque ces deux animaux produisent ensemble des individus, qu'à la vérité la Nature traite comme des bâtards indignes de faire race, incapables même de perpétuer l'une ou l'autre des deux espèces desquelles ils sont issus ; mais qui, provenant du mélange des deux, ne laisse pas de prouver leur grande affinité. Dans le chien l'espèce est peut-être encore moins noble, parce qu'elle paraît tenir de près à celles du loup, du renard et du chacal, qu'on peut regarder comme des branches dégénérées de la même famille. Et en descendant par degrés aux espèces inférieures, comme à celles des lapins, des belettes, des rats, etc. on trouvera que chacune de ces espèces en particulier ayant un grand nombre de branches collatérales, l'on ne peut plus reconnaître la souche commune ni la tige directe de chacune de ces familles devenues trop nombreuses. Enfin dans les insectes, qu'on doit regarder comme les espèces infimes de la Nature, chacune est accompagnée de tant d'espèces voisines, qu'il n'est plus possible de les considérer une à une, et qu'on est forcé d'en faire un bloc, c'est-à-dire un genre, lorsqu'on veut les dénommer. C'est là la véritable origine des méthodes, qu'on ne doit employer en effet que pour les dénombrements difficiles des plus petits objets de la Nature, et qui deviennent totalement inutiles et même ridicules lorsqu'il s'agit des êtres du premier rang : classer l'homme avec le singe, le lion avec le chat, dire que le lion est ***un chat à crinière, et à queue longue*** ; c'est dégrader, défigurer la Nature au lieu de la décrire ou de la dénommer.

... Lorsque les Européens en [le Nouveau Monde] firent la découverte ils trouvèrent en effet que tout y était nouveau, les animaux quadrupèdes, les oiseaux, les poissons, les insectes, les plantes, tout parut inconnu, tout se trouva différent de ce qu'on avait vu jusqu'alors. Il fallut cependant dénommer les principaux objets de cette nouvelle Nature ; les noms du pays étaient pour la plupart barbares, très difficiles à prononcer et encore plus à retenir : on emprunta donc des noms de nos langues d'Europe, et surtout de l'Espagnole et de la Portugaise. Dans cette disette de dénominations, un petit rapport dans la forme extérieure, une légère ressemblance de taille et de figure suffirent pour attribuer à ces objets inconnus les noms de choses connues ; de là les incertitudes, l'équivoque, la confusion qui s'est encore augmentée, parce que en même temps qu'on donnait aux productions du nouveau monde les dénominations de celles de l'ancien continent, on y transportait continuellement, et dans le même temps, les espèces d'animaux et de plantes qu'on n'y avait pas trouvées.

« *Les tigres* » *(1761)*

La cause la plus générale des équivoques et des incertitudes qui se sont si fort multipliées en Histoire

Naturelle, c'est, comme je l'ai indiqué dans l'article précédent, la nécessité où l'on s'est trouvé de donner des noms aux productions inconnues du nouveau monde. Les animaux, quoique pour la plupart d'espèce et de nature très différentes de ceux de l'ancien continent, ont reçu les mêmes noms, dès qu'on leur a trouvé quelque rapport ou quelque ressemblance avec ceux-ci. On s'était d'abord trompé en Europe, en appelant tigres tous les animaux à peau *tigrée* d'Asie et d'Afrique : cette erreur transportée en Amérique y a doublé ; car ayant trouvé dans cette terre nouvelle des animaux dont la peau était marquée de taches arrondies et séparées, on leur a donné le nom de tigres, quoiqu'ils ne fussent ni de l'espèce du vrai tigre, ni même d'aucune de celle des animaux à peau *tigrée* de l'Asie ou de l'Afrique auxquels on avait déjà mal à propos donné ce même nom ; et comme ces animaux à peau tigrée qui se sont trouvés en Amérique sont en assez grand nombre, et qu'on n'a pas laissé de leur donner à tous le nom commun de tigre : quoiqu'ils fussent très différents du tigre et différents entre eux ; il se trouve qu'au lieu d'une seule espèce qui doit porter ce nom, il y en a neuf ou dix, et que par conséquent l'histoire de ces animaux est très embarrassée, très difficile à faire, parce que les noms ont confondu les choses, et qu'en faisant mention de ces animaux l'on a souvent dit des uns ce qui devait être dit des autres.

Pour prévenir la confusion qui résulte de ces dénominations mal appliquées à la plupart des animaux du nouveau Monde, et en particulier à ceux que l'on a faussement appelés *tigres*, j'ai pensé que le moyen le plus sûr était de faire une énumération comparée des animaux quadrupèdes, dans laquelle je distingue : 1° ceux qui sont naturels et propres à l'ancien continent, c'est-à-dire à l'Europe, l'Afrique et l'Asie, et qui ne se sont point trouvés en Amérique lorsqu'on en fit la découverte ; 2° ceux qui sont naturels et propres au nouveau continent, et qui n'étaient point connus dans l'ancien ; 3° ceux qui se trouvent également dans les deux continents, sans avoir été transportés par les hommes, doivent être regardés comme communs et à l'un et à l'autre...

Conclusions[117] *(1761)*

Le vrai travail d'un Nomenclateur ne consiste point ici à faire des recherches pour allonger la liste, mais des comparaisons raisonnées pour la raccourcir. Rien n'est plus aisé que de prendre dans tous les Auteurs qui ont écrit des Animaux, les noms et les phrases pour en faire une table, qui deviendra d'autant plus longue, qu'on examinera moins : rien n'est plus difficile que de les comparer avec assez de discernement pour réduire cette table à sa juste dimension. Je le répète, il n'y a pas dans toute la terre habitable et connue deux cents espèces d'animaux quadrupèdes, en y comprenant même les singes pour quarante ; il ne s'agit donc que de leur assigner à chacun leur nom, et il ne faudra pour posséder parfaitement cette nomenclature, qu'un très médiocre usage de sa mémoire, puisqu'il ne s'agira que de retenir ces deux cents noms. A quoi sert-il donc d'avoir fait pour les quadrupèdes des classes, des genres, des méthodes en un mot, qui ne sont que des échafaudages qu'on a imaginés pour aider la mémoire dans la connaissance des plantes, dont le nombre est en effet trop grand, les différences trop petites, les espèces trop peu constantes, et le détail trop minutieux et trop indifférent pour ne pas les considérer par blocs, et en faire des tas ou des genres, en mettant ensemble celles qui paraissent se ressembler le plus ? Car comme dans toutes les productions de l'esprit, ce qui est absolument inutile est toujours mal imaginé et devient souvent nuisible ; il est arrivé qu'au lieu d'une liste de deux cents noms, à quoi se réduit toute la nomenclature des quadrupèdes, on a fait des Dictionnaires d'un si grand nombre de termes et de phrases, qu'il faut plus de travail pour les débrouiller, qu'il n'en a fallu pour les composer. Pourquoi faire du jargon et des phrases lorsqu'on peut parler clair en ne prononçant qu'un nom simple ? pourquoi changer toutes les acceptions des termes, sous le prétexte de faire des classes et des genres ? pourquoi lorsque l'on fait un genre d'une douzaine d'animaux, par exemple, sous le nom de genre du *lapin*, le lapin même ne s'y trouve-t-il pas, et qu'il faut l'aller chercher dans le genre du lièvre ? N'est-il pas absurde, disons mieux, il n'est que ridicule de faire des classes où l'on rassemble les genres les plus éloignés, par exemple, de mettre ensemble dans la première l'homme et la chauve-souris, dans la seconde l'éléphant et le lézard écailleux, dans la troisième le lion et le furet, dans la quatrième le cochon et la taupe, dans la cinquième le rhinocéros et le rat, etc. Ces idées mal conçues ne peuvent se soutenir ; aussi les ouvrages qui les contiennent sont-ils successivement détruits par leurs propres auteurs ; une édition contredit l'autre, et le tout n'a de mérite que pour des écoliers ou des enfants, toujours dupes du mystère, à qui l'air méthodique paraît scientifique, et qui ont enfin d'autant plus de respect pour leur maître, qu'il a plus d'art à leur présenter les choses les plus claires et les plus aisées, sous un point de vue le plus obscur et le plus difficile.

... En tirant des conséquences générales de tout ce

que nous avons dit, nous trouverons que l'homme est le seul des êtres vivants dont la nature soit assez forte, assez étendue, assez flexible, pour pouvoir subsister, se multiplier partout, et se prêter aux influences de tous les climats de la terre ; nous verrons évidemment qu'aucun des animaux n'a obtenu ce grand privilège, que loin de pouvoir se multiplier partout, la plupart sont bornés et confinés dans certains climats, et même dans des contrées particulières. L'homme est en tout l'ouvrage du ciel ; les animaux ne sont à beaucoup d'égards que des productions de la terre : ceux d'un continent ne se trouvent pas dans l'autre ; ceux qui s'y trouvent sont altérés, rapetissés, changés au point d'être méconnaissables : en faut-il plus pour être convaincu que l'empreinte de leur forme n'est pas inaltérable ; que leur nature, beaucoup moins constante que celle de l'homme, peut se varier et même se changer absolument avec le temps ; que par la même raison les espèces les moins parfaites, les plus délicates, les plus pesantes, les moins agissantes, les moins armées, etc. ont déjà disparu ou disparaîtront ; leur état, leur vie, leur être dépendent de la forme que l'homme donne ou laisse à la surface de la terre ?

Le prodigieux *mahmout*, animal quadrupède, dont nous avons souvent considéré les ossements énormes avec étonnement, et que nous avons jugé six fois au moins plus grand que le plus fort éléphant, n'existe plus nulle part ; et cependant on a trouvé de ses dépouilles en plusieurs endroits éloignés les uns des autres, comme en Irlande, en Sibérie, à la Louisiane, etc. Cette espèce était certainement la première, la plus grande, la plus forte de tous les quadrupèdes : puisqu'elle a disparu, combien d'autres plus petites, plus faibles et moins remarquables ont dû périr aussi sans nous avoir laissé ni témoignages ni renseignements sur leur existence passée ? combien d'autres espèces s'étant dénaturées, c'est-à-dire, perfectionnées ou dégradées par les grandes vicissitudes de la terre et des eaux, par l'abandon ou la culture de la Nature, par la longue influence d'un climat devenu contraire ou favorable, ne sont plus les mêmes qu'elles étaient autrefois ? et cependant les animaux quadrupèdes sont, après l'homme, les êtres dont la nature est la plus fixe et la forme la plus constante : celle des oiseaux et des poissons varie davantage ; celle des insectes, encore plus, et si l'on descend jusqu'aux plantes, que l'on ne doit point exclure de la Nature vivante, on sera surpris de la promptitude avec laquelle les espèces varient, et de la facilité qu'elles ont à se dénaturer en prenant de nouvelles formes.

Il ne serait donc pas impossible, que, même sans intervertir l'ordre de la Nature, tous ces animaux du nouveau monde ne fussent dans le fond les mêmes que ceux de l'ancien, desquels ils auraient autrefois tiré leur origine ; on pourrait dire qu'en ayant été séparés dans la suite par des mers immenses ou par des terres impraticables, ils auront avec le temps reçu toutes les impressions, subi tous les effets d'un climat devenu nouveau lui-même et qui aurait aussi changé de qualité par les causes mêmes qui ont produit la séparation ; que par conséquent ils se seront avec le temps rapetissés, dénaturés, etc. Mais cela ne doit pas nous empêcher de les regarder aujourd'hui comme des animaux d'espèces différentes : de quelque cause que vienne cette différence, qu'elle ait été produite par le temps, le climat et la terre, ou qu'elle soit de même date que la création, elle n'en est pas moins réelle : la Nature, je l'avoue, est dans un mouvement de flux continuel ; mais c'est assez pour l'homme de la saisir dans l'instant de son siècle, et de jeter quelques regards en arrière et en avant, pour tâcher d'entrevoir ce que jadis elle pouvait être, et ce que dans la suite elle pourrait devenir.

« *Le bouquetin, le chamois et les autres chèvres*[118] » *(1764)*

Ne pourrait-on pas en conclure que ces trois animaux, le bouquetin, le chamois et le bouc domestique ne sont en effet qu'une seule et même espèce, mais dans laquelle les femelles sont d'une nature constante et semblables entre elles ; au lieu que les mâles subissent des variétés qui les rendent différents les uns des autres ? Dans ce point de vue qui n'est peut-être pas aussi éloigné de la Nature que l'on pourrait imaginer, le bouquetin serait le mâle dans la race originaire des chèvres et le chamois en serait la femelle ; je dis que ce point de vue n'est pas imaginaire, puisque l'on peut prouver par l'expérience qu'il y a des espèces dans la Nature où la femelle peut également servir à des mâles d'espèces différentes et produire de tous deux ; la brebis produit avec le bouc aussi bien qu'avec le bélier et produit toujours des agneaux, des individus de son espèce ; le bélier au contraire ne produit point avec la chèvre ; on peut donc regarder la brebis comme une femelle commune à deux mâles différents, et par conséquent elle constitue l'espèce indépendamment du mâle. Il en sera de même dans celle du bouquetin, la femelle seule y représente l'espèce primitive, parce qu'elle est d'une nature constante ; les mâles au contraire ont varié, et il y a grande apparence que la chèvre domestique qui ne fait, pour ainsi dire, qu'une seule et même femelle avec celles du chamois et du bouquetin, produirait également avec ces trois différents mâles, lesquels seuls font variété dans l'espèce ; et qui par conséquent n'en altère pas l'identité, quoiqu'ils paraissent en changer l'unité.

Ces rapports, comme tous les autres rapports possibles, doivent se trouver dans la nature des choses ; il paraît même qu'en général les femelles contribuent plus que les mâles au maintien des espèces ; car, quoique tous deux concourent à la première formation de l'animal ; la femelle qui seule fournit ensuite tout ce qui est nécessaire à son développement et à sa nutrition, le modifie et l'assimile plus à sa nature ; ce qui ne peut manquer d'effacer en beaucoup de parties les empreintes de la nature du mâle ; ainsi lorsqu'on veut juger sainement une espèce, ce sont les femelles qu'il faut examiner. Le mâle donne la moitié de la substance vivante ; la femelle en donne autant, et fournit de plus toute la matière nécessaire pour le développement de la forme : une belle femme a presque toujours de beaux enfants ; un bel homme avec une femme laide ne produit ordinairement que des enfants encore plus laids.

Ainsi dans la même espèce, il peut y avoir quelquefois deux races, l'une masculine et l'autre féminine, qui toutes deux subsistant et se perpétuant avec leurs caractères distinctifs, paraissent continuer deux espèces différentes, et c'est là le cas où il est, pour ainsi dire, impossible de fixer le terme entre ce que les Naturalistes appellent *espèce et variété*.

Des variétés a la « parenté d'espèce[119] »

« *Nomenclature des singes*[120] » *(1766)*

Mais par quelle raison ces termes généraux, qui paraissent être le chef-d'œuvre de la pensée, sont-ils si défectueux ? pourquoi ces définitions qui semblent n'être que les purs résultats de la combinaison des êtres, sont-elles si fautives dans l'application ? est-ce erreur nécessaire, défaut de rectitude dans l'esprit humain ? ou plutôt n'est-ce pas simple incapacité, pure impuissance de combiner et même de voir à la fois un grand nombre de choses ? Comparons les œuvres de la Nature aux ouvrages de l'homme ; cherchons comment tous deux opèrent, et voyons si l'esprit, quelque actif, quelque étendu qu'il soit, peut aller de pair et suivre la même marche, sans se perdre lui-même ou dans l'immensité de l'espace ou dans les ténèbres du temps, ou dans le nombre infini de la combinaison des êtres. Que l'homme dirige la marche de son esprit sur un objet quelconque ; s'il voit juste, il prend la ligne droite, parcourt le moins d'espace et emploie le moins de temps possible pour atteindre à son but ; combien ne lui faut-il pas déjà de réflexions et de combinaisons pour ne pas entrer dans les lignes obliques, pour éviter les fausses routes, les culs-de-sac, les chemins creux qui tous se présentent les premiers, et en si grand nombre, que le choix du vrai sentier suppose la plus grande justesse de discernement ; cela cependant est possible, c'est-à-dire, n'est pas au-dessus des forces d'un bon esprit, il peut marcher droit sur la ligne et sans s'écarter ; voilà sa manière d'aller la plus sûre et la plus ferme : mais il va sur une ligne pour arriver à un point ; et s'il veut saisir un autre point, il ne peut l'atteindre que par une autre ligne ; la trame de ses idées est un fil délié, qui s'étend en longueur sans autres dimensions : la Nature au contraire ne fait pas un seul pas qui ne soit en tout sens ; en marchant en avant, elle s'étend à côté et s'élève au-dessus ; elle parcourt et remplit à la fois les trois dimensions ; et tandis que l'homme n'atteint qu'un point, elle arrive au solide, en embrasse le volume et pénètre la masse dans toutes leurs parties. Que font nos Phidias lorsqu'ils donnent une forme à la matière brute ? à force d'art et de temps ils parviennent à faire une surface qui représente exactement les dehors de l'objet qu'ils se sont proposé : chaque point de cette surface qu'ils ont créée, leur a coûté mille combinaisons ; leur génie a marché droit sur autant de lignes qu'il y a de traits dans leur figure ; le moindre écart l'aurait déformée : ce marbre si parfait qu'il semble respirer, n'est donc qu'une multitude de points auxquels l'Artiste n'est arrivé qu'avec peine et successivement ; parce que l'esprit humain ne saisissant à la fois qu'une seule dimension, et nos sens ne s'appliquant qu'aux surfaces, nous ne pouvons pénétrer la matière et ne savons que l'effleurer : la Nature au contraire sait la brasser et la remuer à fond ; elle produit ces formes par des actes presque instantanés ; elle les développe en les étendant à la fois dans les trois dimensions ; en même temps que son mouvement atteint à la surface, les forces pénétrantes dont elle est animée, opèrent à l'intérieur ; chaque molécule est pénétrée ; le plus petit atome, dès qu'elle veut l'employer, est forcé d'obéir ; elle agit donc en tout sens, elle travaille en avant, en arrière, en bas, en haut, à droite, à gauche, de tous côtés à la fois, et par conséquent elle embrasse non seulement la surface, mais le volume, la masse et le solide entier dans toutes ses parties : aussi quelle différence dans le produit, quelle comparaison de la statue au corps organisé [121] ! mais aussi quelle inégalité dans la puissance, quelle disproportion dans les instruments ! L'homme ne peut employer que la force qu'il a ; borné à une petite quantité de mouvement qu'il ne peut communiquer que par la voie de l'impulsion, il ne peut agir que sur les surfaces, puisqu'en général la force d'impulsion ne se transmet que par le contact des superficies ; il ne voit, il ne touche donc que la surface des corps ; et lorsque pour tâcher de les mieux connaître, il les ouvre, les divise et les sépare, il ne voit et ne touche encore que des surfaces : pour pénétrer à l'intérieur, il lui faudrait une partie de cette force qui agit sur la masse, qui fait la pesanteur et qui est le principal instrument de la Nature ; si l'homme pouvait disposer de cette force pénétrante, comme il dispose de celle d'impulsion, si seulement il avait un sens qui y fût relatif, il verrait le fond de la matière ; il pourrait l'arranger en petit, comme la Nature la travaille en grand ; c'est donc faute d'instruments, que l'art de l'homme ne peut approcher de celui de la Nature ; ses figures, ses reliefs, ses tableaux, ses desseins ne sont que des surfaces ou des imitations de surface, parce que les images qu'il reçoit par ses sens sont toutes superficielles, et qu'il n'a nul moyen de leur donner du corps.

Ce qui est vrai pour les arts, l'est aussi pour les sciences ; seulement elles sont moins bornées, parce que l'esprit est leur seul instrument, parce que dans les arts il est subordonné au sens, et que dans les sciences il leur commande, d'autant qu'il s'agit de connaître et non pas d'opérer, de comparer et non pas d'imiter : or l'esprit, quoique resserré par les sens, quoique souvent abusé par leurs faux rapports, n'en est ni moins pur ni moins actif ; l'homme qui a voulu savoir, a commencé par les rectifier, par démontrer leurs erreurs ; il les a traités comme des organes mécaniques, des instruments qu'il faut mettre en expérience pour les vérifier et juger de leurs effets : marchant ensuite la balance à la main et le compas de l'autre, il a mesuré et le temps et l'espace ; il a reconnu tous les dehors de la Nature, et ne pouvant en pénétrer l'intérieur par les sens, il l'a deviné par comparaison et jugé par analogie[122] ; il a trouvé qu'il existait dans la matière une force générale, différente de celle d'impulsion, une force qui ne tombe point sous nos sens, et dont par conséquent nous ne pouvons disposer, mais que la Nature emploie comme son agent universel ; il a démontré que cette force appartenait à toute matière également, c'est-à-dire, proportionnellement à sa masse ou quantité réelle ; que cette force ou plutôt son action s'étendait à des distances immenses, en décroissant comme les espaces augmentent ; ensuite tournant ses vues sur les êtres vivants, il a vu que la chaleur était une autre force nécessaire à leur production ; que la lumière était une matière vive, douée d'une élasticité et d'une activité sans borne ; que la formation et le développement des êtres organisés se font par le concours de toutes ces forces réunies ; que l'extension, l'accroissement des corps vivants ou végétants suit exactement les lois de la force attractive, et s'opère en effet en augmentant à la fois dans les trois dimensions ; qu'un moule une fois formé doit, par ces mêmes lois d'affinité, en produire d'autres tout semblables, et ceux-ci d'autres encore sans aucune altération de la forme primitive. Combinant ensuite ces caractères communs, ces attributs égaux de la Nature vivante et végétante, il a reconnu qu'il existait et dans l'une et dans l'autre, un fonds inépuisable et toujours réversible de substance organique et vivante ; substance aussi réelle aussi durable que la matière brute ; substance permanente à jamais dans son état de vie, comme l'autre dans son état de mort ; substance universellement répandue, qui, passant des végétaux aux animaux par la voie de la nutrition, retournant des animaux aux végétaux par celle de la putréfaction, circule incessamment pour animer les êtres : il a vu que ces molécules organiques vivantes existaient dans tous les corps organisés, qu'elles y étaient combinées en plus ou moins grande quantité avec la matière morte, plus abondantes dans les animaux où tout est plein de vie, plus rares dans les végétaux où la mort domine et le vivant paraît éteint, où l'organique surchargé par le brut, n'a plus ni mouvement progressif, ni sentiment, ni chaleur, ni vie, et ne se manifeste que par le développement et la reproduction ; et réfléchissant sur la manière dont l'un et l'autre s'opèrent, il a reconnu que chaque être vivant est un moule auquel s'assimilent les substances dont il se nourrit ; que c'est par cette assimilation que se fait l'accroissement du corps ; que son développement n'est pas une simple augmentation du volume, mais une extension dans toutes les dimensions, une pénétration de matière nouvelle dans toutes les parties de la masse ; que ces parties augmentant proportionnellement au tout, et le tout proportionnellement aux parties, la forme se conserve et demeure toujours la même jusqu'à son développement entier ; qu'enfin le corps ayant acquis toute son étendue, la même matière jusqu'alors employée à son accroissement est dès lors renvoyée, comme superflue, de toutes les parties auxquelles elle s'était assimilée ; et qu'en se réunissant dans un point commun, elle y forme un nouvel être semblable au premier, qui n'en diffère que du petit au grand, et qui n'a besoin, pour le représenter, que d'atteindre aux mêmes dimensions en se développant à son tour par la même voie de la nutrition.

... Si de ce grand tableau des ressemblances dans lequel l'Univers vivant se présente, comme ne faisant qu'une même famille, nous passons à celui des différences, où chaque espèce réclame une place isolée et doit avoir son portrait à part [123], on reconnaîtra qu'à l'exception de quelques espèces majeures, telles que l'éléphant, le rhinocéros, l'hippopotame, le tigre, le lion, qui doivent avoir leur cadre, tous les autres semblent se réunir avec leurs voisins et former des groupes de similitudes dégradées, des genres que nos Nomenclateurs ont présentés par un lacis de figures dont les unes se tiennent par les pieds, les autres par les dents, par les cornes, par le poil, et par d'autres rapports encore plus petits. Et ceux même dont la forme nous paraît la plus parfaite, c'est-à-dire la plus approchante de la nôtre, les singes, se présentent ensemble et demandent déjà des yeux attentifs pour être distingués les uns des autres, parce que c'est moins à la forme qu'à la grandeur qu'est attaché le privilège de l'espèce isolée, et que l'homme lui-même quoique d'espèce unique, infiniment différente de toutes celles des animaux, n'étant que d'une grandeur médiocre est moins isolé et a plus de voisins que les grands animaux. On verra dans l'histoire de l'orang-outang, que si l'on ne faisait attention qu'à la figure on pourrait également regarder cet animal comme le premier des singes ou le dernier des hommes, parce qu'à l'exception de l'âme, il ne lui manque rien de tout ce que nous avons, et parce qu'il diffère moins de l'homme pour le corps, qu'il ne diffère des autres animaux auxquels on a donné le même nom de singe.

L'âme, la pensée, la parole ne dépendent donc pas de

la forme ou de l'organisation du corps ; rien ne prouve mieux que c'est un don particulier, et fait à l'homme seul, puisque l'orang-outang qui ne parle ni ne pense, a néanmoins le corps, les membres, les sens, le cerveau et la langue entièrement semblables à l'homme, puisqu'il peut faire ou contrefaire tous les mouvements, toutes les actions humaines, et que cependant il ne fait aucun acte de l'homme : c'est peut-être faute d'éducation, c'est encore faute d'équité dans votre jugement ; vous comparez, dira-t-on, fort injustement le singe des bois avec l'homme des villes ; c'est à côté de l'homme sauvage, de l'homme auquel l'éducation n'a rien transmis, qu'il faut le placer pour les juger l'un et l'autre ; et a-t-on une idée juste de l'homme dans l'état de pure Nature ? la tête couverte de cheveux hérissés, ou d'une laine crépue ; la face voilée par une longue barbe, surmontée de deux croissants de poils encore plus grossiers, qui par leur largeur et leur saillie raccourcissent le front, et lui font perdre son caractère auguste, et non seulement mettent les yeux dans l'ombre, mais les enfoncent et les arrondissent comme ceux des animaux ; les lèvres épaisses et avancées ; le nez aplati ; le regard stupide ou farouche ; les oreilles, le corps et les membres velus ; la peau dure comme un cuir noir ou tanné ; les ongles longs, épais et crochus ; une semelle calleuse en forme de corne sous la plante des pieds ; et pour attributs du sexe, des mamelles longues et molles, la peau du ventre pendante jusque sur les genoux ; les enfants se vautrant dans l'ordure et se traînant à quatre ; le père et la mère assis sur leurs talons, tous hideux, tous couverts d'une crasse empestée. Et cette esquisse tirée d'après le sauvage Hottentot, est encore un portrait flatté ; car il y a plus loin de l'homme dans l'état de pure nature à l'Hottentot, que de l'Hottentot à nous : chargez donc encore le tableau si vous voulez comparer le singe à l'homme, ajoutez-y les rapports d'organisation, les convenances de tempérament, l'appétit véhément des singes mâles pour les femmes, la même conformation dans les parties génitales des deux sexes ; l'écoulement périodique dans les femelles, et les mélanges forcés ou volontaires des Négresses aux singes, dont le produit est rentré dans l'une ou l'autre espèce ; et voyez, supposé qu'elles ne soient pas la même, combien l'intervalle qui les sépare est difficile à saisir.

Je l'avoue, si l'on ne devait juger que par la forme, l'espèce du singe pourrait être prise pour une variété dans l'espèce humaine : le Créateur n'a pas voulu faire pour le corps de l'homme un modèle absolument différent de celui de l'animal ; il a compris sa forme, comme celle de tous les animaux, dans un plan général ; mais en même temps qu'il lui a départi cette forme matérielle semblable à celle du singe, il a pénétré ce corps animal de son souffle divin ; s'il eût fait la même faveur, je ne dis pas au singe, mais à l'espèce la plus vile, à l'animal qui nous paraît le plus mal organisé, cette espèce serait bientôt devenue la rivale de l'homme ; vivifiée par l'esprit, elle eût primé sur les autres ; elle eût pensé, elle eût parlé : quelque ressemblance qu'il y ait donc entre l'Hottentot et le singe, l'intervalle qui les sépare est immense, puisque à l'intérieur il est rempli par la pensée et au-dehors par la parole.

Qui pourra jamais dire en quoi l'organisation d'un imbécile diffère de celle d'un autre homme ? le défaut est certainement dans les organes matériels, puisque l'imbécile a son âme comme un autre : or, puisque d'homme à homme, où tout est entièrement conforme et parfaitement semblable, une différence si petite, qu'on ne peut la saisir, suffit pour détruire la pensée ou l'empêcher de naître, doit-on s'étonner qu'elle ne soit jamais née dans le singe qui n'en a pas le principe [124] ?

... Parmi les animaux même, quoique tous dépourvus du principe pensant, ceux dont l'éducation est la plus longue sont aussi ceux qui paraissent avoir le plus d'intelligence ; l'éléphant, qui de tous est le plus longtemps à croître, et qui a besoin des secours de sa mère pendant toute la première année, est aussi le plus intelligent de tous : le cochon d'Inde, auquel il ne faut que trois semaines d'âge pour prendre tout son accroissement et se trouver en état d'engendrer, est peut-être par cette seule raison l'un des plus stupides ; et à l'égard du singe, dont il s'agit ici de décider la nature, quelque ressemblant qu'il soit à l'homme, il a néanmoins une si forte teinture d'animalité qu'elle se reconnaît dès le moment de la naissance ; car il est à proportion plus fort et plus formé que l'enfant, il croît beaucoup plus vite, les secours de la mère ne lui sont nécessaires que pendant les premiers mois, il ne reçoit qu'une éducation purement individuelle, et par conséquent aussi stérile que celle des animaux.

Il est donc animal ; et malgré sa ressemblance à l'homme, bien loin d'être le second dans notre espèce, il n'est pas le premier dans l'ordre des animaux, puisqu'il n'est pas le plus intelligent ; c'est uniquement sur ce rapport de ressemblance corporelle qu'est appuyé le préjugé de la grande opinion qu'on s'est formée des facultés du singe ; il nous ressemble, a-t-on dit, tant à l'extérieur qu'à l'intérieur, il doit donc non seulement nous imiter, mais faire encore de lui-même tout ce que nous faisons. On vient de voir que toutes les actions qu'on doit appeler *humaines*, sont relatives à la société [125], qu'elles dépendent d'abord de l'âme et ensuite de l'éducation dont le principe physique est la nécessité de la longue habitude des parents à l'enfant ;

que dans le singe cette habitude est fort courte, qu'il ne reçoit comme les autres animaux qu'une éducation purement individuelle, et qu'il n'est pas même susceptible de celle de l'espèce ; par conséquent il ne peut rien faire de tout ce que l'homme fait, puisque aucune de ses actions n'a le même principe ni la même fin ; et à l'égard de l'imitation qui paraît être le caractère le plus marqué, l'attribut le plus frappant de l'espèce du singe, et que le vulgaire lui accorde comme un talent unique, il faut avant de décider, examiner si cette imitation est libre ou forcée : le singe nous imite-t-il, parce qu'il le veut, ou bien parce que sans le vouloir il le peut ? j'en appelle sur cela volontiers a tous ceux qui ont observé cet animal sans prévention, et je suis convaincu qu'ils diront avec moi, qu'il n'y a rien de libre, rien de volontaire dans cette imitation ; le singe ayant des bras et des mains s'en sert comme nous, mais sans songer à nous : la similitude des membres et des organes produit nécessairement des mouvements et quelquefois même des suites de mouvements qui ressemblent aux nôtres ; étant conformé comme l'homme, le singe ne peut donc que se mouvoir comme lui ; mais se mouvoir de même n'est pas agir pour imiter : qu'on donne à deux corps bruts la même impulsion ; qu'on construise deux pendules, deux machines pareilles, elles se mouveront de même, et l'on aurait tort de dire que ces corps bruts ou ces machines ne se meuvent ainsi que pour s'imiter ; il en est de même du singe relativement au corps de l'homme, ce sont deux machines construites, organisées de même, qui par nécessité de nature se meuvent à très peu près de la même façon : néanmoins parité n'est pas imitation ; l'une gît dans la matière et l'autre n'existe que par l'esprit ; l'imitation suppose le dessein d'imiter ; le singe est incapable de former ce dessein, qui demande une suite de pensées, et par cette raison l'homme peut, s'il le veut, imiter le singe, et le singe ne peut pas même vouloir imiter l'homme.

... Ainsi ce singe, que les Philosophes, avec le vulgaire, ont regardé comme un être difficile à définir, dont la nature était au moins équivoque et moyenne entre celle de l'homme et des animaux, n'est dans la vérité qu'un pur animal, portant à l'extérieur un masque de figure humaine, mais dénué à l'intérieur de la pensée et de tout ce qui fait l'homme ; un animal au-dessous de plusieurs autres par les facultés relatives et encore essentiellement différent de l'homme par le naturel, par le tempérament et aussi par la mesure du temps nécessaire à l'éducation, à la gestation, à l'accroissement du corps, à la durée de la vie, c'est-à-dire, par toutes les habitudes réelles qui constituent ce qu'on appelle *nature* dans un être particulier[126].

« *De la dégénération des animaux*[127] » *(1766)*

Dès que l'Homme a commencé à changer de ciel, et qu'il s'est répandu de climats en climats, sa nature a subi des altérations : elles ont été légères dans les contrées tempérées, que nous supposons voisines du lieu de son origine : mais elles ont augmenté à mesure qu'il s'en est éloigné ; et lorsque après des siècles écoulés, des continents traversés et des générations déjà dégénérées par l'influence des différentes terres, il a voulu s'habituer dans les climats extrêmes, et peupler les sables du Midi et les glaces du Nord ; les changements sont devenus si grands et si sensibles, qu'il y aurait lieu de croire que le Nègre, le Lappon et le Blanc forment des espèces différentes, si d'un côté l'on était assuré qu'il n'y a eu qu'un seul Homme de créé, et de l'autre que ce

Blanc, ce Lappon et ce Nègre, si dissemblants entre eux, peuvent cependant s'unir ensemble et propager en commun la grande et unique famille de notre genre humain : ainsi leurs taches ne sont point originelles ; leurs dissemblances n'étant qu'extérieures, ces altérations de nature ne sont que superficielles ; et il est certain que tous ne sont que le même homme, qui s'est verni de noir sous la zone torride, et qui s'est tanné, rapetissé par le froid glacial de la sphère du Pôle. ... Depuis qu'on transporte des Nègres en Amérique, c'est-à-dire depuis environ deux cent cinquante ans, l'on ne s'est pas aperçu que les familles noires qui se sont soutenues sans mélange, aient perdu quelques nuances de leur teinte originelle ; il est vrai que ce climat de l'Amérique méridionale étant par lui-même assez chaud pour brunir ses habitants, on ne doit pas s'étonner que les Nègres y demeurent noirs : pour faire l'expérience du changement de couleur dans l'espèce humaine, il faudrait transporter quelques individus de cette race noire du Sénégal en Danemarck, où l'homme ayant communément la peau blanche, les cheveux blonds, les yeux bleus, la différence du sang et l'opposition de couleur est la plus grande. Il faudrait cloîtrer ces Nègres avec leurs femelles, et conserver scrupuleusement leur race sans leur permettre de la croiser ; ce moyen est le seul qu'on puisse employer pour savoir combien il faudrait de temps pour réintégrer à cet égard la nature de l'homme ; et par la même raison, combien il en a fallu pour la changer du blanc au noir [128].
ture et les maux d'esclavage, voilà les trois causes de changement, d'altération et de dégénération dans les animaux. Les effets de chacune méritent d'être considérés en particulier, et leurs rapports vus en détail nous présenteront un tableau au-devant duquel on

verra la Nature telle qu'elle est aujourd'hui, et dans le lointain, on apercevra ce qu'elle était avant sa dégradation[129].

... L'espèce du bœuf est celle de tous les animaux domestiques sur laquelle la nourriture paraît avoir la plus grande influence ; il devient d'une taille prodigieuse dans les contrées où le pâturage est riche et toujours renaissant ; les Anciens ont appelé *taureau-éléphants* les bœufs d'Éthiopie et de quelques autres provinces de l'Asie, où ces animaux approchent en effet de la grandeur de l'éléphant ; l'abondance des herbes, et leur qualité substantielle et succulente produisent cet effet ; nous en avons la preuve même dans notre climat ; un bœuf nourri sur les têtes des montagnes vertes de Savoie ou de Suisse, acquiert le double du volume de celui de nos bœufs, et néanmoins ces bœufs de Suisse sont comme les nôtres enfermés dans l'étable et réduits au fourrage pendant la plus grande partie de l'année ; mais ce qui fait cette grande différence, c'est qu'en Suisse on les met en pleine pâture, dès que les neiges sont fondues ; au lieu que dans nos provinces on leur interdit l'entrée des prairies jusqu'après la récolte de l'herbe qu'on réserve aux chevaux : ils ne sont donc jamais ni largement, ni convenablement nourris, et ce serait une attention bien nécessaire, bien utile à l'État, que de faire un règlement à cet égard, par lequel on abolirait les vaines pâtures en permettant les enclos. Le climat a aussi beaucoup influé sur la nature du bœuf ; dans les terres du Nord des deux continents, il est couvert d'un poil long et doux comme de la fine laine ; il porte aussi une grosse loupe sur les épaules, et cette difformité se trouve également dans tous les bœufs de l'Asie, de l'Afrique et de l'Amérique ; il n'y a que ceux d'Europe qui ne soient pas bossus ; cette race d'Europe est cependant la race primitive à laquelle les races bossues remontent par le mélange dès la première ou la seconde génération ; et ce qui prouve encore que cette race bossue n'est qu'une variété de la première, c'est qu'elle est sujette à de plus grandes altérations et à des dégradations qui paraissent excessives ; car il y a dans ces bœufs bossus des différences énormes pour la taille ; le petit zébu de l'Arabie a tout au plus la dixième partie du volume du *taureau-éléphant* d'Éthiopie.

En général, l'influence de la nourriture est plus grande, et produit des effets plus sensibles sur les animaux qui se nourrissent d'herbes ou de fruits ; ceux au contraire qui ne vivent que de proie, varient moins par cette cause que par l'influence du climat ; parce que la chair est un aliment préparé et déjà assimilé à la nature de l'animal carnassier qui la dévore ; au lieu que l'herbe étant le premier produit de la terre, elle en a toutes les propriétés, et transmet immédiatement les qualités terrestres à l'animal qui s'en nourrit.

Aussi le chien, sur lequel la nourriture ne paraît avoir que de légères influences, est néanmoins celui de tous les animaux carnassiers dont l'espèce est la plus variée ; il semble suivre exactement dans ses dégradations les différences du climat ; il est nu dans les pays les plus chauds, couvert d'un poil épais et rude dans les contrées du Nord, paré d'une belle robe soyeuse en Espagne, en Syrie, où la douce température de l'air change le poil de la plupart des animaux en une sorte de soie ; mais indépendamment de ces variétés extérieures qui sont produites par la seule influence du climat il y a d'autres altérations dans cette espèce qui proviennent de sa condition, de sa captivité, ou, si l'on veut, de l'état de société du chien avec l'homme. L'augmentation ou la diminution de la taille viennent des soins qu'on a pris d'unir ensemble les plus grands ou les plus petits individus ; l'accourcissement de la queue, du museau, des oreilles, provient aussi de la main de l'homme ; les chiens auxquels de génération en génération on a coupé les oreilles et la queue, transmettent ces défauts en tout ou en partie à leurs descendants. J'ai vu des chiens nés sans queue, que je pris d'abord pour des monstres individuels dans l'espèce ; mais je me suis assuré depuis, que cette race existe et qu'elle se perpétue par la génération. Et les oreilles pendantes qui sont le signe le plus général et le plus certain de la servitude domestique, ne se trouvent-elles pas dans presque tous les chiens ? Sur environ trente races différentes, dont l'espèce est aujourd'hui composée, il n'y en a que deux ou trois qui aient conservé leurs oreilles primitives ; le chien de berger, le chien-loup et les chiens du Nord ont seuls les oreilles droites. La voix de ces animaux a subi comme tout le reste d'étranges mutations ; il semble que le chien soit devenu criard avec l'homme, qui de tous les êtres qui ont une langue est celui qui en use et en abuse le plus : car dans l'état de nature, le chien est presque muet, il n'a qu'un hurlement de besoin par accès assez rares ; il a pris son aboiement dans son commerce avec l'homme, surtout avec l'homme policé : car lorsqu'on le transporte dans des climats extrêmes et chez des peuples grossiers, tels que les Lappons ou les Nègres, il perd son aboiement, reprend sa voix naturelle qui est le hurlement et devient même quelquefois absolument muet. Les chiens à oreilles droites et surtout le chien de berger, qui de tous est celui qui a le moins dégénéré, est aussi celui qui donne le moins de voix : comme il passe sa vie solitairement dans la campagne et qu'il n'a de commerce qu'avec les moutons et quelques hommes simples, il est comme eux sérieux et silencieux, quoique en même temps il soit très vif et fort intelligent ; c'est de tous les chiens celui qui a le moins de qualités acquises et le plus de talents naturels, c'est le plus utile pour le bon ordre et pour la garde des troupeaux, et il serait plus avantageux d'en multiplier, d'en étendre la race que celle des autres chiens, qui ne servent qu'à nos amusements, et dont le nombre est si grand qu'il n'y a point de ville où l'on ne pût nourrir un nombre de familles des seuls aliments que les chiens consomment.

L'état de domesticité a beaucoup contribué à faire varier la couleur des animaux, elle est en général originairement fauve ou noire ; le chien, le bœuf, la chèvre, la brebis, le cheval, ont pris toutes sortes de couleurs ; le cochon a changé du noir au blanc ; et il paraît que le blanc pur et sans aucune tache est à cet égard le signe du dernier degré de dégénération, et qu'ordinairement il est accompagné d'imperfections et de défauts essentiels : dans la race des hommes blancs, ceux qui le sont beaucoup plus que les autres et dont les cheveux, les sourcils, la barbe, etc., sont naturellement blancs ont souvent le défaut d'être sourds, et d'avoir en même temps les yeux rouges et faibles : dans la race des Noirs, les Nègres blancs sont encore d'une nature plus faible et plus défectueuse.

... Mais après le coup d'œil que l'on vient de jeter sur ces variétés qui nous indiquent les altérations particulières de chaque espèce, il se présente une considération plus importante et dont la vue est bien plus étendue ; c'est celle du changement des espèces mêmes, c'est cette dégénération plus ancienne et de tout temps immémoriale, qui paraît s'être faite dans chaque famille, ou si l'on veut, dans chacun des genres sous lesquels on peut comprendre les espèces voisines et peu différentes entre elles [130] : nous n'avons dans tous les animaux terrestres que quelques espèces isolées, qui, comme celle de l'homme, fassent en même temps espèce et genre ; l'éléphant, le rhinocéros, l'hippopotame, la girafe forment des genres ou des espèces simples qui ne se propagent qu'en ligne directe et n'ont aucune branche collatérale ; toutes les autres paraissent former des familles dans lesquelles on remarque ordinairement une souche principale et commune, de laquelle semblent être sorties des tiges différentes et d'autant plus nombreuses, que les individus dans chaque espèce sont plus petits et plus féconds.

Sous ce point de vue, le cheval, le zèbre et l'âne sont tous trois de la même famille ; si le cheval est la souche ou le tronc principal, le zèbre et l'âne seront des tiges collatérales : le nombre de leurs ressemblances entre eux étant infiniment plus grand que celui de leurs différences, on peut les regarder comme ne faisant qu'un même genre, dont les principaux caractères sont clairement énoncés et communs à tous trois : ils sont les seuls qui soient vraiment solipèdes, c'est-à-dire, qui aient la corne des pieds d'une seule pièce sans aucune apparence de doigts ou d'ongles ; et quoiqu'ils forment trois espèces distinctes, elles ne sont cependant pas absolument ni nettement séparées, puisque l'âne produit avec la jument, le cheval avec l'ânesse ; et qu'il est probable que si l'on vient à bout d'apprivoiser le zèbre, et d'assouplir sa nature sauvage et récalcitrante, il produirait aussi avec le cheval et l'âne, comme ils produisent entre eux.

Et ce mulet qu'on a regardé de tout temps comme une production viciée, comme un monstre composé de deux natures, et que par cette raison on a jugé incapable de se reproduire lui-même et de former lignée, n'est cependant pas aussi profondément lésé qu'on se l'imagine d'après ce préjugé, puisqu'il n'est pas réellement infécond, et que sa stérilité ne dépend que de certaines circonstances extérieures et particulières. On sait que les mulets ont souvent produit dans les pays chauds, l'on en a même quelques exemples dans nos climats tempérés ; mais on ignore si cette génération est jamais provenue de la simple union du mulet et de la mule, ou plutôt si le produit n'en est pas dû à l'union du mulet avec la jument, ou encore à celle de l'âne avec la mule. Il y a deux sortes de mulets, le premier est le grand mulet ou mulet simplement dit, qui provient de la jonction de l'âne à la jument ; le second est le petit mulet provenant du cheval et de l'ânesse, que nous appellerons *bardeau* pour le distinguer de l'autre. Les Anciens les connaissaient et les distinguaient comme nous par deux noms différents, ils appelaient *mulus* le mulet provenant de l'âne et de la jument, et ils donnaient les noms de Γίννος, *hinnus, burdo* au mulet provenant du cheval et de l'ânesse ; ils ont assuré que le mulet, *mulus,* produit avec la jument un animal auquel ils donnaient aussi le nom de *ginnus* ou *hinnus*[131] ; ils ont assuré de même que la mule, *mula,* conçoit assez aisément, mais qu'elle ne peut que rarement perfectionner son fruit ; et ils ajoutent que quoiqu'il y ait des exemples assez fréquents de mules qui ont mis bas, il faut néanmoins regarder cette production comme un prodige. Mais qu'est-ce qu'un prodige dans la Nature, sinon un effet plus rare que les autres ? Le mulet peut donc engendrer, et la mule peut concevoir, porter et mettre bas dans de certaines circonstances ; ainsi il ne s'agirait que de faire des expériences pour savoir quelles sont ces circonstances, et pour acquérir de nouveaux faits dont on pourrait tirer de grandes lumières sur la dégénération des espèces par le mélange, et par conséquent sur l'unité ou la diversité de chaque genre ; il faudrait, pour réussir à ces expériences, donner le mulet à la mule, à la jument et à l'ânesse, faire la même chose avec le bardeau, et voir ce qui résulterait de ces six accouplements différents : il faudrait aussi donner le cheval et l'âne à la mule, et faire la même chose pour la petite mule ou femelle du bardeau : ces épreuves, quoique assez simples, n'ont jamais été tentées dans la vue d'en tirer des lumières ; et je regrette de n'être pas à portée de les exécuter, je suis persuadé qu'il en résulterait des connaissances que je ne fais qu'entrevoir, et que je ne puis donner que comme des présomptions. Je crois, par exemple, que de tous ces accouplements, celui du mulet et de la femelle bardeau, et celui du bardeau et de la mule pourraient bien manquer absolument ; que celui du mulet et de la mule, et celui du bardeau et de la femelle pourraient peut-être réussir, quoique bien rarement ; mais en même temps, je présume que le mulet produirait avec la jument plus certainement qu'avec l'ânesse et le bardeau, plus certainement avec l'ânesse qu'avec la jument ; qu'enfin le cheval et l'âne pourraient peut-être produire avec les deux mules, mais l'âne plus sûrement que le cheval : il faudrait faire ces épreuves dans un pays aussi chaud, pour le moins, que l'est notre Provence, et prendre des mulets de sept ans, des chevaux de cinq et des ânes de quatre ans, parce qu'il y a cette différence dans ces trois animaux pour les âges de la pleine puberté.

... Par le mélange du mulet avec la jument, du bardeau avec l'ânesse, et par celui du cheval et de l'âne avec les mules, on obtiendrait des individus qui remonteraient à l'espèce et ne seraient plus que des demi-mulets, lesquels non seulement auraient, comme leurs parents, la puissance d'engendrer avec ceux de leur espèce originaire, mais peut-être même auraient la faculté de produire entre eux, parce que n'étant plus lésés qu'à demi, leur produit ne serait pas plus vicié que le sont les premiers mulets ; et si l'union de ces demi-mulets était encore stérile, ou que le produit en fût et rare et difficile, il me paraît certain qu'en les rapprochant encore d'un degré de leur espèce originaire, les individus qui en résulteraient et qui ne seraient plus lésés qu'au quart, produiraient entre eux, et formeraient une nouvelle tige, qui ne serait précisément ni celle du cheval ni celle de l'âne. Or, comme tout ce qui peut être a été amené par le temps, et se trouve ou s'est trouvé dans la Nature, je suis tenté de croire que le mulet fécond dont parlent les anciens, et qui, du temps d'Aristote, existait en Syrie dans les terres au-delà de celles des Phéniciens, pouvait bien être une race de ces demi-mulets ou de ces quarts de mulets, qui s'était formée par les mélanges que nous venons d'indiquer ; car Aristote dit expressément que ces mulets féconds ressemblaient en tout, et autant qu'il est possible, aux mulets inféconds ; il les distingue aussi très clairement des *onagres* ou *ânes sauvages* dont il fait mention dans le même chapitre, et par conséquent on ne peut rapporter ces animaux qu'à des mulets peu viciés, et qui auraient conservé la faculté de reproduire. Il se pourrait encore que le mulet fécond de Tartarie, le *czigithais* dont nous avons parlé, ne fût pas l'*onagre* ou *âne sauvage*, mais ce même mulet de Phénicie, dont la race s'est peut-être maintenue jusqu'à ce jour ; le premier Voyageur qui pourra les comparer, confirmera ou détruira cette conjecture. Et le zèbre lui-même qui ressemble plus au mulet qu'au cheval et qu'à l'âne, pourrait bien avoir eu une pareille origine ; la régularité contrainte et symétrique des couleurs de son poil qui sont alternativement toujours disposées par bandes noires et blanches, paraît indiquer qu'elles proviennent de deux espèces différentes, qui dans leur mélange se sont séparées autant qu'il était possible; car dans aucun de ses ouvrages la Nature n'est aussi tranchée et aussi peu nuancée que sur la robe du zèbre, où elle passe brusquement et alternativement du blanc au noir et du noir au blanc sans aucun intermède dans toute l'étendue du corps de l'animal.

Quoi qu'il en soit, il est certain par tout ce que nous venons d'exposer, que les mulets en général, qu'on a toujours accusés d'impuissance et de stérilité, ne sont cependant ni réellement stériles ni généralement inféconds ; et que ce n'est que dans l'espèce particulière du mulet provenant de l'âne et du cheval, que cette stérilité se manifeste, puisque le mulet qui provient du bouc et de la brebis, est aussi fécond que sa mère ou son père; puisque dans les oiseaux la plupart des mulets qui proviennent d'espèces différentes ne sont point inféconds : c'est donc dans la nature particulière du cheval et de l'âne, qu'il faut chercher les causes de l'infécondité des mulets qui en proviennent; et au lieu de supposer la stérilité comme un défaut général et nécessaire dans tous les mulets, la restreindre au contraire au seul mulet provenant de l'âne et du cheval, et encore donner de grandes limites à cette restriction, attendu que ces mêmes mulets peuvent devenir féconds dans de certaines circonstances, et surtout en se rapprochant d'un degré de leur espèce originaire.

Les mulets qui proviennent du cheval et de l'âne, ont les organes de la génération tout aussi complets que les autres animaux ; il ne manque rien au mâle, rien à la femelle, ils ont une grande abondance de liqueur séminale ; et comme l'on ne permet guère aux mâles de s'accoupler, ils sont souvent si pressés de la répandre, qu'ils se couchent sur le ventre pour se frotter entre leurs pieds de devant qu'ils replient sous la poitrine :

ces animaux sont donc pourvus de tout ce qui est nécessaire à l'acte de la génération ; ils sont même très ardents, et par conséquent très indifférents sur le choix ; ils ont à peu près la même véhémence de goût pour la mule, pour l'ânesse et pour la jument : il n'y a donc nulle difficulté pour les accouplements, mais il faudrait des attentions et des soins particuliers, si l'on voulait rendre ces accouplements prolifiques : la trop grande ardeur, surtout dans les femelles, est ordinairement suivie de la stérilité, et la mule est au moins aussi ardente que l'ânesse : or l'on sait que celle-ci rejette la liqueur séminale du mâle, et que pour la faire retenir et produire, il faut lui donner des coups ou lui jeter de l'eau sur la croupe, afin de calmer les convulsions d'amour qui subsistent après l'accouplement, et qui sont la cause de cette réjaculation[132]. L'ânesse et la mule tendent donc toutes deux par leur trop grande ardeur à la stérilité. L'âne et l'ânesse y tendent encore par une autre cause, comme ils sont originaires des climats chauds, le froid s'oppose à leur génération, et c'est par cette raison qu'on attend les chaleurs de l'été pour les faire accoupler ; lorsqu'on les laisse joindre dans d'autres temps et surtout en hiver, il est rare que l'imprégnation suive l'accouplement, même réitéré ; et ce choix du temps qui est nécessaire au succès de leur génération l'est aussi pour la conservation du produit ; il faut que l'ânon naisse dans un temps chaud, autrement il périt ou languit ; et comme la gestation de l'ânesse est d'un an, elle met bas dans la même saison qu'elle a conçu : ceci prouve assez combien la chaleur est nécessaire, non seulement à la fécondité, mais même à la pleine vie de ces animaux ; c'est encore par cette même raison de la trop grande ardeur de la femelle qu'on lui donne le mâle, presque immédiatement après qu'elle a mis bas ; on ne lui laisse que sept ou huit jours de repos ou d'intervalle entre l'accouchement et l'accouplement ; l'ânesse, affaiblie par sa couche, est alors moins ardente, les parties n'ont pas pu dans ce petit espace de temps reprendre toute leur roideur ; au moyen de quoi la conception se fait plus sûrement que quand elle est en pleine force et que son ardeur la domine : on prétend que dans cette espèce, comme dans celle du chat, le tempérament de la femelle est encore plus ardent et plus fort que celui du mâle ; cependant l'âne est un grand exemple en ce genre, il peut aisément saillir sa femelle ou une autre plusieurs jours de suite et plusieurs fois par jour ; les premières jouissances, loin d'éteindre ne font qu'allumer son ardeur ; on en a vu s'excéder sans y être incités autrement que par la force de leur appétit naturel ; on en a vu mourir sur le champ de bataille, après onze ou douze conflits réitérés presque sans intervalles, et ne prendre pour subvenir à cette grande et rapide dépense que quelques pintes d'eau. Cette même chaleur qui le consume est trop vive pour être durable ; l'âne-étalon bientôt est hors de combat et même de service, et c'est peut-être par cette raison que l'on a prétendu que la femelle est plus forte et vit plus longtemps que le mâle ; ce qu'il y a de certain, c'est qu'avec les ménagements que nous avons indiqués, elle peut vivre trente ans, et produire tous les ans pendant toute sa vie ; au lieu que le mâle, lorsqu'on ne le contraint pas à s'abstenir de femelles, abuse de ses forces au point de perdre en peu d'années la puissance d'engendrer.

Une nuance entre les ordres[133] *(1770)*

Des oiseaux les plus légers et qui percent les nues, nous passons aux plus pesants qui ne peuvent quitter la terre ; le pas est brusque, mais la comparaison est la voie de toutes nos connaissances, et le contraste étant ce qu'il y a de plus frappant dans la comparaison, nous ne saisissons jamais mieux que par l'opposition, les points principaux de la nature des êtres que nous considérons. De même, ce n'est que par un coup d'œil ferme sur les extrêmes que nous pouvons juger les milieux. La Nature déployée dans toute son étendue, nous présente un immense tableau, dans lequel tous les ordres des êtres sont chacun représentés par une chaîne qui soutient une suite continue d'objets assez voisins, assez semblables pour que leurs différences soient difficiles à saisir ; cette chaîne n'est pas un simple fil qui ne s'étend qu'en longueur, c'est une large trame ou plutôt un faisceau, qui, d'intervalle à intervalle, jette des branches de côté pour se réunir avec les faisceaux d'un autre ordre ; et c'est surtout aux deux extrémités que ces faisceaux se plient, se ramifient pour en atteindre d'autres. Nous avons vu dans l'ordre des quadrupèdes, l'une des extrémités de la chaîne, s'élever vers l'ordre des oiseaux par les polatouches, les roussettes, les chauves-souris, qui, comme eux, ont la faculté de voler. Nous avons vu cette même chaîne, par son autre extrémité, se rabaisser jusqu'à l'ordre des cétacés, par les phoques, les morses, les lamantins. Nous avons vu dans le milieu de cette chaîne, une branche s'étendre du singe à l'homme par le magot, le gibbon, le pithèque et l'orang-outang. Nous l'avons vue dans un autre point, jeter un double et triple rameau, d'un côté vers les reptiles par les fourmiliers, les phatagins, les pangolins, dont la forme approche de celle des crocodiles, des iguanes, des lézards ; et d'autre côté vers les crustacés, par les tatous, dont le corps en entier est revêtu d'une cuirasse osseuse. Il en sera de même du faisceau qui soutient l'ordre très nombreux des oiseaux, si nous plaçons au premier point en haut les oiseaux aériens les plus légers, les mieux volants, nous descendrons par degrés et même par nuances presque insensibles aux oiseaux les plus pesants, les moins agiles, et qui dénués des instruments nécessaires à l'exercice du vol, ne peuvent ni s'élever ni se soutenir dans l'air ; et nous trouverons que cette extrémité inférieure du faisceau, se divise en deux branches, dont l'une contient les oiseaux terrestres, tels que l'autruche, le touyou, le casoar, le dronte, etc. qui ne peuvent quitter la terre ; et l'autre se projette de côté sur les pingouins et autres oiseaux aquatiques, auxquels l'usage ou plutôt le séjour de la terre et de l'air sont également interdits, et qui ne peuvent s'élever au-dessus de la surface de l'eau, qui paraît être leur élément particulier. Ce sont là les deux extrêmes de la chaîne que nous avons raison de considérer d'abord avant de vouloir saisir les milieux, qui tous s'éloignent plus ou moins ou participent inégalement de la nature de ces extrêmes, et sur lesquels milieux nous ne pourrions jeter en effet que des regards incertains, si nous ne connaissions pas les limites de la Nature par la considération attentive des points où elles sont placées : Pour donner à cette vue métaphysique toute son étendue, et en réaliser les idées par de justes applications, nous aurions dû, après avoir donné l'histoire des animaux quadrupèdes, commencer celle des oiseaux par ceux dont la Nature approche le plus de celle de ces animaux. L'autruche qui tient d'une part au chameau par la forme de ses jambes, et au porc-épic par les tuyaux ou piquants dont ses ailes sont armées, devait donc suivre les quadrupèdes ; mais la Philosophie est souvent obligée d'avoir l'air de céder aux opinions populaires, et le peuple des Naturalistes qui est fort nombreux, souffre impatiemment qu'on dérange ses méthodes, et n'aurait regardé cette disposition que comme une nouveauté déplacée, produite par l'envie de contredire ou le désir de faire autrement que les autres : cependant on verra qu'indépendamment des deux rapports extérieurs dont je viens de parler, indépendamment de l'attribut de la grandeur, qui seul suffirait pour faire placer l'autruche à la tête de tous les oiseaux ; elle a encore beaucoup d'autres conformités par l'organisation intérieure avec les animaux quadrupèdes, et que tenant presque autant à cet ordre qu'à celui des oiseaux, elle doit être donnée comme faisant la nuance entre l'un et l'autre.

Dans chacune de ces suites ou chaînes, qui soutiennent un ordre entier de la Nature vivante, les rameaux qui s'étendent vers d'autres ordres sont toujours assez courts et ne forment que de très petits genres. Les oiseaux qui ne peuvent voler, se réduisent à sept ou huit espèces ; les quadrupèdes qui volent, à cinq ou six ; et il en est de même de toutes les autres branches qui s'échappent de leur ordre ou du faisceau principal, elles y tiennent toujours par le plus grand nombre de conformités, de ressemblances, d'analogies, et n'ont que quelques rapports et quelques convenances avec les autres ordres ; ce sont, pour ainsi dire, des traits fugitifs que la Nature paraît n'avoir tracés que pour nous indiquer toute l'étendue de sa puissance, et faire sentir au Philosophe qu'elle ne peut être contrainte par les entraves de nos méthodes, ni renfermée dans les bornes étroites du cercle de nos idées.

La parenté d'espèce[134] *(1776)*

En général, la parenté d'espèce est un de ces mystères profonds que l'homme ne pourra sonder qu'à force d'expériences aussi réitérées que longues et difficiles. Comment pourra-t-on connaître autrement que par les résultats de l'union mille et mille fois tentée des animaux d'espèces différentes leur degré de parenté ? L'âne est-il plus proche parent du cheval que du zèbre ? Le loup est-il plus près du chien que le renard ou le chacal ? A quelle distance de l'homme mettrons-nous les grands singes qui lui ressemblent si parfaitement par la conformation du corps ? toutes les espèces d'animaux étaient-elles autrefois ce qu'elles sont aujourd'hui ? Leur nombre n'a-t-il pas augmenté ou plutôt diminué ? Les espèces faibles n'ont-elles pas été détruites par les plus fortes, ou par la tyrannie de l'homme, dont le nombre est devenu mille fois plus grand que celui d'aucune autre espèce d'animaux puissants ? Quels rapports pourrions-nous établir entre cette parenté des espèces et une autre parenté mieux connue, qui est celle des différentes races de la même espèce ? la race en général ne provient-elle pas, comme l'espèce mixte, d'une disconvenance à l'espèce pure dans les individus qui ont formé la première souche de la race ?... Combien d'autres questions à faire sur cette seule matière, et qu'il y en a peu que nous puissions résoudre ! que de faits nous seraient nécessaires pour pouvoir prononcer et même conjecturer ! que d'expériences à tenter pour découvrir ces faits, les reconnaître ou même les prévenir par des conjectures fondées ! cependant, loin de se décourager, le philosophe doit applaudir à la nature, lors même qu'elle lui paraît avare ou trop mystérieuse, et se féliciter de ce qu'à mesure qu'il lève une partie de son voile, elle lui laisse entrevoir une immensité d'autres objets tous dignes de ses recherches. Car ce que nous connaissons déjà doit nous faire juger de ce que nous pourrons connaître ; l'esprit humain n'a point de bornes, il s'étend à mesure que l'Univers se déploie ; l'homme peut donc et doit tout tenter, il ne lui faut que du temps pour tout savoir. Il pourrait même en multipliant ses observations, voir et prévoir tous les phénomènes, tous les événements de la Nature avec autant de vérité et de certitude que s'il les déduisait immédiatement des causes. Et quel enthousiasme plus pardonnable ou même plus noble que celui de croire l'homme capable de reconnaître toutes les puissances, et découvrir par ses travaux tous les secrets de la Nature !

L'HISTOIRE DU MONDE[135]
(1778)

COQUILLAGES ET DÉFENSES

« *Sur les grandes volutes appelées* cornes d'ammon[136], *et sur quelques grands ossements d'animaux terrestres* »

J'ai dit, *page* 290, « qu'il est à croire que les cornes d'ammon et quelques autres espèces qu'on trouve pétrifiées et dont on n'a pas encore trouvé les analogues vivants, demeurent toujours dans le fond des hautes mers, et qu'elles ont été remplies du sédiment pierreux dans le lieu même où elles étaient ; qu'il peut se faire aussi qu'il y ait eu de certains animaux dont l'espèce a péri, et que ces coquillages pourraient être du nombre ; que les os fossiles extraordinaires qu'on trouve en Sibérie, au Canada, en Irlande et dans plusieurs autres endroits, semblent confirmer cette conjecture ; car jusqu'ici on ne connaît pas d'animal à qui on puisse attribuer ces os qui pour la plupart sont d'une grandeur et d'une grosseur démesurée ».

J'ai deux observations essentielles à faire sur ce passage ; la première, c'est que ces cornes d'ammon qui paraissent faire un genre plutôt qu'une espèce dans la classe des animaux à coquilles, tant elles sont différentes les unes des autres par la forme et la grandeur, sont réellement les dépouilles d'autant d'espèces qui ont péri et ne subsistent plus ; j'en ai vu de si petites qu'elles n'avaient pas une ligne, et d'autres si grandes qu'elles avaient plus de trois pieds de diamètre : des Observateurs dignes de foi m'ont assuré en avoir vu de beaucoup plus grandes encore, et entre autres une de huit pieds de diamètre sur un pied d'épaisseur. Ces différentes cornes d'ammon paraissent former des espèces distinctement séparées ; les unes sont plus, les autres moins aplaties ; il y en a de plus ou de moins cannelées, toutes spirales, mais différemment terminées tant à leur centre qu'à leur extrémités : et ces animaux si nombreux autrefois, ne se trouvent plus dans aucune de nos mers ; ils ne nous sont connus que par leurs dépouilles, dont je ne puis mieux représenter le nombre immense que par un exemple que j'ai tous les jours sous les yeux. C'est dans une minière de fer en grain près d'Étivey, à trois lieues de mes forges de Buffon, minière qui est ouverte il y a plus de cent cinquante ans et dont on a tiré depuis ce temps tout le minerai qui s'est consommé à la forge d'Aisy [137] ; c'est là, dis-je, que l'on voit une si grande quantité de ces cornes d'ammon entières et en fragments, qu'il semble que la plus grande partie de la minière a été modelée dans ces coquilles. La mine de Conflans en Lorraine, qui se traite au fourneau de Saint-Loup en Franche-Comté, n'est de même composée que de bélemnites et de cornes d'ammon : ces dernières coquilles ferrugineuses, sont de grandeurs si différentes, qu'il y en a du poids depuis un gros jusqu'à deux cents livres. Je pourrais citer d'autres endroits où elles sont également abondantes. Il en est de même des bélemnites[138], des pierres lenticulaires et de quantité d'autres coquillages dont on ne retrouve point aujourd'hui les analogues vivants dans aucune région de la mer, quoiqu'elles soient presque universellement répandues sur la surface entière de la Terre. Je suis persuadé que toutes ces espèces qui n'existent plus, ont autrefois subsisté pendant tout le temps que la température du globe et des eaux de la mer était plus chaude qu'elle ne l'est aujourd'hui ; et qu'il pourra de même arriver, à mesure que le globe se refroidira, que d'autres espèces actuellement vivantes cesseront de se multiplier, et périront, comme ces premières ont péri, par le refroidissement.

La seconde observation, c'est que quelques-uns de ces ossements énormes, que je croyais appartenir à des animaux inconnus, et dont je supposais les espèces perdues, nous ont paru néanmoins, après les avoir scrupuleusement examinés, appartenir à l'espèce de l'éléphant et à celle de l'hippopotame, mais à la vérité, à des éléphants et des hippopotames plus grands que ceux du temps présent. Je ne connais dans les animaux terrestres qu'une seule espèce perdue, c'est celle de l'animal dont j'ai fait dessiner les dents molaires avec leurs dimensions[139], les autres grosses dents et grands ossements que j'ai pu recueillir, ont appartenu à des éléphants et à des hippopotames.

... [7][140] *Les os et les défenses de ces anciens éléphants, sont au moins aussi grands et aussi gros que ceux des éléphants actuels*. On peut s'en assurer par les descriptions et les dimensions qu'en a données M. Daubenton, *volume XI de cette Histoire Naturelle, à l'article de l'éléphant ;* mais depuis ce temps, on m'a envoyé une défense entière et quelques autres morceaux d'ivoire fossile, dont les dimensions excèdent de beaucoup la longueur et la grosseur ordinaire des défenses de l'éléphant : j'ai même fait chercher chez tous les Marchands de Paris, qui vendent de l'ivoire, on n'a trouvé aucune défense comparable à celle-ci, et il ne s'en est trouvé qu'une seule, sur un très grand nombre, égale à celles qui nous sont venues de Sibérie, dont la circonférence est de 19 pouces à la base. Les Marchands appellent *ivoire cru* celui qui n'a pas été dans la terre, et que l'on prend sur les éléphants vivants, ou qu'on trouve dans les forêts avec les squelettes récents de ces animaux ; et ils donnent le nom d'*ivoire cuit* à celui qu'on tire de la terre, et dont la qualité se dénature plus ou moins, par un plus ou moins long séjour, ou par la qualité plus ou moins active des terres où il a été renfermé. La plupart des défenses qui nous sont venues du Nord, sont encore d'un ivoire très solide, dont on pourrait faire de beaux ouvrages : les plus grosses nous ont été envoyées par M. de l'Isle, Astronome, de l'Académie royale des Sciences [141] ; il les a recueillies dans son voyage en Sibérie. Il n'y avait dans tous les magasins de Paris, qu'une seule défense d'ivoire cru qui eût 19 pouces de circonférence ; toutes les autres étaient plus menues : cette grosse défense avait six pieds un pouce de longueur, et il paraît que celles qui sont au Cabinet du Roi, et qui ont été trouvées en Sibérie, avaient plus de six pieds et demi lorsqu'elles étaient entières ; mais comme les extrémités en sont tronquées, on ne peut en juger qu'à peu près.

« Des époques de la nature »

La Nature étant contemporaine de la matière, de l'espace et du temps, son histoire[142] est celle de toutes les substances, de tous les lieux, de tous les âges : et quoiqu'il paraisse à la première vue que ses grands ouvrages ne s'altèrent ni ne changent, et que dans ses productions, même les plus fragiles et les plus passagères, elle se montre toujours et constamment la même, puisque à chaque instant ses premiers modèles reparaissent à nos yeux sous de nouvelles représentations ; cependant, en l'observant de près, on s'apercevra que son cours n'est pas absolument uniforme ; on reconnaîtra qu'elle admet des variations sensibles, qu'elle reçoit des altérations successives, qu'elle se prête même à des combinaisons nouvelles, à des mutations de matière et de forme ; qu'enfin, autant elle paraît fixe dans son tout, autant elle est variable dans chacune de ses parties ; et si nous l'embrassons dans toute son étendue, nous ne pourrons douter qu'elle ne soit aujourd'hui très différente de ce qu'elle était au commencement et de ce qu'elle est devenue dans la succession des temps : ce sont ces changements divers que nous appelons ses époques[143]. La Nature s'est trouvée dans différents états ; la surface de la terre a pris successivement des formes différentes ; les cieux même ont varié, et toutes les choses de l'Univers physique sont comme celles du monde moral, dans un mouvement continuel de variations successives. Par exemple, l'état dans lequel nous voyons aujourd'hui la Nature, est autant notre ouvrage que le sien ; nous avons su la tempérer, la modifier, la plier à nos besoins, à nos désirs; nous avons fondé, cultivé, fécondé la terre : l'aspect sous lequel elle se présente est donc bien différent de celui des temps antérieurs à l'invention des arts. L'âge d'or de la morale, ou plutôt de la fable, n'était que l'âge de fer de la physique et de la vérité. L'homme de ce temps encore à demi sauvage, dispersé, peu nombreux, ne sentait pas sa puissance, ne connaissait pas sa vraie richesse; le trésor de ses lumières était enfoui; il ignorait la force des volontés unies, et ne se doutait pas que, par la société et par des travaux suivis et concertés, il viendrait à bout d'imprimer ses idées sur la face entière de l'Univers.

Aussi faut-il aller chercher et voir la Nature dans ces régions nouvellement découvertes, dans ces contrées de tout temps inhabitées, pour se former une idée de son état ancien; et cet ancien état est encore bien moderne en comparaison de celui où nos continents terrestres étaient couverts par les eaux, où les poissons habitaient sur nos plaines, où nos montagnes formaient les écueils des mers : Combien de changements et de différents états ont dû se succéder depuis ces temps antiques (qui cependant n'étaient pas les premiers) jusqu'aux âges de l'Histoire! Que de choses ensevelies! combien d'événements entièrement oubliés! que de révolutions antérieures à la mémoire des hommes! Il a fallu une très longue suite d'observations; il a fallu trente siècles de culture à l'esprit humain, seulement pour reconnaître l'état présent des choses. La terre n'est pas encore entièrement découverte; ce n'est que depuis peu qu'on a déterminé sa figure; ce n'est que de nos jours qu'on s'est élevé à la théorie de sa forme intérieure, et qu'on a démontré l'ordre et la disposition des matières dont elle est composée : ce n'est donc que de cet instant où l'on peut commencer à comparer la Nature avec elle-même, et remonter de son état actuel et connu à quelques époques d'un état plus ancien.

Mais comme il s'agit ici de percer la nuit des temps ; de reconnaître par l'inspection des choses actuelles l'ancienne existence des choses anéanties, et de remonter par la seule force des faits subsistants à la vérité historique des faits ensevelis ; comme il s'agit en un mot de juger, non seulement le passé moderne, mais le passé le plus ancien, par le seul présent, et que pour nous élever jusqu'à ce point de vue, nous avons besoin de toutes nos forces réunies, nous emploierons trois grands moyens : 1° les faits qui peuvent nous rapprocher de l'origine de la Nature ; 2° les monuments qu'on doit regarder comme les témoins de ses premiers âges ; 3° les traditions qui peuvent nous donner quelque idée des âges subséquents ; après quoi nous tâcherons de lier le tout par des analogies, et de former une chaîne qui, du sommet de l'échelle du temps, descendra jusqu'à nous [144].

Premiers monuments. On trouve à la surface et à l'intérieur de la terre des coquilles et autres productions de la mer ; et toutes les matières qu'on appelle *calcaires* sont composées de leurs détriments.

Seconds monuments. En examinant ces coquilles et autres productions marines que l'on tire de la terre, en France, en Angleterre, en Allemagne et dans le reste de l'Europe, on reconnaît qu'une grande partie des espèces d'animaux auxquels ces dépouilles ont appartenu, ne se trouvent pas dans les mers adjacentes, et que ces espèces, ou ne subsistent plus, ou ne se trouvent que dans les mers méridionales. De même, on voit dans les ardoises et dans d'autres matières, à de grandes profondeurs, des impressions de poissons et de plantes, dont aucune espèce n'appartient à notre climat, et lesquelles n'existent plus, ou ne se trouvent subsistantes que dans les climats méridionaux.

Troisièmes monuments. On trouve en Sibérie et dans les autres contrées septentrionales de l'Europe et de l'Asie, des squelettes, des défenses, des ossements d'éléphants, d'hippopotames et de rhinocéros [145], en assez grande quantité pour être assuré que les espèces de ces animaux qui ne peuvent se propager aujourd'hui que dans les terres du midi, existaient et se propageaient autrefois dans les terres du nord, et l'on a observé que ces dépouilles d'éléphants et d'autres animaux terrestres se présentent à une assez petite profondeur ; au lieu que les coquilles et les autres débris des productions de la mer se trouvent enfouies à de plus grandes profondeurs dans l'intérieur de la terre.

Quatrièmes monuments. On trouve des défenses et des ossements d'éléphant, ainsi que des dents d'hippopotames, non seulement dans les terres du nord de notre continent, mais aussi dans celles du nord de l'Amérique, quoique les espèces de l'éléphant et de l'hippopotame n'existent point dans ce continent du Nouveau monde.

Cinquièmes monuments. On trouve dans le milieu des continents, dans les lieux les plus éloignés des mers, un nombre infini de coquilles, dont la plupart appartiennent aux animaux de ce genre actuellement existants dans les mers méridionales, et dont plusieurs autres n'ont aucun analogue vivant, en sorte que les espèces en paraissent perdues et détruites, par des causes jusqu'à présent inconnues.

En comparant ces monuments avec les faits, on voit d'abord que le temps de la formation des matières vitrescibles est bien plus reculé que celui de la composition des substances calcaires ; et il paraît qu'on peut déjà distinguer quatre et même cinq époques dans la plus grande profondeur des temps : la première, où la matière du globe étant en fusion par le feu, la terre a pris sa forme, et s'est élevée sur l'équateur et abaissée sous les pôles par son mouvement de rotation : la seconde, où cette matière du globe s'étant consolidée, a formé les grandes masses de matières vitrescibles : la troisième, où la mer couvrant la terre actuellement habitée a nourri les animaux à coquilles dont les dépouilles ont formé les substances calcaires ; et la quatrième, où s'est faite la retraite de ces mêmes mers qui couvraient nos continents. Une cinquième époque, tout aussi clairement indiquée que les quatre premières, est celle du temps où les éléphants, les hippopotames et les autres animaux du midi ont habité les terres du Nord. Cette époque est évidemment postérieure à la quatrième, puisque les dépouilles de ces animaux terrestres se trouvent presque à la surface de la terre, au lieu que celles des animaux marins sont pour la plupart et dans les mêmes lieux enfouies à de grandes profondeurs[146].

... Cela posé, il me semble que la question se réduit à savoir, ou plutôt consiste à chercher s'il y a ou s'il y a eu une cause qui ait pu changer la température dans les différentes parties du globe, au point que les terres du Nord, aujourd'hui très froides, aient autrefois éprouvé le degré de chaleur des terres du Midi[147].

Quelques Physiciens pourraient penser que cet effet a été produit par le changement de l'obliquité de l'écliptique ; parce qu'à la première vue, ce changement semble indiquer que l'inclinaison de l'axe du globe n'étant pas constante, la terre a pu tourner autrefois sur un axe assez éloigné de celui sur lequel elle tourne aujourd'hui, pour que la Sibérie se fût alors trouvée sous l'Équateur. Les Astronomes ont observé que le changement de l'obliquité de l'écliptique est d'environ 45 secondes par siècle ; donc en supposant cette augmentation successive et constante, il ne faut que soixante siècles pour produire une différence de 45 minutes, et trois mille six cents siècles pour donner celle de 45 degrés ; ce qui ramènerait le 60ᵉ degré de latitude au 15ᵉ, c'est-à-dire, les terres de Sibérie, où les éléphants ont autrefois existé, aux terres de l'Inde où ils vivent aujourd'hui. Or il ne s'agit, dira-t-on, que d'admettre dans le passé cette longue période de temps, pour rendre raison du séjour des éléphants en Sibérie : il y a trois cent soixante mille ans que la terre tournait sur un axe éloigné de 45 degrés de celui sur lequel elle tourne aujourd'hui ; le 15ᵉ degré de latitude actuelle était alors le 60ᵉ, etc.

A cela je réponds que cette idée et le moyen d'explication qui en résulte ne peuvent pas se soutenir, lorsqu'on vient à les examiner : le changement de l'obliquité de l'écliptique n'est pas une diminution ou une augmentation successive et constante ; ce n'est au contraire qu'une variation limitée, et qui se fait tantôt en un sens et tantôt en un autre, laquelle par conséquent n'a jamais pu produire en aucun sens ni pour aucun climat cette différence de 45 degrés d'inclinaison ; car la variation de l'obliquité de l'axe de la terre est causée par l'action des planètes qui déplacent l'écliptique sans affecter l'équateur. En prenant la plus puissante de ces attractions, qui est celle de Vénus, il faudrait douze cent soixante mille ans pour qu'elle pût faire changer de 180 degrés la situation de l'écliptique sur l'orbite de Vénus, et par conséquent produire un changement de 6 degrés 47 minutes dans l'obliquité réelle de l'axe de la terre ; puisque 6 degrés 47 minutes sont le double de l'inclination de l'orbite de Vénus. De même l'action de Jupiter ne peut, dans un espace de neuf cent trente-six mille ans, changer l'obliquité de l'écliptique que de 2 degrés 38 minutes, et encore cet effet est-il en partie compensé par le précédent ; en sorte qu'il n'est pas possible que ce changement de l'obliquité de l'axe de la terre aille jamais à 6 degrés ; à moins de supposer que toutes les orbites des planètes changeront elles-mêmes ; supposition que nous ne pouvons ni ne devons admettre, puisqu'il n'y a aucune cause qui puisse produire cet effet. Et comme on ne peut juger du passé que par l'inspection du présent et par la vue de l'avenir, il n'est pas possible, quelque loin qu'on veuille reculer les limites du temps, de supposer que la variation de l'écliptique ait jamais pu produire une différence de plus de 6 degrés dans les climats de la terre : ainsi cette cause est tout à fait insuffisante, et l'explication qu'on voudrait en tirer doit être rejetée.

Mais je puis donner cette explication si difficile, et la déduire d'une cause immédiate. Nous venons de voir que le globe terrestre, lorsqu'il a pris sa forme, était dans un état de fluidité, et il est démontré que l'eau n'ayant pu produire la dissolution des matières terrestres, cette fluidité était une liquéfaction causée par le feu. Or pour passer de ce premier état d'embrasement et de liquéfaction à celui d'une chaleur douce et tempérée, il a fallu du temps : le globe n'a pu se refroidir tout à coup au point où il l'est aujourd'hui ; ainsi dans les premiers temps après sa formation, la chaleur propre de la terre était infiniment plus grande que celle qu'elle reçoit du soleil, puisqu'elle est encore beaucoup plus grande aujourd'hui : ensuite ce grand feu s'étant dissipé peu à peu, le climat du pôle a éprouvé, comme tous les autres climats, des degrés successifs de moindre chaleur et de refroidissement ; il y a donc eu un temps, et même une longue suite de temps pendant laquelle les terres du Nord, après avoir brûlé comme toutes les autres, ont joui de la même chaleur dont jouissent aujourd'hui les terres du Midi : par conséquent ces terres septentrionales ont pu et dû être habitées par les animaux qui habitent actuellement les terres méridionales, et auxquels cette chaleur est nécessaire. Dès lors le fait, loin d'être extraordinaire, se lie parfaitement avec les autres faits, et n'en est qu'une simple conséquence. Au lieu de s'opposer à la théorie de la terre que nous avons établie, ce même fait en devient au contraire une preuve accessoire qui ne peut que la confirmer dans le point le plus obscur, c'est-à-dire, lorsqu'on commence à tomber dans cette profondeur du temps où la lumière du génie semble s'éteindre, et où, faute d'observations, elle paraît ne pouvoir nous guider pour aller plus loin.

Une sixième époque, postérieure aux cinq autres, est celle de la séparation des deux continents. Il est sûr qu'ils n'étaient pas séparés dans le temps que les éléphants vivaient également dans les terres du nord de l'Amérique, de l'Europe et de l'Asie : je dis également ; car on trouve de même leurs ossements en Sibérie, en Russie et au Canada. La séparation des continents ne s'est donc faite que dans des temps postérieurs à ceux du séjour de ces animaux dans les terres septentrionales ; mais comme l'on trouve aussi des défenses d'éléphant en Pologne, en Allemagne, en France, en Italie, on doit en conclure qu'à mesure que les terres septentrionales se refroidissaient, ces animaux se retiraient vers les contrées des zones tempérées où la chaleur du soleil et la plus grande épaisseur du globe compensaient la perte de la chaleur intérieure de la terre ; et qu'enfin ces zones s'étant aussi trop refroidies avec le temps, ils ont successivement gagné les climats de la zone torride, qui sont ceux où la chaleur intérieure s'est conservée le plus longtemps par la plus grande épaisseur du sphéroïde de la terre, et les seules où cette chaleur, réunie avec celle du soleil, soit encore assez forte aujourd'hui pour maintenir leur nature, et soutenir leur propagation.

De même on trouve en France, et dans toutes les autres parties de l'Europe, des coquilles, des squelettes et des vertèbres d'animaux marins qui ne peuvent subsister que dans les mers les plus méridionales. Il est donc arrivé pour les climats de la mer le même changement de température que pour ceux de la terre ; et ce second fait s'expliquant, comme le premier, par la même cause, paraît confirmer le tout au point de la démonstration.

Lorsque l'on compare ces anciens monuments du premier âge de la Nature vivante avec ses productions actuelles, on voit évidemment que la forme constitutive de chaque animal s'est conservée la même et sans altération dans ses principales parties : le type de chaque espèce n'a point changé ; le moule intérieur a conservé sa forme et n'a point varié [148]. Quelque longue qu'on voulût imaginer la succession des temps ; quelque nombre de générations qu'on admette ou qu'on suppose, les individus de chaque genre représentent aujourd'hui les formes de ceux des premiers siècles, surtout dans les espèces majeures, dont l'empreinte est plus ferme et la nature plus fixe ; car les espèces inférieures ont, comme nous l'avons dit, éprouvé d'une manière sensible tous les effets des différentes causes de dégénération. Seulement il est à remarquer au sujet de ces espèces majeures, telles que l'éléphant et l'hippopotame, qu'en comparant leurs dépouilles antiques avec celles de notre temps, on voit qu'en général ces animaux étaient alors plus grands qu'ils ne le sont aujourd'hui : la Nature était dans sa première vigueur ; la chaleur intérieure de la terre donnait à ses productions toute la force et toute l'étendue dont elles étaient susceptibles[149]. Il y a eu dans ce premier âge des géants en tout genre : les nains et les pygmées sont arrivés depuis, c'est-à-dire, après le refroidissement ; et si (comme d'autres monuments semblent le démontrer), il y a eu des espèces perdues, c'est-à-dire, des animaux qui aient autrefois existé et qui n'existent plus, ce ne peuvent être que ceux dont la nature exigeait une chaleur plus grande que la chaleur actuelle de la zone torride. Ces énormes dents molaires, presque carrées, et à grosses pointes mousses ; ces grandes volutes pétrifiées, dont quelques-unes ont plusieurs pieds de diamètre ; plusieurs autres poissons et coquillages fossiles dont on ne retrouve nulle part les analogues vivants, n'ont existé que dans ces premiers temps où la terre et la mer encore chaudes, devaient nourrir des animaux auxquels ce degré de chaleur était nécessaire, et qui ne subsistent plus aujourd'hui, parce que probablement ils ont péri par le refroidissement.

Voilà donc l'ordre des temps indiqués par les faits et par les monuments : voilà six époques dans la succession des premiers âges de la Nature ; six espaces de durée, dont les limites quoique indéterminées n'en sont pas moins réelles ; car ces époques ne sont pas comme celles de l'Histoire civile, marquées par des points fixes, ou limitées par des siècles et d'autres portions du temps que nous puissions compter et mesurer exactement ; néanmoins nous pouvons les comparer entre elles, en évaluer la durée relative, et rappeler à chacune de ces périodes de durée, d'autres monuments et d'autres faits qui nous indiqueront des dates contemporaines, et peut-être aussi quelques époques intermédiaires et subséquentes[150].

... Reprenant donc pour un instant tout ce que je

viens d'exposer, la masse du globe terrestre composée de verre en fusion, ne présentait d'abord que les boursouflures et les cavités irrégulières qui se forment à la superficie de toute matière liquéfiée par le feu et dont le refroidissement resserre les parties : pendant ce temps et dans le progrès du refroidissement, les éléments se sont séparés, les liquations et les sublimations des substances métalliques et minérales se sont faites, elles ont occupé les cavités des terres élevées et les fentes perpendiculaires des montagnes ; car ces pointes avancées au-dessus de la surface du globe s'étant refroidies les premières, elles ont aussi présenté aux éléments extérieurs les premières fentes produites par le resserrement de la matière qui se refroidissait. Les métaux et les minéraux ont été poussés par la sublimation, ou déposés par les eaux dans toutes ces fentes, et c'est par cette raison qu'on les trouve presque tous dans les hautes montagnes, et qu'on ne rencontre dans les terres plus basses que des mines de nouvelle formation : peu de temps après les argiles se sont formées, les premiers coquillages et les premiers végétaux ont pris naissance ; et à mesure qu'ils ont péri, leurs dépouilles et leurs détriments ont fait les pierres calcaires, et ceux des végétaux ont produit les bitumes et les charbons ; en même temps les eaux par leur mouvement et par leurs sédiments, ont composé l'organisation de la surface de la Terre par couches horizontales ; ensuite les courants de ces mêmes eaux lui ont donné sa forme extérieure par angles saillants et rentrants ; et ce n'est pas trop étendre le temps nécessaire pour toutes ces grandes opérations et ces immenses constructions de la Nature, que de compter vingt mille ans depuis la naissance des premiers coquillages et des premiers végétaux : ils étaient déjà très multipliés, très nombreux à la date de quarante-cinq mille ans[151] de la formation de la Terre ; et comme les eaux qui d'abord étaient si prodigieusement élevées, s'abaissèrent successivement et abandonnèrent les terres qu'elles surmontaient auparavant, ces terres présentèrent dès lors une surface toute jonchée de productions marines.

La durée du temps pendant lequel les eaux couvraient nos continents a été très longue ; l'on n'en peut pas douter en considérant l'immense quantité de productions marines qui se trouvent jusqu'à d'assez grandes profondeurs et à de très grandes hauteurs dans toutes les parties de la Terre. Et combien ne devons-nous pas encore ajouter de durée à ce temps déjà si long, pour que ces mêmes productions marines aient été brisées, réduites en poudre et transportées par le mouvement des eaux, et former ensuite les marbres, les pierres calcaires et les craies ! Cette longue suite de siècles, cette durée de vingt mille ans, me paraît encore trop courte pour la succession des effets que tous ces monuments nous démontrent.

Car il faut se représenter ici la marche de la Nature, et même se rappeler l'idée de ses moyens. Les molécules organiques vivantes ont existé dès que les éléments d'une chaleur douce ont pu s'incorporer avec les substances qui composent les corps organisés ; elles ont produit sur les parties élevées du globe une infinité de végétaux, et dans les eaux un nombre immense de coquillages, de crustacés et de poissons, qui se sont bientôt multipliés par la voie de la génération. Cette multiplication des végétaux et des coquillages, quelque rapide qu'on puisse la supposer, n'a pu se faire que dans un grand nombre de siècles, puisqu'elle a produit des volumes aussi prodigieux que le sont ceux de leurs détriments ; en effet pour juger de ce qui s'est passé, il faut considérer ce qui se passe. Or ne faut-il pas bien des années pour que des huîtres qui s'amoncellent dans quelques endroits de la mer, s'y multiplient en assez grande quantité pour former une espèce de rocher ? Et combien n'a-t-il pas fallu de siècles pour que toute la matière calcaire de la surface du globe ait été produite ? Et n'est-on pas forcé d'admettre, non seulement des siècles, mais des siècles de siècles, pour que ces productions marines aient été non seulement réduites en poudre, mais transportées et déposées par les eaux, de manière à pouvoir former les craies, les marnes, les marbres et les pierres calcaires ? Et combien de siècles encore ne faut-il pas admettre pour que ces mêmes matières calcaires, nouvellement déposées par les eaux, se soient purgées de leur humidité superflue, puis séchées et durcies au point qu'elles le sont aujourd'hui et depuis si longtemps ?

GÉOLOGIE RÉGIONALE : LA MONTAGNE DE LANGRES[152]

Or dans cette construction de la surface de la Terre, par le mouvement et le sédiment des eaux, il faut distinguer deux périodes de temps : la première a commencé après l'établissement de la mer universelle, c'est-à-dire, après la dépuration parfaite de l'atmosphère, par la chute des eaux et de toutes les matières volatiles que l'ardeur du globe y tenait reléguées : cette période a duré autant qu'il était nécessaire pour multiplier les coquillages, au point de remplir de leurs dépouilles toutes nos collines calcaires ; autant qu'il était nécessaire pour multiplier les végétaux, et pour former de leurs débris toutes nos mines de charbon ;

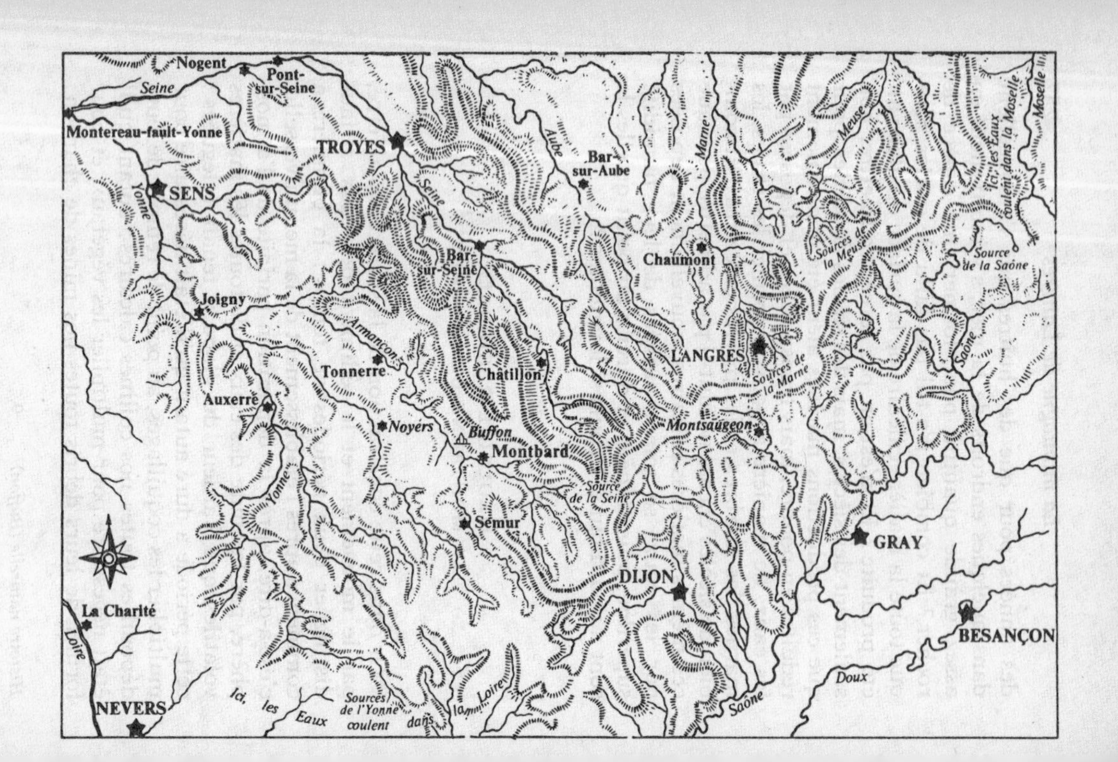
Nogent
Pont-sur-Seine
Seine
Montereau-fault-Yonne
TROYES
SENS
Yonne
Aube
Bar-sur-Aube
Marne
Meuse
Ici, les Eaux coulent dans la Moselle
Moselle
Seine
Bar-sur-Seine
Chaumont
Sources de la Meuse
Source de la Saône
Joigny
Armançon
Saône
LANGRES
Sources de la Marne
Tonnerre
Châtillon
Auxerre
Noyers
Buffon
Montbard
Montsaugeon
Source de la Seine
Yonne
Semur
GRAY
DIJON
La Charité
Loire
BESANÇON
NEVERS
Ici, les Eaux
Sources de l'Yonne
coulent dans la Loire
Doux
Saône

enfin autant qu'il était nécessaire pour convertir les scories du verre primitif en argiles, et former les acides, les sels, les pyrites, etc. Tous ces premiers et grands effets ont été produits ensemble dans les temps qui se sont écoulés depuis l'établissement des eaux jusqu'à leur abaissement. Ensuite a commencé la seconde période. Cette retraite des eaux ne s'est pas faite tout à coup, mais par une longue succession de temps, dans laquelle il faut encore saisir des points différents. Les montagnes composées de pierres calcaires ont certainement été construites dans cette mer ancienne, dont les différents courants les ont tout aussi certainement figurées par angles correspondants. Or l'inspection attentive des côtes de nos vallées nous démontre que le *travail particulier des courants a été postérieur à l'ouvrage général de la mer*. Ce fait, qu'on n'a pas même soupçonné, est trop important pour ne le pas appuyer de tout ce qui peut le rendre sensible à tous les yeux.

Prenons pour exemple la plus haute montagne calcaire de la France ; celle de Langres, qui s'élève au-dessus de toutes les terres de la Champagne, s'étend en Bourgogne jusqu'à Montbard, et même jusqu'à Tonnerre, et qui, dans la direction opposée, domine de même sur les terres de la Lorraine et de la Franche-comté *. Ce cordon continu de la montagne de Langres qui, depuis les sources de la Seine jusqu'à celles de la Saône, a plus de quarante lieues en longueur, est entièrement calcaire, c'est-à-dire, entièrement composé des productions de la mer ; et c'est par cette raison que je l'ai choisi pour nous servir d'exemple. Le point le plus élevé de cette chaîne de montagnes est très voisin de la ville de Langres, et l'on voit que, d'un

* Voyez la carte ci-contre.

côté, cette même chaîne verse ses eaux dans l'Océan par la Meuse, la Marne, la Seine, etc. Et que de l'autre côté, elle les verse dans la Méditerranée par les rivières qui aboutissent à la Saône. Le point où est situé Langres se trouve à peu près au milieu de cette longueur de quarante lieues, et les collines vont en s'abaissant à peu près également vers les sources de la Seine et vers celles de la Saône : enfin ces collines, qui forment les extrémités de cette chaîne de montagnes calcaires, aboutissent également à des contrées de matières vitres cibles ; savoir, au-delà de l'Armanson près de Sémur, d'une part ; et au-delà des sources de la Saône et de la petite rivière du Conay, de l'autre part.

En considérant les vallons voisins de ces montagnes, nous reconnaîtrons que le point de Langres étant le plus élevé, il a été découvert le premier dans le temps que les eaux se sont abaissées : auparavant, ce sommet était recouvert comme tout le reste par les eaux, puisqu'il est composé de matières calcaires ; mais au moment qu'il a été découvert, la mer ne pouvant plus le surmonter, tous ses mouvements se sont réduits à battre ce sommet des deux côtés, et par conséquent à creuser par des courants constants les vallons et les vallées que suivent aujourd'hui les ruisseaux et les rivières qui coulent des deux côtés de ces montagnes : la preuve évidente que les vallées ont toutes été creusées par des courants réguliers et constants, c'est que leurs angles saillants correspondent partout à des angles rentrants[153] : seulement on observe que les eaux ayant suivi les pentes les plus rapides, et n'ayant entamé d'abord que les terrains les moins solides et les plus aisés à diviser, il se trouve souvent une différence remarquable entre les deux coteaux qui bordent la vallée. On voit quelquefois un escarpement considérable et des rochers à pic d'un côté, tandis que de l'autre, les bancs de pierre sont couverts de terres en pente douce ; et cela est arrivé nécessairement toutes les fois que la force du courant s'est portée plus d'un côté que de l'autre, et aussi toutes les fois qu'il aura été troublé ou secondé par un autre courant.

Si l'on suit le cours d'une rivière ou d'un ruisseau voisin des montagnes d'où descendent leurs sources, on reconnaîtra aisément la figure et même la nature des terres qui forment les coteaux de la vallée. Dans les endroits où elle est étroite, la direction de la rivière et l'angle de son cours indiquent au premier coup d'œil le côté vers lequel se doivent porter ses eaux, et par conséquent le côté où le terrain doit se trouver en plaine, tandis que de l'autre côté il continuera d'être en montagne. Lorsque la vallée est large, ce jugement est plus difficile, cependant on peut, en observant la direction de la rivière, deviner assez juste de quel côté les terrains s'élargiront ou se rétréciront. Ce que nos rivières font en petit aujourd'hui, les courants de la mer l'ont autrefois fait en grand ; ils ont creusé tous nos vallons, ils les ont tranchés des deux côtés, mais en transportant ces déblais, ils ont souvent formé des escarpements d'une part et des plaines de l'autre. On doit aussi remarquer que dans le voisinage du sommet de ces montagnes calcaires, et particulièrement dans le sommet de Langres, les vallons commencent par une profondeur circulaire, et que de là ils vont toujours en s'élargissant à mesure qu'ils s'éloignent du lieu de leur naissance ; les vallons paraissent aussi plus profonds à ce point où ils commencent et semblent aller toujours en diminuant de profondeur à mesure qu'ils s'élargissent et qu'ils s'éloignent de ce point ; mais c'est une apparence plutôt qu'une réalité, car dans l'origine la portion du vallon la plus voisine du sommet a été la plus étroite et la moins profonde ; le mouvement des eaux a commencé par y former une ravine qui s'est élargie et creusée peu à peu ; les déblais ayant été transportés et entraînés par le courant des eaux dans la portion inférieure de la vallée, ils en auront comblé le fond, et c'est par cette raison que les vallons paraissent plus profonds à leur naissance que dans le reste de leur cours, et que les grandes vallées semblent être moins profondes à mesure qu'elles s'éloignent davantage du sommet auquel leurs rameaux aboutissent ; car l'on peut considérer une grande vallée comme un tronc qui jette des branches par d'autres vallées, lesquelles jettent des rameaux par d'autres petits vallons qui s'étendent et remontent jusqu'au sommet auquel ils aboutissent.

En suivant cet objet dans l'exemple que nous venons de présenter, si l'on prend ensemble tous les terrains qui versent leurs eaux dans la Seine, ce vaste espace formera une vallée du premier ordre, c'est-à-dire, de la plus grande étendue ; ensuite si nous ne prenons que les terrains qui portent leurs eaux à la rivière d'Yonne, cet espace sera une vallée du second ordre, et continuant à remonter vers le sommet de la chaîne des montagnes, les terrains qui versent leurs eaux dans l'Armançon, le Serin et la Cure formeront des vallées du troisième ordre, et ensuite la Brenne, qui tombe dans l'Armançon, sera une vallée du quatrième ordre, et enfin l'Oze et l'Ozerain, qui tombent dans la Brenne, et dont les sources sont voisines de celles de la Seine, forment des vallées du cinquième ordre. De même si nous prenons les terrains qui portent leurs eaux à la Marne, cet espace sera une vallée du second ordre ; et continuant à remonter vers le sommet de la chaîne des montagnes de Langres, si nous ne prenons que les terrains dont les eaux s'écoulent dans la rivière de Rognon, ce sera une vallée du troisième ordre ; enfin les terrains qui versent leurs eaux dans les ruisseaux de Bussière et d'Orguevaux, forment des vallées du quatrième ordre.

Cette disposition est générale dans tous les continents terrestres. A mesure que l'on remonte et qu'on s'approche du sommet des chaînes de montagnes, on voit évidemment que les vallées sont plus étroites; mais, quoiqu'elles paraissent aussi plus profondes, il est certain néanmoins que l'ancien fond des vallées inférieures était beaucoup plus bas autrefois que ne l'est actuellement celui des vallons supérieurs. Nous avons dit que dans la vallée de la Seine à Paris, l'on a trouvé des bois travaillés de main d'homme à soixante-quinze pieds de profondeur; le premier fond de cette vallée était donc autrefois bien plus bas qu'il ne l'est aujourd'hui, car au-dessous de ces soixante-quinze pieds on doit encore trouver les déblais pierreux et terrestres entraînés par les courants depuis le sommet général des montagnes, tant par les vallées de la Seine que par celles de la Marne, de l'Yonne et de toutes les rivières qu'elles reçoivent. Au contraire, lorsque l'on creuse dans les petits vallons voisins du sommet général, on ne trouve aucun déblai, mais des bancs solides de pierre calcaire posée par lits horizontaux, et des argiles au-dessous à une profondeur plus ou moins grande. J'ai vu dans une gorge assez voisine de la crête de ce long cordon de la montagne de Langres, un puits de deux cents pieds de profondeur creusé dans la pierre calcaire avant de trouver l'argile.

Le premier fond des grandes vallées formées par le feu primitif ou même par les courants de la mer a donc été recouvert et élevé successivement de tout le volume des déblais entraînés par le courant à mesure qu'il déchirait les terrains supérieurs; le fond de ceux-ci est demeuré presque nu, tandis que celui des vallées inférieures a été chargé de toute la matière que les autres ont perdue ; de sorte que quand on ne voit que superficiellement la surface de nos continents, on tombe dans l'erreur en la divisant en bandes sablonneuses, marneuses, schisteuses, etc. ; car toutes ces bandes ne sont que des déblais superficiels qui ne prouvent rien et qui ne font, comme je l'ai dit, que masquer la nature et nous tromper sur la vraie théorie de la Terre. Dans les vallons supérieurs, on ne trouve d'autres déblais que ceux qui sont descendus longtemps après la retraite des mers par l'effet des eaux pluviales, et ces déblais ont formé les petites couches de terre qui recouvrent actuellement le fond et les coteaux de ces vallons. Ce même effet a eu lieu dans les grandes vallées ; mais avec cette différence que dans les petits vallons, les terres, les graviers et les autres détriments amenés par les eaux pluviales et par les ruisseaux, se sont déposés immédiatement sur un fond nu et balayé par les courants de la mer, au lieu que dans les grandes vallées, ces mêmes détriments amenés par les eaux pluviales n'ont pu que se superposer sur les couches beaucoup plus épaisses des déblais entraînés et déposés précédemment par ces mêmes courants : c'est par cette raison que, dans toutes les plaines et les grandes vallées, nos Observateurs croient trouver la Nature en désordre, parce qu'ils y voient les matières calcaires mélangées avec les matières vitrescibles, etc. Mais n'est-ce pas vouloir juger d'un bâtiment par les gravois, ou de toute autre construction par les recoupes des matériaux ?

Ainsi, sans nous arrêter sur ces petites fausses vues, suivons notre objet dans l'exemple que nous avons donné.

Les trois grands courants qui se sont formés au-dessous des sommets de la montagne de Langres, nous sont aujourd'hui représentés par les vallées de la Meuse, de la Marne et de la Vingeanne. Si nous examinons ces terrains en détail, nous observerons que les sources de la Meuse sortent en partie des marécages du Bassigny, et d'autres petites vallées très étroites et très escarpées ; que la Mance et la Vingeanne, qui toutes deux se jettent dans la Saône, sortent aussi de vallées très étroites de l'autre côté du sommet ; que la vallée de la Marne sous Langres a environ cent toises de profondeur ; que dans tous ces premiers vallons, les coteaux sont voisins et escarpés ; que dans les vallées inférieures, et à mesure que les courants se sont éloignés du sommet général et commun, ils se sont étendus en largeur et ont par conséquent élargi les vallées, dont les côtes sont aussi moins escarpées, parce que le mouvement des eaux y était plus libre et moins rapide que dans les vallons étroits des terrains voisins du sommet.

L'on doit encore remarquer que la direction des courants a varié dans leur cours, et que la déclinaison des coteaux a changé par la même cause. Les courants dont la pente était vers le Midi, et qui nous sont représentés par les vallons de la Tille, de la Venelle, de la Vingeanne, du Saulon et de la Mance, ont agi plus fortement contre les coteaux tournés vers le sommet de Langres, et à l'aspect du Nord. Les courants au contraire dont la pente était vers le Nord, et qui nous sont représentés par les vallons de l'Aujon, de la Suize, de la Marne et du Rognon, ainsi que par ceux de la Meuse, ont plus fortement agi contre les coteaux qui sont tournés vers ce même sommet de Langres, et qui se trouvent à l'aspect du Midi.

Il y avait donc, lorsque les eaux ont laissé le sommet de Langres à découvert, une mer dont les mouvements et les courants étaient dirigés vers le Nord, et de l'autre côté de ce sommet, une autre mer, dont les mouvements étaient dirigés vers le Midi ; ces deux mers battaient les deux flancs opposés de cette chaîne de montagnes, comme l'on voit dans la mer actuelle les eaux battre les deux flancs opposés d'une longue île ou d'un promontoire avancé : il n'est donc pas étonnant que tous les coteaux escarpés de ces vallons se trouvent également des deux côtés de ce sommet général des montagnes ; ce n'est que l'effet nécessaire d'une cause très évidente.

Si l'on considère le terrain qui environne l'une des sources de la Marne près de Langres, on reconnaîtra qu'elle sort d'un demi-cercle coupé presque à plomb ; et en examinant les lits de pierre de cette espèce d'amphithéâtre, on se démontrera que ceux des deux côtés, et ceux du fond de l'arc de cercle qu'il présente, étaient autrefois continus et ne faisaient qu'une seule masse, que les eaux ont détruite dans la partie qui forme aujourd'hui ce demi-cercle. On verra la même chose à l'origine des deux autres sources de la Marne ; savoir, dans le vallon de Balesme et dans celui de Saint-Maurice, tout ce terrain était continu avant l'abaissement de la mer : Et cette espèce de promontoire, à l'extrémité duquel la ville de Langres est située, était dans ce même temps continu, non seulement avec ces premiers terrains, mais avec ceux de Breuvone, de Peigney, de Noidan-le-Rocheux, etc. il est aisé de se convaincre par ses yeux, que la continuité de ces terrains n'a été détruite que par le mouvement et l'action des eaux.

Dans cette chaîne de la montagne de Langres, on trouve plusieurs collines isolées, les unes en forme de cônes tronqués, comme celle de Montfaugeon ; les autres en forme elliptique, comme celles de Montbard, de Montréal ; et d'autres tout aussi remarquables, autour des sources de la Meuse, vers Clémont et Montigny-le-roi, qui est situé sur un monticule, adhérent au continent par une langue de terre très étroite. On voit encore une de ces collines isolées à Andilly, une autre auprès d'Heuilly-Coton, etc. Nous devons observer qu'en général ces collines calcaires isolées sont moins hautes que celles qui les environnent, et desquelles ces collines sont actuellement séparées, parce que le courant remplissant toute la largeur du vallon, passait par-dessus ces collines isolées avec un mouvement direct, et les détruisait par le sommet ; tandis qu'il ne faisait que baigner le terrain des coteaux du vallon, et ne les attaquait que par un mouvement oblique ; en sorte que les montagnes qui bordent les vallons sont demeurées plus élevées que les collines isolées qui se trouvent entre deux. A Montbard, par exemple, la hauteur de la colline isolée au-dessus de laquelle sont situés les murs de l'ancien château, n'est que de cent quarante pieds ; tandis que les montagnes qui bordent le vallon des deux côtés, au Nord et au Midi, en ont plus de trois cent cinquante ; et il en est de même des autres collines calcaires que nous venons de citer : toutes celles qui sont isolées sont en même temps moins élevées que les autres, parce que étant au milieu du vallon et au fil de l'eau, elles ont été minées sur leurs sommets par le courant, toujours plus violent et plus rapide dans le milieu que vers les bords de son cours.

L'HOMME APPARAÎT, DÉCOUVRE ET TRANSFORME LA NATURE[154]

Toutes ces considérations nous font présumer que les régions de notre Nord, soit de la mer, soit de la terre, ont non seulement été les premières fécondées, mais que c'est encore dans ces mêmes régions que la Nature vivante s'est élevée à ses plus grandes dimensions. Et comment expliquer cette supériorité de force et cette priorité de formation donnée à cette région du Nord exclusivement à toutes les autres parties de la Terre ? car nous voyons par l'exemple de l'Amérique méridionale, dans les terres de laquelle il ne se trouve que de petits animaux, et dans les mers le seul lamantin, qui est aussi petit en comparaison de la baleine que le tapir l'est en comparaison de l'éléphant ; nous voyons, dis-je, par cet exemple frappant, que la Nature n'a jamais produit dans les terres du Midi, des animaux comparables en grandeur aux animaux du Nord ; et nous voyons de même, par un second exemple tiré des monuments, que dans les terres méridionales de notre continent, les plus grands animaux sont ceux qui sont venus du Nord, et que s'il s'en est produit dans ces terres de notre Midi, ce ne sont que des espèces très inférieures aux premières en grandeur et en force. On doit même croire qu'il ne s'en est produit aucune dans les terres méridionales de l'ancien continent, quoiqu'il s'en soit formé dans celles du nouveau ; et voici les motifs de cette présomption.

Toute production, toute génération, et même tout accroissement, tout développement, supposent le concours et la réunion d'une grande quantité de molécules organiques vivantes ; ces molécules qui animent tous les corps organisés, sont successivement employées à la nutrition et à la génération de tous les êtres. Si tout à coup la plus grande partie de ces êtres était supprimée, on verrait apparaître des espèces nouvelles, parce que ces molécules organiques qui sont indestructibles et toujours actives, se réuniraient pour composer d'autres corps organisés ; mais étant entièrement absorbées par les moules intérieurs des êtres actuellement existants, il ne peut se former d'espèces nouvelles, du moins dans les premières classes de la Nature, telles que celles des grands animaux. Or ces grands animaux sont arrivés du Nord sur les terres du Midi ; ils s'y sont nourris, reproduits, multipliés, et ont par conséquent absorbé les molécules vivantes ; en sorte qu'ils n'en ont point laissé de superflues qui auraient pu former des espèces nouvelles ; tandis qu'au contraire dans les terres de l'Amérique méridionale, où les grands animaux du Nord n'ont pu pénétrer, les molécules organiques vivantes ne se trouvant absorbées par aucun moule animal déjà subsistant, elles se seront réunies pour former des espèces qui ne ressemblent point aux autres, et qui toutes sont inférieures, tant par la force que par la grandeur, à celles des animaux venus du Nord.

Ces deux formations, quoique d'un temps différent, se sont faites de la même manière et par les mêmes moyens ; et si les premières sont supérieures à tous égards aux dernières, c'est que la fécondité de la Terre, c'est-à-dire, la quantité de la matière organique vivante, était moins abondante dans ces climats méridionaux que dans celui du Nord. On peut en donner la raison, sans la chercher ailleurs que dans notre hypothèse ; car toutes les parties aqueuses, huileuses et ductiles qui devaient entrer dans la composition des êtres organisés, sont tombées avec les eaux, sur les parties septentrionales du globe, bien plus tôt et en bien plus grande quantité que sur les parties méridionales : c'est dans ces matières aqueuses et ductiles que les molécules organiques vivantes ont commencé à exercer leur puissance pour modeler et développer les corps organisés : et comme les molécules organiques ne sont produites que par la chaleur sur les matières ductiles, elles étaient aussi plus abondantes dans les terres du Nord qu'elles n'ont pu l'être dans les terres du Midi, où ces mêmes matières étaient en moindre quantité, il n'est pas étonnant que les premières, les plus fortes et les plus grandes productions de la Nature vivante se soient faites dans ces mêmes terres du Nord ; tandis que dans celles de l'Équateur, et particulièrement dans celles de l'Amérique méridionale où la quantité de ces mêmes matières ductiles était bien moindre, il ne s'est formé que des espèces inférieures plus petites et plus faibles que celles des terres du Nord.

... Il reste celle de l'homme : A-t-elle été contemporaine à celle des animaux ? Des motifs majeurs et des raisons très solides se joignent ici pour prouver qu'elle s'est faite postérieurement à toutes nos époques, et que l'homme est en effet le grand et dernier œuvre de la création. On ne manquera pas de nous dire que l'analogie semble démontrer que l'espèce humaine a suivi la même marche et qu'elle date du même temps que les autres espèces, qu'elle s'est même plus universellement répandue ; et que si l'époque de sa création est postérieure à celle des animaux, rien ne prouve que l'homme n'ait pas au moins subi les mêmes lois de la Nature, les mêmes altérations, les mêmes changements. Nous conviendrons que l'espèce humaine ne diffère pas essentiellement des autres espèces par ses facultés corporelles, et qu'à cet égard son sort eût été le même à peu près que celui des autres espèces ; mais pouvons-nous douter que nous ne différions prodigieusement des animaux par le rayon divin qu'il a plu au souverain Être de nous départir ; ne voyons-nous pas que dans l'homme, la matière est conduite par l'esprit ; il a donc pu modifier les effets de la Nature ; il a trouvé le moyen de résister aux intempéries des climats ; il a créé de la chaleur, lorsque le froid l'a détruite : la découverte et les usages de l'élément du feu, dus à sa seule intelligence, l'ont rendu plus fort et plus robuste qu'aucun des animaux, et l'ont mis en état de braver les tristes effets du refroidissement. D'autres arts, c'est-à-dire, d'autres traits de son intelligence, lui ont fourni des vêtements, des armes, et bientôt il s'est trouvé le maître du domaine de la Terre : ces mêmes arts lui ont donné les moyens d'en parcourir toute la surface, et de s'habituer partout ; parce que avec plus ou moins de précautions, tous les climats lui sont devenus pour ainsi dire égaux. Il n'est donc pas étonnant que, quoiqu'il n'existe aucun des animaux du midi de notre continent dans l'autre, l'homme seul, c'est-à-dire, son espèce, se trouve également dans cette terre isolée de l'Amérique méridionale, qui paraît n'avoir eu aucune part aux premières formations des animaux, et aussi dans toutes les parties froides ou chaudes de la surface de la Terre ; car quelque part et quelque loin que l'on ait pénétré depuis la perfection de l'art de la navigation, l'homme a trouvé partout des hommes : les terres les plus disgraciées, les îles les plus isolées, les plus éloignées des continents, se sont presque toutes trouvées peuplées ; et l'on ne peut pas dire que ces hommes, tels que ceux des îles Marianes, ou ceux d'Otahiti et des autres petites îles situées dans le milieu des mers à de si grandes distances de toutes terres habitées, ne soient néanmoins des hommes de notre espèce, puisqu'ils peuvent produire avec nous, et que les petites différences qu'on remarque dans leur nature, ne sont que de légères variétés causées par l'influence du climat et de la nourriture.

... [32] [155]. *Car malgré ce qu'en ont dit les Russes, il est très douteux qu'ils aient doublé la pointe septentrionale de l'Asie.* M. Engel, qui regarde comme impossible le passage au nord-ouest par les baies de Hudson et de Baffin, paraît au contraire persuadé qu'on trouvera un passage plus court et plus sûr par le nord-est ; et il ajoute aux raisons assez faibles qu'il en donne, un passage de M. Gmelin qui, parlant des tentatives faites par les Russes pour trouver ce passage au nord-est, dit *que la manière dont on a procédé à ces découvertes fera en son temps le sujet du plus grand étonnement de tout le monde, lorsqu'on en aura la Relation authentique ; ce qui dépend uniquement,* ajoute-t-il, *de la haute volonté de l'Impératrice.* « Quel sera donc, dit M. Engel, ce sujet d'étonnement, si ce n'est d'apprendre que le passage regardé jusqu'à présent comme impossible, est très praticable ? Voilà le seul fait, ajoute-t-il, qui puisse surprendre ceux qu'on a tâché d'effrayer, par des Relations publiées à dessein de rebuter les Navigateurs, etc. »

Je remarque d'abord qu'il faudrait être bien assuré des choses, avant de faire à la nation russe cette imputation : en second lieu, elle me paraît mal fondée, et les paroles de M. Gmelin pourraient bien signifier tout le contraire de l'interprétation que leur donne M. Engel, c'est-à-dire, qu'on sera fort étonné, lorsque l'on saura qu'il n'existe point de passage praticable au nord-est : ce qui me confirme dans cette opinion, indépendamment des raisons générales que j'en ai données, c'est que les Russes eux-mêmes n'ont nouvellement tenté des découvertes qu'en remontant de Kamtschatka, et point du tout en descendant de la pointe de l'Asie. Les capitaines Béring et Tschirikow ont en 1741, reconnu des parties de côte de l'Amérique jusqu'au 59e degré ; et ni l'un ni l'autre ne sont venus par la mer du Nord le long des côtes de l'Asie[1] : Cela prouve assez que le passage n'est pas aussi praticable que le suppose M. Engel ; ou pour mieux dire, cela prouve que les Russes savent qu'il n'est pas praticable ; sans quoi ils eussent préféré d'envoyer leurs Navigateurs par cette route, plutôt que de les faire partir de Kamtschatka, pour faire la découverte de l'Amérique occidentale.

M. Muller, envoyé avec M. Gmelin par l'Impératrice en Sibérie, est d'un avis bien différent de M. Engel : Après avoir comparé toutes les Relations, M. Muller conclut par dire, qu'il n'y a qu'une très petite séparation entre l'Asie et l'Amérique, et que ce détroit offre une ou plusieurs Iles, qui servent de route ou de stations communes aux habitants des deux continents. Je crois cette opinion bien fondée, et M. Muller rassemble un grand nombre de faits pour l'appuyer.

... Et que pouvons-nous dire de ces siècles de barbarie[156], qui se sont écoulés en pure perte pour nous ? ils sont ensevelis pour jamais dans une nuit profonde ; l'homme d'alors replongé dans les ténèbres de l'ignorance, a pour ainsi dire cessé d'être homme. Car la grossièreté, suivie de l'oubli des devoirs, commence par relâcher les liens de la société, la barbarie achève de les rompre ; les lois méprisées ou proscrites, les mœurs dégénérées en habitudes farouches, l'amour de l'humanité, quoique gravé en caractères sacrés, effacé dans les cœurs ; l'homme enfin sans éducation, sans morale, réduit à mener une vie solitaire et sauvage, n'offre, au lieu de sa haute nature, que celle d'un être dégradé au-dessous de l'animal.

Néanmoins, après la perte des sciences, les arts utiles auxquels elles avaient donné naissance, se sont conservés ; la culture de la terre, devenue plus nécessaire à mesure que les hommes se trouvaient plus nombreux, plus serrés ; toutes les pratiques qu'exige cette même culture, tous les arts que supposent la construction des édifices, la fabrication des idoles et des armes, la texture des étoffes, etc., ont survécu à la science ; ils se sont répandus de proche en proche, perfectionnés de loin en loin ; ils ont suivi le cours des grandes populations ; l'ancien empire de la Chine s'est élevé le premier, et presque en même temps celui des Atlantes en Afrique ; ceux du continent de l'Asie, celui de l'Égypte, d'Éthiopie se sont successivement établis, et enfin celui de Rome, auquel notre Europe doit son existence civile. Ce n'est donc que depuis environ trente siècles, que la puissance de l'homme s'est réunie à celle de la Nature, et s'est étendue sur la plus grande partie de la Terre ; les trésors de sa fécondité jusqu'alors étaient enfouis, l'homme les a mis au grand jour ; ses autres richesses encore plus profondément enterrées, n'ont pu se dérober à ses recherches, et sont devenues le prix de ses travaux : partout, lorsqu'il s'est conduit avec sagesse, il a suivi les leçons de la Nature, profité de ses exemples, employé ses moyens, et choisi dans son immensité tous les objets qui pouvaient lui servir ou lui plaire. Par son intelligence, les animaux ont été apprivoisés, subjugués, domptés, réduits à lui obéir à jamais ; par ses travaux, les marais ont été desséchés, les fleuves contenus, leurs caractères effacés, les forêts éclaircies, les landes cultivées ; par sa réflexion, les temps ont été comptés, les espaces mesurés, les mouvements célestes reconnus, combinés, représentés, le Ciel et la Terre comparés, l'Univers agrandi, et le Créateur dignement adoré ; par son art émané de la science, les mers ont été traversées, les montagnes franchies, les peuples rapprochés, un nouveau monde découvert, mille autres terres isolées sont devenues son domaine ; enfin la face entière de la Terre porte aujourd'hui l'empreinte de la puissance de l'homme, laquelle, quoique subordonnée à celle de la Nature, souvent a fait plus qu'elle, ou du moins l'a si merveilleusement secondée, que c'est à l'aide de nos mains qu'elle s'est développée dans toute son étendue, et qu'elle est arrivée par degrés au point de perfection et de magnificence où nous la voyons aujourd'hui.

Comparez en effet la Nature brute à la Nature cultivée ; comparez les petites nations sauvages de l'Amérique avec nos grands peuples civilisés ; comparez même celles de l'Afrique, qui ne le sont qu'à demi ; voyez en même temps l'état des terres que ces nations habitent, vous jugerez aisément du peu de valeur de ces hommes par le peu d'impressions que leurs mains ont faites sur leur sol : soit stupidité, soit paresse, ces hommes à demi brutes, ces nations non policées, grandes ou petites, ne font que peser sur le globe sans soulager la Terre, l'affamer sans la féconder, détruire sans édifier, tout user sans rien renouveler. Néanmoins la condition la plus méprisable de l'espèce humaine n'est pas celle du Sauvage, mais celle de ces nations au quart policées, qui de tout temps ont été les vrais fléaux de la nature humaine, et que les peuples civilisés ont encore peine à contenir aujourd'hui : ils ont, comme nous l'avons dit, ravagé la première terre heureuse, ils en ont arraché les germes du bonheur et détruit les fruits de la science. Et de combien d'autres invasions cette première irruption des barbares n'a-t-elle pas été suivie ! C'est de ces mêmes contrées du Nord, où se trouvaient autrefois tous les biens de l'espèce humaine, qu'ensuite sont venus tous ses maux.

Combien n'a-t-on pas vu de ces débordements d'animaux à face humaine, toujours venant du Nord, ravager les terres du Midi ? Jetez les yeux sur les annales de tous les peuples, vous y compterez vingt siècles de désolation, pour quelques années de paix et de repos.

Il a fallu six cents siècles à la Nature pour construire ses grands ouvrages, pour attiédir la Terre, pour en façonner la surface et arriver à un état tranquille ; combien n'en faudra-t-il pas pour que les hommes arrivent au même point et cessent de s'inquiéter, de s'agiter et de s'entre-détruire ? Quand reconnaîtront-ils que la jouissance paisible des terres de leur patrie suffit à leur bonheur ? Quand seront-ils assez sages pour rabattre de leurs prétentions, pour renoncer à des dominations imaginaires, à des possessions éloignées, souvent ruineuses ou du moins plus à charge qu'utiles ? L'empire de l'Espagne aussi étendu que celui de la France en Europe, et dix fois plus grand en Amérique, est-il dix fois plus puissant ? l'est-il même autant que si cette fière et grande nation se fût bornée à tirer de son heureuse terre tous les biens qu'elle pouvait lui fournir ? Les Anglais, ce peuple si sensé, si profondément pensant, n'ont-ils pas fait une grande faute en étendant trop loin les limites de leurs colonies ? Les Anciens me paraissent avoir eu des idées plus saines de ces établissements ; ils ne projetaient des émigrations que quand leur population les surchargeait, et que leurs terres et leur commerce ne suffisaient plus à leurs besoins. Les invasions des barbares qu'on regarde avec horreur, n'ont-elles pas eu des causes encore plus pressantes lorsqu'ils se sont trouvés trop serrés dans des terres ingrates, froides et dénuées, et en même temps voisines d'autres terres cultivées, fécondes et couvertes de tous les biens qui leur manquaient ? Mais aussi que de sang ont coûté ces funestes conquêtes, que de malheurs, que de pertes les ont accompagnées et suivies !

Ne nous arrêtons pas plus longtemps sur le triste spectacle de ces révolutions de mort et de dévastation, toutes produites par l'ignorance ; espérons que l'équilibre quoique imparfait qui se trouve actuellement entre les puissances des peuples civilisés se maintiendra et pourra même devenir plus stable à mesure que les hommes sentiront mieux leurs véritables intérêts, qu'ils reconnaîtront le prix de la paix et du bonheur tranquille, qu'ils en feront le seul objet de leur ambition, que les Princes dédaigneront la fausse gloire des conquérants et mépriseront la petite vanité de ceux qui pour jouer un rôle les excitent à de grands mouvements.

... [36] [157]. *Je donnerais aisément plusieurs autres exemples, qui tous concourent à démontrer que l'homme peut modifier les influences du climat qu'il habite.* « Ceux qui résident depuis longtemps dans la Pensilvanie et dans les colonies voisines, ont observé, dit M. Hugues Williamson, que leur climat a considérablement changé depuis quarante ou cinquante ans, et que les hivers ne sont point aussi froids.

« La température de l'air dans la Pensilvanie est différente de celle des contrées de l'Europe situées sous le même parallèle. Pour juger de la chaleur d'un pays, il faut non seulement avoir égard à sa latitude, mais encore à sa situation et aux vents qui ont coutume d'y régner ; puisque ceux-ci ne sauraient changer sans que le climat ne change aussi. La face d'un pays peut être entièrement métamorphosée par la culture ; et l'on se convaincra, en examinant la cause des vents, que leur cours peut pareillement prendre de nouvelles directions.

« Depuis l'établissement de nos colonies, continue M. Williamson, nous sommes parvenus non seulement à donner plus de chaleur au terrain des cantons habités, mais encore à changer en partie la direction des vents. Les Marins, qui sont les plus intéressés à cette affaire, nous ont dit qu'il leur fallait autrefois quatre ou cinq semaines pour aborder sur nos côtes, tandis qu'aujourd'hui ils y abordent dans la moitié moins de temps. On convient encore que le froid est moins rude, la neige moins abondante et moins continue qu'elle ne l'a jamais été depuis que nous sommes établis dans cette Province.

« Il y a plusieurs autres causes qui peuvent augmenter et diminuer la chaleur de l'air ; mais on ne saurait m'alléguer cependant un seul exemple du changement de climat, qu'on ne puisse attribuer au défrichement du pays où il a lieu.

« On peut donc raisonnablement conclure que dans quelques années d'ici, et lorsque nos descendants auront défriché la partie intérieure de ce pays, ils ne seront presque plus sujets à la gelée ni à la neige, et que leurs hivers seront extrêmement tempérés. » Ces vues de M. Williamson sont très justes, et je ne doute pas que notre postérité ne les voie confirmées par l'expérience.

... Dans les animaux [158], la plupart des qualités qui paraissent individuelles, ne laissent pas de se transmettre et de se propager par la même voie que les propriétés spécifiques ; il était donc plus facile à l'homme d'influer sur la nature des animaux que sur celle des végétaux. Les races dans chaque espèce d'animal ne sont que des variétés constantes qui se perpétuent par la génération, au lieu que dans les espèces végétales il n'y a point de races, point de variétés assez constantes pour être perpétuées par la reproduction. Dans les seules espèces de la poule et du pigeon, l'on a fait naître très récemment de nouvelles races en grand nombre, qui toutes peuvent se propager d'elles-mêmes ; tous les jours dans les autres espèces on relève, on ennoblit les races en les croisant ; de temps en temps on acclimate, on civilise quelques espèces étrangères ou sauvages. Tous ces exemples modernes et récents, prouvent que l'homme n'a connu que tard l'étendue de sa puissance, et que même il ne la connaît pas encore assez ; elle dépend en entier de l'exercice de son intelligence ; ainsi plus il observera, plus il cultivera la Nature, plus il aura de moyens pour se la soumettre et de facilités pour tirer de son sein des richesses nouvelles, sans diminuer les trésors de son inépuisable fécondité.

Et que ne pourrait-il pas sur lui-même, je veux dire sur sa propre espèce, si la volonté était toujours dirigée par l'intelligence ? Qui sait jusqu'à quel point l'homme pourrait perfectionner sa nature, soit au moral, soit au physique ? Y a-t-il une seule nation qui puisse se vanter d'être arrivée au meilleur gouvernement possible, qui serait de rendre tous les hommes, non pas également heureux, mais moins inégalement malheureux ; en veillant à leur conservation, à l'épargne de leurs sueurs et de leur sang par la paix, par l'abondance des subsistances, par les aisances de la vie et les facilités pour leur propagation : voilà le but moral de toute société qui chercherait à s'améliorer. Et pour le physique, la Médecine et les autres arts dont l'objet est de nous conserver, sont-ils aussi avancés, aussi connus que les arts destructeurs, enfantés par la guerre ? Il semble que de tout temps l'homme ait fait moins de réflexions sur le bien que de recherches pour le mal ; toute société est mêlée de l'un et de l'autre ; et comme de tous les sentiments qui affectent la multitude, la crainte est le plus puissant, les grands talents dans l'art de faire du mal ont été les premiers qui aient frappé l'esprit de l'homme, ensuite ceux qui l'ont amusé ont occupé son cœur, et ce n'est qu'après un trop long usage de ces deux moyens de faux honneur et de plaisir stérile, qu'enfin il a reconnu que sa vraie gloire est la science, et la paix son vrai bonheur.

LA MORT DE L'ÉPICURIEN[159]

(1777, 1788)

Jusqu'ici je n'ai raisonné et calculé que pour l'homme vraiment sage, qui ne se détermine que par le poids de la raison ; mais ne devons-nous pas faire aussi quelque attention à ce grand nombre d'hommes que l'illusion ou la passion déçoivent, et qui souvent sont fort aises d'être déçus ? n'y a-t-il pas même à perdre en présentant toujours les choses telles qu'elles sont ? L'espérance, quelque petite qu'en soit la probabilité, n'est-elle pas un bien pour tous les hommes, et le seul bien des malheureux ? Après avoir calculé pour le Sage, calculons donc aussi pour l'homme bien moins rare, qui jouit de ses erreurs souvent plus que de sa raison. Indépendamment des cas où faute de tous moyens, une lueur d'espoir est un souverain bien ; indépendamment de ces circonstances où le cœur agité ne peut se reposer que sur les objets de son illusion, et ne jouit que de ses désirs ; n'y a-t-il pas mille et mille occasions où la sagesse même doit jeter en avant un volume d'espérance au défaut d'une masse de bien réel ? Par exemple, la volonté de faire le bien, reconnue dans ceux qui tiennent les rênes du Gouvernement, fût-elle sans exercice, répand sur tout un peuple une somme de bonheur qu'on ne peut estimer ; l'espérance fût-elle vaine, est donc un bien réel, dont la jouissance se prend par anticipation sur tous les autres biens. Je suis forcé d'avouer que la pleine sagesse ne fait pas le plein bonheur de l'homme, que malheureusement la raison seule n'eut en tout temps qu'un petit nombre d'auditeurs froids, et ne fit jamais d'enthousiastes ; que l'homme comblé de biens, ne se trouverait pas encore heureux s'il n'en espérait de nouveaux ; que le superflu devient avec le temps chose très nécessaire, et que la seule différence qu'il y ait ici entre le Sage et le non Sage, c'est que ce dernier, au moment même qu'il lui arrive une surabondance de bien, convertit ce beau superflu en triste nécessaire, et monte son état à l'égal de sa nouvelle fortune ; tandis que l'homme sage n'usant de cette surabondance que pour répandre des bienfaits et pour se procurer quelques plaisirs nouveaux, ménage la consommation de ce superflu en même temps qu'il en multiplie la jouissance.

... Je le répète, c'est à regret que je quitte ces objets intéressants, ces précieux monuments de la vieille Nature, que ma propre vieillesse ne me laisse pas le temps d'examiner assez pour en tirer les conséquences que j'entrevois, mais qui n'étant fondées que sur des aperçus, ne doivent pas trouver place dans cet Ouvrage, où je me suis fait une loi de ne présenter que des vérités appuyées sur des faits. D'autres viendront après moi, qui pourront supputer le temps nécessaire au plus grand abaissement des mers et à la diminution des eaux par la multiplication des coquillages, des madrépores et de tous les corps pierreux qu'elles ne cessent de produire ; ils balanceront les pertes et les gains de ce globe dont la chaleur propre s'exhale incessamment, mais qui reçoit en compensation tout le feu qui réside dans les détriments des corps organisés ;

ils en concluront que si la chaleur du globe était toujours la même, et les générations d'animaux et de végétaux toujours aussi nombreuses, aussi promptes, la quantité de l'élément du feu augmenterait sans cesse, et qu'enfin au lieu de finir par le froid et la glace, le globe pourrait périr par le feu. Ils compareront le temps qu'il a fallu pour que les détriments combustibles des animaux et végétaux aient été accumulés dans les premiers âges, au point d'entretenir pendant des siècles le feu des volcans ; ils compareront, dis-je, ce temps avec celui qui serait nécessaire pour qu'à force de multiplications des corps organisés, les premières couches fussent entièrement composées de substances combustibles, ce qui dès lors pourrait produire un nouvel incendie général, ou du moins un très grand nombre de nouveaux volcans ; mais ils verront en même temps que la chaleur du globe diminuant sans cesse, cette fin n'est point à craindre, et que la diminution des eaux, jointe à la multiplication des corps organisés, ne pourra que retarder, de quelques milliers d'années, l'envahissement du globe entier par les glaces, et la mort de la Nature par le froid.

Hérault de Séchelles

La Visite à Buffon

ou le

Voyage à Montbard

(choix)

La Visite à Buffon, septembre 1785 *parut la même année, à Paris, anonymement et sans doute malgré l'auteur, qui devait craindre, à juste titre, les réactions de l'entourage du grand homme. Hérault de Séchelles n'avait alors que vingt-six ans, mais, fils d'un officier mort en service, il avait été nommé à dix-huit ans avocat au Châtelet. Il y plaidait contre les abus et pour la tolérance, tout en menant joyeuse vie dans son château d'Épône, où il réunissait une société légère et libertine. Son* Voyage à Montbard *(c'est le titre que son récit reçut dans une édition mal intentionnée de l'an IX, et qu'on lui garde souvent) avait un double but : rendre hommage, comme l'avaient fait Rousseau, le prince Henri de Prusse et tant d'autres, à un des plus grands hommes du siècle ; lui demander conseil pour écrire un grand ouvrage sur la « législation ». Il ne reste aucune trace de ce dernier texte, mais quand il s'engagea dans la Révolution, Hérault parla en juriste devant l'Assemblée législative, et surtout, avant d'être guillotiné avec Danton, en 1794, rédigea le projet de la Constitution de 1793. A-t-elle dû par son intermédiaire quelque chose à Buffon ?*

Le texte intégral de La Visite à Buffon *se lit avec agrément, mais nous n'en garderons ici que les passages qui concernent la personnalité, la vie sociale, les goûts et les idées de l'auteur de l'*Histoire naturelle.

J'avais une extrême envie de connaître M. de Buffon. Instruit de ce désir, il voulut bien m'écrire une lettre très honnête, où il allait de lui-même au-devant de mon impatience, et m'invitait à passer dans son château le plus de temps qu'il me serait possible.

Il est à propos, comme on le verra dans un moment, que je fasse ici mention de la lettre que je lui répondis. Elle finissait par ces mots : « Mais quelle que soit mon activité, M. le Comte, de vous voir et de vous entendre, je respecterai vos occupations ; c'est-à-dire une grande partie de votre journée. Je sais que tout couvert de gloire, vous travaillez encore ; que le génie de la nature monte avec le lever du soleil au haut de la tour de Montbard, et n'en descend souvent que le soir. Ce n'est qu'à cet instant que j'ose solliciter l'honneur de vous entretenir et de vous consulter. Je regarderai cette ÉPOQUE comme la plus glorieuse de ma vie, si vous voulez bien m'honorer d'un peu d'amitié, SI L'INTERPRÈTE DE LA NATURE DAIGNE quelquefois communiquer ses pensées à celui qui devrait être l'interprète de la société. »

... Quelle palpitation de joie me saisit, lorsque j'aperçus de loin la tour de Montbard, les terrasses et les jardins qui l'environnent ! J'observais la position des lieux, la colline sur laquelle cette tour s'élève, les montagnes et les coteaux qui la dominent, les cieux qui la couvrent. Je cherchais le château de tous mes yeux. Je n'en avais pas assez pour voir la demeure de l'homme célèbre auquel j'allais parler. On ne peut découvrir le château que lorsqu'on y est ; mais au lieu d'un château, vous vous imagineriez entrer dans quelque maison de Paris. Celle de M. de Buffon n'est annoncée par rien ; elle est située dans une rue de Montbard, qui est une petite ville. Au reste avec une très belle apparence.

... Il vint à moi majestueusement, en ouvrant ses deux bras. Je lui balbutiai quelques mots, avec l'attention de dire M. le comte : car c'est à quoi il ne faut pas manquer. On m'avait prévenu qu'il ne haïssait pas cette manière de lui adresser la parole. Il me répondit en m'embrassant : « Je dois vous regarder comme une ancienne connaissance, car vous avez marqué du désir de me voir et j'en avais aussi de vous connaître. Il y a déjà du temps que nous nous cherchons. »

Je vis une belle figure, noble et calme. Malgré son âge de soixante-dix-huit ans, on ne lui en donnerait que soixante ; et ce qu'il y a de plus singulier, c'est que venant de passer seize nuits sans fermer l'œil, et dans des souffrances inouïes qui duraient encore, il était frais comme un enfant, et tranquille comme en santé. On m'assura que tel était son caractère ; toute sa vie, il s'est efforcé de paraître supérieur à ses propres affections. Jamais d'humeur, jamais d'impatience. Son buste, par Houdon, est celui qui me paraît le plus ressemblant ; mais le sculpteur n'a pu rendre sur la pierre ces sourcils noirs qui ombragent des yeux noirs, très actifs, sous de beaux cheveux blancs. Il était frisé lorsque je le vis, quoiqu'il fût malade ; c'est là une de ses manies, et il en convient. Il se fait mettre tous les jours des papillotes, qu'on lui passe au fer plutôt deux fois qu'une ; du moins, autrefois, après s'être fait friser le matin, il lui arrivait très souvent de se faire encore friser pour souper. On le coiffe à cinq petites boucles flottantes ; ses cheveux attachés par-derrière, pendaient au milieu de son dos. Il avait une robe de chambre jaune, parsemée de raies blanches et de fleurs bleues. Il me fit asseoir, me parla de son état, me fit des compliments sur le peu d'indulgence dont il prétendit que le public me favorisait, sur l'éloquence, sur les discours oratoires ; pour moi je l'entretenais de sa gloire, et ne me lassais point d'observer ses traits. La conversation étant tombée sur le bonheur de connaître jeune l'état auquel on se destine, il me récita sur-le-champ deux pages qu'il avait composées sur ce sujet dans un de ses ouvrages. Sa manière de réciter est infiniment simple et commune, le ton d'un bonhomme, nul apprêt, levant tantôt une main, tantôt une autre, disant comme les choses lui viennent, mêlant seulement quelques réflexions. Sa voix est assez forte pour son âge : elle est d'une extrême familiarité ; et en général, quand il parle, ses yeux ne fixent rien ; ils errent au hasard, soit parce qu'il a la vue basse, soit plutôt parce que c'est sa manière. Ses mots favoris sont, *tout çà,* et *pardieu,* qui reviennent continuellement ; sa conversation paraît n'avoir rien de saillant, mais quand on y fait attention, on remarque qu'il parle bien, qu'il y a même des choses très bien exprimées, et que, de temps en temps, il y sème des vues intéressantes. Un des premiers traits de son caractère, c'est sa vanité ; elle est complète, mais franche, et de bonne foi.

... Son exemple et ses discours m'ont confirmé, que qui veut la gloire passionnément, finit par l'obtenir, ou du moins en approche de bien près. Mais il faut vouloir, et non pas une fois ; il faut vouloir tous les jours. J'ai ouï dire qu'un homme qui a été maréchal de France et grand général, se promenait tous les matins un quart d'heure dans sa chambre, et qu'il employait ce temps à se dire à lui-même : « Je veux être maréchal de France et grand général. » M. de Buffon me dit à ce sujet un mot bien frappant, un de ces mots capables de produire un homme tout entier : « Le génie n'est qu'une plus grande aptitude à la patience. » Il suffit en effet d'avoir reçu cette qualité de la nature : avec elle on regarde longtemps les objets, et l'on parvient à les pénétrer. Cela revient au mot de Newton. On disait à ce dernier : comment avez-vous fait tant de découvertes ? En cherchant toujours, répondit-il, et cherchant patiemment. Remarquez que le mot patience doit s'appliquer à tout : patience pour chercher son objet, patience pour résister à tout ce qui s'en écarte ; patience pour souffrir tout ce qui accablerait un homme ordinaire.

Je tirerai mes exemples de M. de Buffon lui-même. Il rentrait quelquefois des soupers de Paris, à deux heures après minuit, lorsqu'il était jeune ; et à cinq heures du matin, un savoyard venait le tirer par les pieds, et le mettre sur le carreau, avec ordre de lui faire violence, dût-il se fâcher contre lui. Il m'a dit aussi qu'il travaillait jusqu'à six heures du soir. J'avais alors, me dit-il, une petite maîtresse que j'adorais : eh bien ! je m'efforçais d'attendre que six heures fussent sonnées pour l'aller voir, souvent même au risque de ne plus la trouver. A Montbard, après son travail, il faisait venir une petite fille, car il les a toujours beaucoup aimées ; mais il se relevait exactement à cinq heures. Il ne voyait que des petites filles, ne voulant pas avoir de femmes qui lui dépensassent son temps.

... A neuf heures, on lui apporte à déjeuner dans son cabinet, où quelquefois, il le prend en s'habillant. Ce déjeuner est composé de deux verres de vin et d'un morceau de pain ; il travaille ensuite jusqu'à une ou deux heures. Il revient alors dans sa maison. Il dîne, il aime à dîner longtemps ; c'est à dîner qu'il met son esprit et son génie de côté ; là il s'abandonne à toutes les gaietés, à toutes les folies qui lui passent par la tête. Son grand plaisir est de dire des polissonneries, d'autant plus plaisantes, qu'il reste toujours dans le calme de son caractère ; que son rire, sa vieillesse, forment un contraste piquant avec le sérieux et la gravité qui lui sont naturels, et ces plaisanteries sont souvent si fortes que les femmes sont obligées de déserter. En général la conversation de Buffon est très négligée. On le lui a dit, et il a répondu que c'était le moment de son repos, et qu'il importait peu que ses paroles fussent soignées ou non. Ce n'est pas qu'il ne dise d'excellentes choses quand on le met sur l'article du style ou sur l'histoire naturelle ; il est encore très intéressant, lorsqu'il parle de lui : il en parle souvent avec de grands éloges. Pour moi, qui ai été témoin de ses discours, je vous assure que loin d'en être choqué, j'y trouve du plaisir. Ce n'est point orgueil, ce n'est point vanité ; c'est sa conscience que l'on entend : il se sent, et se rend justice. Consentons donc quelquefois d'avoir des grands hommes à ce prix. Tout homme qui n'aurait pas le sentiment de ses forces, ne serait pas fort. N'exigeons pas des êtres supérieurs une modestie qui ne pourrait être que fausse. Il y a peut-être plus d'esprit et d'adresse à cacher, à voiler son mérite ; il y a plus de bonhomie et d'intérêt à le montrer.

... A vingt ans, il avait découvert le binôme de Newton, sans savoir qu'il eût été découvert par Newton, et cet homme vain ne l'a imprimé nulle part ; j'étais bien aise d'en savoir la raison. « C'est, me répondit-il, que personne n'est obligé de m'en croire. » Il y a donc cette différence entre sa vanité et celle des autres, que la sienne a fait ses preuves, si l'on peut s'exprimer ainsi. Cette différence vient de la trempe de son âme, âme droite, qui veut partout la bonne foi, et proscrit l'inconséquence.

Il me disait, en parlant de Rousseau : « Je l'aimais assez ; mais lorsque j'ai vu ses *Confessions*, j'ai cessé de l'estimer. Son âme m'a révolté, et il m'est arrivé pour Jean-Jacques le contraire de ce qui arrive ordinairement : après sa mort, j'ai commencé à le mésestimer. » Jugement sévère, je dirai même injuste ; car j'avoue que les *Confessions* de Jean-Jacques n'ont pas produit sur moi cet effet. Mais il se pourrait que M. de Buffon n'eût pas dans son cœur l'élément par lequel on doit juger Rousseau. Je serais tenté de croire que la nature ne lui a pas donné le genre de sensibilité nécessaire pour connaître le charme ou plutôt le piquant de cette vie errante, de cette existence abandonnée au hasard et aux passions. Cette sévérité, ou plutôt ce défaut, qui se trouve peut-être dans l'âme de M. de Buffon en annonce sous un autre rapport la beauté, et même la simplicité. Aussi, par une suite naturelle, il est facile à tromper, quel que soit l'ordre extrême qu'il mette dans ses affaires, et on vient d'en avoir la preuve.

Il y a un an que le directeur de ses forges lui a fait perdre 120 000 livres. M. de Buffon, depuis trois ans, avait consenti à n'en être pas payé, et s'était abandonné à tous les prétextes et tous les subterfuges dont la fraude se colorait. Heureusement cet événement n'a point altéré sa sérénité ni influé en rien sur la dépense et sur l'état qu'il en tient. Il a dit à son fils : « Je n'en suis fâché que pour vous ; je voulais vous acheter une terre, et il faudra que je diffère encore quelque temps. » Il a toujours une année de son revenu devant lui. On croit qu'il a cinquante mille écus de rentes. Ses forges ont dû beaucoup l'enrichir. Il en sortait tous les ans huit cents milliers de fer ; mais il y a fait d'un autre côté des dépenses énormes. Cet établissement considérable, lui a coûté cent mille écus à créer. Elles languissent aujourd'hui, à cause du procès qu'il a avec ce directeur ; mais lorsqu'elles sont en activité, on y compte quatre cents ouvriers.

Il n'est pas étonnant que M. de Buffon, avec une âme aussi simple, croie tout ce qu'on lui dit ; il y a plus, il aime à écouter les rapports et les propos. Ce grand homme est quelquefois un peu commère ; du moins une heure par jour, il en faut convenir. Pendant le temps de la toilette il se fait raconter par son perruquier et par ses gens tout ce qui se passe dans Montbard, toutes les histoires de sa maison. Quoiqu'il paraisse livré à ses hautes pensées, personne ne sait mieux que lui les petits événements qui l'entourent. Cela tient aussi peut-être au goût qu'il a toujours eu pour les femmes, ou plutôt pour les petites filles. Il aime la chronique scandaleuse ; et se faire instruire de cette chronique dans un petit pays, c'est en apprendre presque toute l'histoire.

Cette habitude de petites filles, ou bien aussi la crainte d'être gouverné, a fait aussi qu'il a mis toute sa confiance dans une paysanne de Montbard, qu'il a érigée en gouvernante, et qui a fini par le gouverner. Elle se nomme Mlle Blesseau : c'est une fille de quarante ans, bien faite, et qui a dû être assez jolie. Elle est depuis près de vingt ans auprès de M. de Buffon. Elle le soigne avec beaucoup de zèle. Elle participe à l'administration de la maison ; et comme il arrive en pareil cas, elle est détestée des gens. Mme de Buffon, morte depuis beaucoup dannées n'aimait pas non plus cette fille : elle adorait son mari, et l'on prétend qu'elle en était d'une jalousie extrême. Mlle Blesseau n'est pas la seule qui commande à ce grand homme.

Il est un autre original qui partage l'empire, c'est un capucin : il se nomme le père Ignace. Je veux m'arrêter un instant sur l'histoire d'Ignace Bougot, né à Dijon. Ce moine possède éminemment l'art précieux dans son ordre, de se faire donner ; si bien que celui qui donne semble devoir lui en être bien obligé. « Ne me donne pas qui veut », dit souvent le père Ignace. Avec ce talent, il est parvenu à faire rebâtir la capucinière de Semur. Ce mérite est assez ordinairement celui des gens d'Église.

... Si vous voulez vous faire une idée de sa personne, vous vous représenterez un gros homme à tête ronde, à peu près semblable à un masque d'Arlequin de la Comédie Italienne, et cette comparaison me paraît d'autant plus juste, qu'il parle précisément comme parlait Carlin : même accent, même patelinage. C'est à ce révérend père, curé de Buffon, village à deux lieues de Montbard, que M. de Buffon abandonne une grande partie de sa confiance, et même sa conscience, s'il suffisait de s'en rapporter à l'extérieur.

... Ce même Ignace, capucin laquais, est encore le laquais confesseur de M. de Buffon. Il m'a conté qu'il y a trente ans, l'auteur des *Époques de la nature,* sachant qu'il prêcherait un carême à Montbard, le fit venir au temps de Pâques, et se fit confesser par lui dans son laboratoire ; dans ce même lieu où il développait le matérialisme ; dans ce même lieu où Jean-Jacques devait venir quelques années après, baiser respectueusement le seuil de la porte. Ignace me contait que M. de Buffon, en se soumettant à cette cérémonie, avait reculé d'un moment, « effet de la faiblesse humaine », ajoutait-il, et qu'il avait voulu faire confesser son valet de chambre avant lui. Tout ce que je viens de dire vous étonne peut-être. Oui ! Buffon, lorsqu'il est à Montbard, communie à Pâques, tous les ans, dans la chapelle seigneuriale. Tous les dimanches il va à la grand-messe, pendant laquelle il sort quelquefois pour se promener dans les jardins qui sont auprès, et revient se montrer aux endroits intéressants. Tous les dimanches, il donne la valeur d'un louis aux différentes quêteuses.

... Je tiens de M. de Buffon qu'il a pour principe de respecter la religion ; qu'il en faut une au peuple ; que dans les petites villes on est observé de tout le monde, et qu'il ne faut choquer personne. « Je suis persuadé, me disait-il, que dans vos discours, vous avez soin de ne rien avancer qui puisse être remarqué à cet égard. J'ai toujours eu la même attention dans mes livres ; je ne les ai fait paraître que les uns après les autres, afin que les hommes ordinaires ne pussent pas saisir la chaîne de mes idées. J'ai toujours nommé le créateur ; mais il n'y a qu'à ôter ce mot, et mettre naturellement à la place la puissance de la nature, qui résulte des deux grandes lois, l'attraction et l'impulsion. Quand la Sorbonne m'a fait des chicanes je n'ai fait aucune difficulté de lui donner toutes les satisfactions qu'elle a pu désirer : ce n'est qu'un persiflage ;

mais les hommes sont assez sots pour s'en contenter. Par la même raison, quand je tomberai dangereusement malade et que je sentirai ma fin s'approcher, je ne balancerai point à envoyer chercher les sacrements. On le doit au culte public. Ceux qui en agissent autrement, sont des fous. Il ne faut jamais heurter de front, comme faisaient Voltaire, Diderot, Helvétius. Ce dernier était mon ami : il a passé plus de quatre ans à Montbard, en différentes fois ; je lui recommandais cette modération, et s'il m'avait cru, il eût été plus heureux. »

On peut juger en effet si cette méthode a réussi à M. de Buffon. Il est clair que ses ouvrages démontrent le matérialisme, et cependant c'est à l'imprimerie royale qu'ils se publient.

« Mes premiers volumes parurent, ajoutait-il, en même temps que *L'Esprit des lois :* nous fûmes tourmentés par la Sorbonne, M. de Montesquieu et moi ; de plus, nous nous vîmes en butte au déchaînement de la critique. Le président était furieux. Qu'allez-vous répondre, me disait-il ? Rien du tout, président ; et il ne pouvait concevoir mon sang-froid. »

... Le premier dimanche que je me trouvai à Montbard, l'auteur de l'*Histoire naturelle* demanda son fils, la veille, au soir : il eut avec lui une longue conférence, et je sus que c'était pour obtenir de moi que j'allasse le lendemain à la messe. Lorsque son fils m'en parla, je lui répondis que je m'emmesserais très volontiers, et que ce n'était pas la peine de tant comploter pour me déterminer à une action de la vie civile. Cette réponse charma M. de Buffon. Lorsque je revins de la grand-messe, où ses douleurs de pierre l'avaient empêché d'aller, il me fit un million de remerciements de ce que j'avais pu supporter trois quarts d'heure d'ennui ; il me répéta que dans une petite ville comme Montbard, la messe était d'obligation.

... Il me reste à terminer la journée de M. de Buffon. Après son dîner, il ne s'embarrasse guère de ceux qui habitent son château, ou des étrangers qui sont venus le voir. Il s'en va dormir une demi-heure dans sa chambre, puis il fait un tour de promenade, toujours seul, et à cinq heures il retourne à son cabinet se remettre à l'étude jusqu'à sept heures : alors il revient au salon, fait lire ses ouvrages, les explique, les admire, se plaît à corriger les productions qu'on lui présente, et sur lesquelles on le consulte, telle a été sa vie pendant cinquante ans. Il disait à quelqu'un qui s'étonnait de sa renommée : « J'ai passé cinquante ans à mon bureau. » A neuf heures du soir il va se coucher, et ne soupe jamais ; cet infatigable écrivain menait encore cette vie laborieuse jusqu'au moment où je suis arrivé à Montbard, c'est-à-dire à soixante-dix-huit ans ; mais de vives douleurs de pierre lui étant survenues, il a été obligé de suspendre ses travaux. Alors, pendant quelques jours, il s'est enfermé dans sa chambre, seul, se promenant de temps en temps, ne recevant qui que ce soit de sa famille, pas même sa sœur, et n'accordant à son fils qu'une minute dans la journée. J'étais le seul qu'il voulût bien admettre auprès de lui ; je le trouvais toujours beau et calme dans les souffrances, frisé, paré même : il se plaignait doucement de sa santé, il prétendait prouver, par les plus forts raisonnements, que la douleur affaiblissait ses idées. Comme les maux étaient continus, ainsi que l'irritation des besoins, il me priait souvent de me retirer au bout d'un quart d'heure, puis il me faisait rappeler quelques moments après. Peu à peu les quarts d'heure devinrent des heures entières. Ce bon vieillard m'ouvrait son cœur avec tendresse ; tantôt il me faisait lire le dernier ouvrage qu'il composait, c'est un *Traité de l'Aimant* ; et en m'écoutant, il retravaillait intérieurement toutes ses idées, auxquelles il donnait de nouveaux développements, ou changeait leur ordre, ou retranchait quelques détails superflus ; tantôt il envoyait chercher un volume de ses ouvrages, et me faisait lire les beaux morceaux de style, tels que le discours du premier homme, lorsqu'il décrit l'histoire de ses sens, ou la peinture du désert de l'Arabie, dans l'article du Chameau, ou une autre peinture plus belle encore selon lui, dans l'article du Kamichi ; tantôt il m'expliquait son système sur la formation du monde, sur la génération des êtres, sur les mondes intérieurs, etc. ; tantôt il me récitait des lambeaux entiers de ses ouvrages, car il sait par cœur tout ce qu'il a fait ; et c'est une preuve de la puissance de sa mémoire, ou plutôt du soin extrême avec lequel il travaille ses compositions. Il écoute toutes les objections qu'on peut lui faire, les apprécie et s'y rend quand il les approuve. Il a encore une manière assez bonne de juger si les écrits doivent réussir, c'est de les faire lire de temps en temps sur son manuscrit même ; alors si, malgré les ratures, le lecteur n'est point arrêté, il en conclut que l'ouvrage se suit bien. Sa principale attention pour le style, c'est la précision des idées, et leur correspondance ; ensuite il s'applique, comme il le recommande dans son excellent discours de réception à l'Académie française, à nommer les choses par les termes les plus généraux : ensuite vient l'harmonie qu'il est bien essentiel de ne pas négliger; mais elle doit être la dernière attention du style.

... Je demandai ensuite à M. de Buffon quelle serait la meilleure manière de se former ? Il me répondit qu'il ne fallait lire que les ouvrages principaux ; mais les lire dans tous les genres et dans toutes les sciences, parce qu'elles sont parentes, comme dit Cicéron, parce que les vues de l'une peuvent s'appliquer à l'autre, quoiqu'on ne soit pas destiné à les exercer toutes. Ainsi, même pour un jurisconsulte, la connaissance de l'art militaire, et de ses principales opérations, ne serait pas inutile. C'est ce que j'ai fait, me disait l'auteur de l'*histoire naturelle ;* au fond l'abbé de Condillac a fort bien dit, à la tête de son quatrième volume du cours d'éducation, si je ne me trompe, qu'il n'y a qu'une seule science, la science de la nature. M. de Buffon était du même avis, sans citer l'abbé de Condillac, qu'il n'aime pas, ayant eu jadis des discussions polémiques avec lui ; mais il pense que toutes nos divisions et classifications sont arbitraires, que les mathématiques elles-mêmes ne sont que des arts qui tendent au même but, celui de s'appliquer à la nature, et de la faire connaître ; que cela ne nous effraie point au surplus. Les livres capitaux dans chaque genre sont rares, et au total ils pourraient peut-être se réduire à une cinquantaine d'ouvrages qu'il suffirait de bien méditer.

... Il me parla ensuite avec passion de l'étude, du bonheur qu'elle assure ; il me dit qu'il s'était toujours placé hors de la société, que souvent il avait recherché des savants, croyant gagner beaucoup dans leur entretien ; qu'il avait vu que pour une phrase, quelquefois utile qu'il en recueillait, ce n'était pas la peine de perdre une soirée entière ; que le travail était devenu pour lui un besoin, qu'il espérait s'y livrer encore pendant trois ou quatre ans qui lui restaient à vivre, qu'il n'avait aucune crainte de la mort, que l'idée d'une renommée immortelle le consolait ; que s'il avait pu chercher des dédommagements de tout ce qu'on appelle des sacrifices au travail, il en aurait trouvé d'abondants dans l'estime de l'Europe, et les lettres flatteuses des principales têtes couronnées. Ce vieillard ouvrit alors un tiroir, et me montra une lettre magnifique du prince Henri, qui était venu passer un jour à Montbard ; qui l'avait traité avec une sorte de respect ; qui, sachant qu'après son dîner il avait coutume de dormir, s'était assujetti à ses heures ; qui venait de lui envoyer un service de porcelaine, dont lui-même avait donné les dessins, et où des cygnes sont représentés dans toutes leurs attitudes, en mémoire de l'histoire du Cygne que M. de Buffon lui avait lue à son passage ; enfin, qui lui écrivait ces paroles remarquables : « Si j'avais besoin d'un ami ce serait lui ; d'un père, encore lui ; d'une intelligence pour m'éclairer, eh ! quel autre que lui. »

M. de Buffon me montra ensuite plusieurs lettres de l'Impératrice de Russie, écrites de sa propre main, pleines de génie où cette grande femme le loue de la manière qui lui a été la plus sensible, puisqu'il est clair qu'elle a lu ses ouvrages, et qu'elle les a compris en savant. Elle lui demandait : « Newton avait fait un pas, vous avez fait le second. » En effet, Newton a découvert la loi de l'attraction, Buffon a démontré celle de l'impulsion, qui, à l'aide de la précédente, semble expliquer toute la nature. Elle ajoutait : « Vous n'avez pas encore vidé votre sac au sujet de l'homme », faisant allusion par là au système de la génération, et Buffon s'applaudissait d'avoir été plus entendu par une Souveraine, que par une Académie. Il me montra aussi des questions très épineuses que lui proposait l'Impératrice sur les époques de la nature ; il me confia les réponses qu'il y faisait. Dans cette haute correspondance de la puissance et du génie, mais où le génie exerçait la véritable puissance, je sentais mon âme attendrie, élevée ; la gloire paraissait se personnifier à mes yeux ; je m'imaginais la toucher, la saisir, et cette admiration des Souverains, forcée de s'humilier ainsi eux-mêmes devant une grandeur réelle, touchait mon cœur, comme un hommage bien au-dessus de tous les honneurs qu'ils eussent pu décerner dans leur empire.

... Je consultai M. de Buffon sur un projet d'ouvrage que j'ai formé sur la législation, qui occuperait, il est vrai, une grande partie de la vie, et peut-être la vie tout entière. Mais quel plus beau monument pourrait laisser un magistrat ? Nous en raisonnâmes longtemps. Il s'agirait de faire une revue générale de tous les droits des hommes, et de toutes leurs lois ; de les comparer, de les juger, et d'élever ensuite un nouvel édifice. Il approuva mes vues, m'encouragea ; il augmenta mon plan, et en fixa la mesure. Il me persuada, comme c'était mon projet, de ne prendre que les sommités des choses, *capita rerum*, mais de les bien développer, quoique sans longueur, de resserrer l'ouvrage en un volume in-4°, ou deux tout au plus ; de le travailler sur quatre parties ; 1°) morale universelle, ce qu'elle doit être dans tous les temps et dans tous les lieux ; 2°) législation universelle, prendre l'esprit de toutes les lois qui existent dans l'univers. Comme je lui disais qu'il y aurait un bel ouvrage à faire sur la manière de rédiger une loi, en suivant toutes les circonstances possibles, où la raison humaine pourrait avoir à s'exercer ; il me dit que ce serait la troisième partie de mon ouvrage ; 3°) d'une réforme qu'il voudrait introduire dans les différentes lois du globe ; 4°) enfin, il m'ajouta qu'il y aurait une magnifique conclusion, qui serait déterminée par un grand chapitre sur la nécessité et sur l'abus des formes. Par ce moyen on embrassait tous les objets possibles qui peuvent concerner la législation. Ce plan, quoique immense dans le détail, m'a paru très satisfaisant, et je me suis proposé de l'exécuter. Je sais tout ce qu'il m'en coûtera ; mais un grand plan et un grand but laissent du bonheur dans l'âme, chaque jour qu'on se met à l'œuvre. M. de Buffon ne me cacha point, et je le sentais bien, que j'aurais plus à travailler qu'un autre, ayant en outre à remplir les devoirs de ma charge, qui suffisaient pour absorber un homme ; mais quelle supériorité une pareille étude constamment suivie ne me donnait-elle pas, même pour remplir ces mêmes devoirs ? Il me conseilla donc de ne les point négliger ; mais il m'avertit qu'avec de la patience et de la méthode, je m'apercevrais chaque jour du progrès et de la vigueur de mon intelligence. Il m'exhorta à faire comme lui, à prendre un secrétaire uniquement pour ce travail. En effet, M. de Buffon s'est toujours beaucoup fait aider ; on lui fournissait des observations, des expériences, des mémoires, et il combinait tout cela avec la puissance de son génie. J'en ai trouvé une fois la preuve dans le peu de papiers qu'il avait laissés dans un carton. Je vis un mémoire sur l'aimant, auquel il travaille, envoyé par le comte de Lacépède, jeune homme plein d'ardeur et de connaissances.

... Buffon a raison ; il y a mille choses qu'il faut laisser à des manœuvres, autrement on serait écrasé, et on n'arriverait jamais à son but. Il me dit que dans le temps de ses plus grands travaux, il avait une chambre remplie de cartons, qu'il a depuis brûlés. Il me fortifia dans la résolution de ne point consulter les livres, de tirer tout de moi-même, de ne les ouvrir que quand je ne pourrais plus aller plus loin que le point où je me trouvais. Encore, parmi les livres il me conseilla de ne lire que l'histoire naturelle, l'histoire et les voyages ; il avait bien raison. La plupart des hommes manquent de génie, parce qu'ils n'ont pas la force ni la patience de prendre les choses de haut ; ils partent de trop bas, et cependant tout doit se trouver dans les origines. Quand on connaît l'histoire naturelle de l'homme, et ensuite l'histoire naturelle d'un peuple, on doit trouver sans peine quelles sont ses mœurs, quelles sont ses lois. On trouverait presque son histoire civile tout entière ; mais quand on connaît de plus son histoire civile, on doit encore plus aisément découvrir et juger ses lois en les combinant, soit avec sa constitution, soit avec les événements.

« Je ne suis pas en peine de vous, me disait M. de Buffon, pour la première partie ; savoir, pour la morale universelle, vous vous en tirerez bien ; il suffit d'avoir une âme droite et un esprit pénétrant et juste ; mais c'est lorsqu'il s'agira de découvrir et classer cette multitude innombrable d'institutions et de lois ; voilà un grand effort, et digne de tout le courage humain. » Je ne pus m'empêcher de lui faire une observation délicate : « Et la religion, monsieur, comment nous en tirerons-nous ? » Il me répondit : « Il y a assez de moyens de tout dire ; vous remarquerez que c'est un objet à part ; vous vous envelopperez dans tout le respect qu'on lui doit à cause du peuple, il vaut mieux être compris d'un petit nombre d'intelligents, et leur suffrage seul vous dédommage de n'être point compris par la multitude. Quant à moi, je traiterais avec un égal respect le christianisme et le mahométisme. » Ainsi s'écoulaient les heures dans ces entretiens de gloire et d'espérance : je ne pouvais m'arracher du sein de ce nouveau père, que la science et le génie m'avaient donné. Il fallut enfin le quitter : ce ne fut pas sans être resté longtemps dans les plus étroits embrassements, et sans une promesse réitérée de me nourrir beaucoup de ses ouvrages qui contiennent toute la philosophie naturelle, et de le cultiver en même temps avec une assiduité filiale, le reste de sa vie. Voilà tout ce que je sais sur M. de Buffon, comme ces détails ne sont que pour moi, je m'y suis étendu avec complaisance, et avec une sorte de vénération.

DOSSIER

CHRONOLOGIE
1707-1788

1707 *7 septembre.* Naissance à Montbard de Georges Louis Leclerc, fils de Benjamin Leclerc et de Christiane Merlin. Sa mère se consacre à sa première éducation. Il aura trois frères et deux sœurs ; deux d'entre eux survivront.

1714 Mort d'un oncle maternel laissant une grande fortune à sa sœur. Benjamin Leclerc achète une charge de conseiller au parlement de Bourgogne, l'hôtel Quentin, rue des Potets, à Dijon et la châtellenie de Montbard.

1720 Georges Louis entre au collège des jésuites de Dijon, les Godrans, mais passe ses vacances à Montbard auprès de sa mère avec son cousin Jean Nadault, botaniste, qui devient maire de la ville.

1725 Baccalauréat. Premiers essais en mathématiques.

1726 Licence à la faculté de droit. Fréquentation du cercle du président Bouhier, avec ses condisciples Richard de Ruffey et Charles de Brosses. Georges Louis décide de suivre des études médicales.

1728 Inscription à l'école de médecine d'Angers. Discussion de mathématiques avec l'oratorien Landreville à propos de Newton. A la suite, sans doute, d'un duel avec un officier, départ précipité pour Nantes, où Georges Louis retrouve des Anglais de Dijon chez Lord Gordon, et devient l'ami d'Evelyn Pierrepont, second duc de Kingston, et de son précepteur et médecin Nathaniel Hickman, membre de la Royal Society de Londres.

1730 Départ des trois amis pour un « grand tour », en Aquitaine, Languedoc (avec un court retour en Bourgogne causé par la mort de la mère en août 1731), en

Suisse (où il voit le grand mathématicien Cramer) et en Italie.

1732 De retour en France, Georges Louis s'installe à la fois à Montbard et à Paris, où désormais il séjournera alternativement.

1733 Arrangement entre le père et le fils, qui devient financièrement indépendant et propriétaire de la maison de Montbard, des terres, et du village de Buffon. Début des expériences de sylviculture. Mémoires à l'Académie des sciences sur le « jeu du franc-carreau » (avril) et sur un problème de mécanique (novembre).

1734 *9 janvier.* L'Académie des sciences le choisit comme adjoint dans la section de mécanique. Il commence à employer le nom de Buffon. Il fonde une pépinière d'arbres pour les grandes routes.

1735 Publication de *La Statique des végétaux et l'analyse de l'air,* traduit de *Vegetable Statics* de Stephen Hales, avec une préface du traducteur.

1736 *3 mars.* Lecture à l'Académie des *Expériences sur la manière de tanner les cuirs.*

1737 *27 février.* Lecture de *Recherches de la cause de l'excentricité des couches ligneuses...*
25 mai. Dans les *Registres* de l'Académie, on lit des *Observations* des effets produits par les gelées sur les végétaux.

1738 *23 décembre.* Lecture à l'Académie des *Moyens faciles d'augmenter la solidité, la force et la durée du bois.*

1739 *8 mars.* Élection par l'Académie comme adjoint botaniste, dans la place de Jussieu.
8 avril. Publication dans les *Mémoires* de l'Académie de *Sur la conservation et le rétablissement des forêts.*
13 juin. Élection comme académicien associé, succédant à Jussieu.
26 juillet. Buffon nommé intendant du Jardin et du Cabinet du roi.

1740 Il publie la traduction de *La Méthode des fluxions et des suites infinies* de Newton, qu'il préface. Il est nommé membre de la Royal Society comme mathématicien. A partir de 1739 et jusqu'en 1747, il sert, en tant que commissaire, comme rapporteur pour l'Académie de divers ouvrages de mathématiques et de sciences naturelles avec Jussieu, Réaumur, d'Alembert, Maupertuis, etc.

1747 *Invention des miroirs ardents pour brûler à une grande* distance (*Registres* de l'Académie, 12 avril et 10 juin). Expérience publique et devant le roi en faveur d'Archimède contre Descartes (le mémoire sera publié en 1752).

1748 Expériences avec le célèbre Needham sur les « polypes » dans la génération (comptes rendus publiés par Needham à Londres en 1749).
14 décembre. Lecture à l'Académie d'un mémoire sur la « liqueur séminale dans les femelles vivipares ».
Le *Journal des Savants* annonce le projet et le plan d'une *Histoire naturelle*.

1749 Rapport sur un ouvrage de Pereire concernant « l'art pour apprendre à parler aux sourds-muets de naissance ».
Publication (avec Daubenton) des trois premiers tomes de l'*Histoire Naturelle, Générale et Particulière (H.N.)*
Le tome I comprend deux « Discours », L' « Histoire et théorie de la Terre », et ses « Preuves ».
Le tome II : « Histoire générale des Animaux. » « Histoire naturelle de l'Homme. »
Le tome III : « Description du Cabinet du Roi » (par Daubenton). « Histoire naturelle de l'Homme » (« Variétés dans l'espèce humaine »).

1751 Menace d'une censure de la Sorbonne, que Buffon écarte en s'inclinant.

1752 Mariage avec Marie-Françoise de Saint-Belin, d'une famille noble du Châtillonnais.

1753 *H.N.*, tome IV : pièces du débat avec les théologiens ; « Discours sur la nature des animaux » ; « Les Animaux domestiques ».
Buffon est élu à l'Académie française et prononce le « Discours sur le style ».

1755 *H.N.*, tome V : La Brebis,... La Chèvre,... Le Cochon,... Le Chien.

1756 *H.N.*, tome VI : Le Chat. « Les Animaux sauvages. »

1758 Naissance, en mai, d'une fille.
H.N., tome VII : « Les Animaux carnassiers. »

1759 *Octobre*. Mort de la fille de Buffon.

1760 *H.N.*, tome VIII : suite des « Animaux sauvages ».

1761 *H.N.*, tome IX : Le Lion, Les Tigres. « Animaux de l'ancien continent. » « Animaux du nouveau continent. » « Animaux communs aux deux continents. »

1763 *H.N.*, tome X : suite du tome précédent.

1764 *H.N.*, tome XI : suite du tome précédent (L'Éléphant,... Le Mouflon...).
H.N., tome XII : « De la Nature. Première Vue. » Suite des Animaux.
Naissance de Georges Louis Maris (« Buffonet »).

1765 *H.N.*, tome XIII : « De la Nature. Seconde Vue. » Suite des Animaux, de la girafe aux phoques.

1766 *H.N.*, tome XIV : « Nomenclature des singes. » « De la dégénération des animaux. »

1767 *H.N.*, tome XV : Les Singes du nouveau monde. Concordance et tables des quinze volumes de l'*Histoire Naturelle*.
Établissement de forges à Buffon.

1769 Mme de Buffon meurt des suites d'un accident de cheval. Marie Blesseau devient la gouvernante de la maison.

1770 *Histoire Naturelle des Oiseaux*, avec Guéneau de Montbeillard et l'abbé Bexon (*H.N.O.*). Tome I : « Discours sur la nature des Oiseaux. » « Les Oiseaux de proie »... « Les Oiseaux qui ne peuvent voler. »

1771 *H.N.O.*, tome II : L'Outarde, Le Coq.... Le Pigeon.... Le Ramier, la Tourterelle.
Buffon très gravement malade. On lui prévoit un successeur, non pas son fils, mais le comte d'Angivilliers.

1772 Louis XV érige en comté les terres de Buffon.

1774 Premier volume du *Supplément*. Il contient sept mémoires « expérimentaux » antérieurs à 1750.
Début de l'amitié avec Mme Necker.

1775 *H.N.O.*, tome III (dû à Guéneau).
Supplément, tome II : mémoires expérimentaux n° 8 et 14 ; mémoires « hypothétiques » n° 1 et 2.

1776 *Supplément*, tome III : « Des mulets. » Additions à l'*H.N.*

1777 *Supplément*, tome IV : « Discours à l'Académie », sur le style. Réponses à des correspondants. « Des probabilités de la durée de la vie. » Additions à l'*H.N.* (de l'Homme).
Une statue de Buffon par Pajou est placée dans les galeries du Jardin.

1778 *H.N.O.*, tome IV, tome V.
Supplément, tome V : « Des Époques de la Nature. » Additions à la « Théorie de la Terre ». Notes aux « Époques ».

1779 *H.N.O.*, tome VI.
1780 *H.N.O.*, tome VII.
1781 *H.N.O.*, tome VIII.
1782 *Supplément*, tome VI : Additions aux Quadrupèdes.
1783 *H.N.O.*, tome IX et dernier. Concordance et tables. *Histoire Naturelle des Minéraux (H.N.M.)*, tomes I et II.
1784 Mariage de « Buffonet ».
1785 *H.N.M.*, tome III. Visite à Montbard d'Hérault de Séchelles.
1786 *H.N.M.*, tome IV.
1788 *H.N.M.*, tome V et dernier.
16 avril. Mort de Buffon à Paris. Enterrement à Montbard.
1789 *Supplément*, tome VII et dernier. Nombreuses additions.

NOTICE

On ne connaît pas de manuscrit autographe de l'*Histoire Naturelle* — sinon des corrections de Buffon sur le texte de ses collaborateurs et, surtout, quatre des sept *Époques de la nature*, éditées par Jacques Roger. Il n'existe pas d'édition révisée par l'auteur, et l'originale est donc définitive. Dans un bel in-quarto composé et tiré par l'Imprimerie royale, les quinze tomes de l'*Histoire Naturelle, Générale et Particulière*, les neuf tomes de l'*Histoire Naturelle des Oiseaux*, les sept volumes de *Suppléments*, et les cinq tomes de l'*Histoire Naturelle des Minéraux* fournissent ensemble un texte que nos règles font considérer comme le seul respectable.

C'est ce texte que Jean Piveteau a reproduit dans son choix d'*Œuvres philosophiques*, et nous suivrons son exemple, en laissant de côté tant d'éditions du siècle dernier, enrichies ou allégées, « mises en ordre » parfois avec quelque adoration mal inspirée — par les successeurs immédiats, les disciples et tous ceux qui se réclamèrent du grand « précurseur ». Elles ont en tout cas le défaut d'avoir subi, comme tous nos classiques, au nom de ce souci grammaticalo-typographique qui révoltait Flaubert et George Sand, le placage d'une ponctuation prétendue « moderne », source de contresens, et un découpage en alinéas qui, imposé à l'écriture ample et rhétorique d'un écrivain éloquent, en fausse toute l'allure.

Aussi ne sommes-nous intervenu dans le texte original que pour le conformer à l'orthographe actuelle (sauf pour les noms propres, où nous avons respecté la graphie de Buffon). Nous avons transcrit l'abréviation &, si fréquente chez l'imprimeur original.

Nous ne nous sommes posé de questions qu'à propos des

majuscules que la mode actuelle est de réduire au minimum. Leur abondance traduit au XVIIIe siècle le caractère noble sinon officiel des ouvrages imprimés et apparaît dans l'*Histoire Naturelle* comme l'image même de Buffon occupant une place déterminante dans la société de l'époque. La majuscule avait aussi une valeur d'insistance, de soulignement : elle sert à distinguer un titre d'ouvrage, ou à le suggérer d'un mot, à désigner une catégorie de personnes (les « Philosophes », « nos Observateurs »). Elle est exigée chez le savant pour des noms aussi importants et uniques (véritables noms propres) que le Pôle, l'Équateur, l'Univers, bien entendu la Terre (distincte de la terre-sol) et surtout la Nature. Il nous a donc paru... naturel de maintenir cet emploi.

BIBLIOGRAPHIE

Pour l'ensemble de la bibliographie antérieure à 1954, y compris les documents d'archives, la correspondance, les manuscrits et toutes les éditions, on consultera la « Bibliographie de Buffon » établie par Émilienne Genet-Varcin et Jacques Roger dans les *Œuvres philosophiques* (voir plus loin). On complétera par celles de Lesley Hanks (1966) dans son ouvrage cité, d'Otis Fellows dans le supplément (1968) à *A Critical Bibliography of French Literature,* Syracuse University Press, vol. IV, et dans son livre cité plus loin.

BIOGRAPHIE

La plus récente et la plus vivante est celle de Pierre Gascar : *Buffon,* Paris, Gallimard, 1983.

On trouvera une description du milieu bourguignon dans les livres d'Édouard Estaunié et surtout de Marcel Bouchard :

Marcel Bouchard. *De l'humanisme à l'Encyclopédie. Essai sur l'évolution des esprits dans la bourgeoisie bourguignonne sous les règnes de Louis XIV et de Louis XV,* Paris, Hachette, 1930.

Marcel Bouchard. « Un épisode de la vie de Buffon : la direction de la pépinière publique de Montbard », dans *Annales de l'Est,* fascicules 1 et 2, Nancy, 1934.

Édouard Estaunié. *Roman et province,* Marseille, 1943.

ŒUVRES

Correspondance inédite de Buffon à laquelle ont été réunies les lettres publiées jusqu'à ce jour, éditée par Henri Nadault de Buffon, Paris, Hachette, 1860.

Œuvres complètes de Buffon..., édition Lanessan, 14 vol., Paris, Le Vasseur, 1884-1885.

Les Époques de la nature, édition critique par Jacques Roger (« Mémoires du Muséum National d'Histoire naturelle. Nouvelle série », Série X), Paris, éditions du Muséum, 1962.

Des époques de la nature, édition (sans les notes) présentée par Gabriel Gohau, Paris, Editions rationalistes, 1971.

De l'homme, édition présentée par Michèle Duchet, Paris, François Maspero, 1971.

CHOIX

Morceaux choisis et préfacés par Armand-M. Petitjean, Paris, Gallimard, 1939.

Œuvres philosophiques de Buffon (« Corpus général des philosophes français, auteurs modernes », t. XLI, 1) éditées par Jean Piveteau, Paris, Presses Universitaires de France, 1954. (Ouvrage collectif, comprenant une étude sur Buffon mathématicien par Maurice Fréchet, et une étude sur Buffon écrivain par Charles Bruneau, outre la Bibliographie signalée plus haut.)

Un autre Buffon. Préface de Jacques-Louis Binet ; introduction et annotation de Jacques Roger, Paris, Hermann, 1977. (Essai d'arithmétique morale. De la vieillesse et de la mort. Du sens de la vue. Les couleurs accidentelles. Discours de réception à l'Académie. Comparaison des animaux et des végétaux. Le cheval.)

ÉTUDES

Les chapitres sur Buffon sont importants dans tous les grands ouvrages consacrés depuis vingt ans à l'histoire des sciences ainsi que dans les recueils d'actes publiés à la suite de congrès ou de colloques.

Condorcet. « Éloge de Buffon » (1791), dans l'édition des *Œuvres complètes* due à Cuvier, Paris, Pillot, 1829-1832.

Herbert Dieckmann. *Naturgeschichte von Bacon bis Diderot : einige Wegweiser*, dans *Geschichte-Ereignis und Erzählung*, Munich, Fink, 1973.

William Franklin Falls. *Buffon et l'agrandissement du Jardin du roi à Paris*, Paris, Masson, 1933.

Otis Fellows. « Buffon and Rousseau : Aspects of a Relationship » dans *Publications of Modern Language Association*, juin 1960.

Otis Fellows. « Buffon's Place in the Enlightenment » dans *Studies on Voltaire and the Eighteenth Century*, Genève, 1963.

Otis Fellows. « Encore un détracteur de Buffon » dans *Beiträge zur Französischen Aufklärung... Festgabe für Werner Krauss*, Berlin, Akademie Verlag, 1971.

Otis Fellows et Stephen Milliken. *Buffon*, New York, Twayne Publishers, 1971.

Émile Guyénot. *Les Sciences de la vie aux XVIIe et XVIIIe siècles. L'idée d'évolution*, Paris, Albin Michel, 1941.

Lesley Hanks. *Buffon avant l' « Histoire Naturelle »*, Paris, Presses Universitaires de France, 1966.

Jacques Roger. *Les Sciences de la vie dans la pensée française au XVIIIe siècle*, Paris, Armand Colin, 1963.

Jacques Roger. « Diderot et Buffon en 1749 », dans *Diderot Studies*, volume IV, Genève, Droz, 1963 (p. 221-236).

Françoise Weil. « La Correspondance Buffon-Cramer », dans *Revue d'histoire des sciences*, avril-juin 1961.

J. S. Wilkie. « The Idea of Evolution in the Writings of Buffon », dans *Annals of Science*, mars 1956 et septembre 1957.

NOTES

Page 35.

1. « *Expériences sur la manière de tanner les cuirs* » : ce mémoire se lit dans les *Registres* aux folios 36 r°, 36 v° et 37 r°, et dans l'orthographe (et la ponctuation) que nous avons exceptionnellement respectée, comme Lesley Hanks, à qui nous le devons (*Buffon avant l'* « *Histoire naturelle* »).

2. On connaissait alors d'autres matières tannantes que l'écorce du chêne, y compris de petits « chêneaux de trois à quatre ans », selon La Lande (*Art du tanneur*, 1764) ; mais le même La Lande cite les expériences de Buffon en ajoutant : « Les observations de ce célèbre académicien sur les forêts et sur tout ce qui en dépend, se trouvent dans plusieurs volumes de nos Mémoires. » Bien que le tanin n'ait été isolé que vers 1794, on cite encore le texte de Buffon en 1830 (voir Hanks, *op. cit.*, p. 247-248 ; voir aussi l'article de Lucien Plantefol : « Duhamel du Monceau », dans la revue *XVIIIe siècle*, n° 1, 1969, p. 129).

3. On sait que Buffon possédait de grands bois et qu'il avait créé une pépinière d'usage public. Il a commencé ses expériences au plus tard en 1734. Comme l'Anglais Philip Miller, il est un « arboriculteur philosophe et newtonien » (Lesley Hanks). Buffon a présenté à l'Académie des sciences au moins huit mémoires sur les arbres et le bois, en particulier sur les interactions entre le bois, l'humidité et le climat. Il continuera à s'en occuper et, quand il rééditera ses notes en 1775 dans le tome II du *Supplément* à l'*Histoire naturelle*, il rappellera qu'il a introduit le pin de Genève ; son autorité durera longtemps quant à la résistance des matériaux.

Page 36.

4. Buffon possédait un foulon à écorce qu'il louait encore aux tanneurs de Montbard en 1774.

Page 37.

5. « *De la manière d'étudier et de traiter l'histoire naturelle* » : ce « discours » se lit en tête du premier tome de l'édition originale. Une épigraphe latine est extraite de la préface de Pline à son *Historia naturalis*.

6. Comme plus haut le mot « spectacle », qui évoque le *Spectacle de la nature* de l'abbé Pluche, les « parties » mentionnées ici ne sont pas celles qui seront d'abord traitées par Buffon.

Page 40.

7. Les considérations pédagogiques qui vont suivre sont à rapprocher des textes sur l'enfance et la puberté qu'on lira p. 63 et suiv.

Page 43.

8. *Le moule* : première apparition de la notion qui va jouer un rôle décisif dans la « théorie » de Buffon.

9. Buffon est un fervent partisan de l'explication par l'analogie, mais a souvent mis en garde contre l'abus qu'on en fait : elle doit être vérifiée.

10. Le « suc pétrifiant » (Buffon a fréquenté les grottes pétrifiantes d'Arcy-sur-Cure et y a laissé son nom, selon François Poplin, dans les *Actes du congrès de Montbard* de l'Association bourguignonne des sociétés savantes, 1980, p. 99 et suiv.) est pour les minéraux ce que la sève serait aux plantes... Analogie hâtive. Buffon avait fait beaucoup d'expériences sur la sève des arbres (voir la note 3).

Page 44.

11. *Il semble que tout ce qui peut être est* : cette formule, souvent citée, est une des clés de la pensée de Buffon.

Page 45.

12. Par la suite, au contraire, Buffon s'élèvera contre ceux qui admirent l' « industrie » des abeilles, et exaltera l'homme par rapport aux animaux.

Page 46.

13. « *Comparaison des animaux et des végétaux* » : ce premier chapitre de l' « Histoire générale des animaux » (titre de la table des matières) ouvre le tome second, paru en même temps que le premier.

Page 47.

14. Voir la note 12. En 1753, dans le « Discours sur la nature des animaux », Buffon déclarera qu'il s'intéresse avant tout aux « animaux qui nous ressemblent le plus ». C'est la seconde clé philosophique de son naturalisme.

Page 48.

15. Ces philosophes ne peuvent être que ceux qui attribuent à la matière la « connaissance », c'est-à-dire la vie, jusqu'au degré de la pensée. Buffon vise entre autres La Mettrie et Maupertuis. Diderot, dans ses *Pensées sur l'interprétation de la nature,* posera la question à propos des « molécules organiques » imaginées par Buffon lui-même.

16. Buffon admet donc ici le dualisme, cartésien, de l'âme et du corps, mais c'est évidemment pour dissocier l'homme de tous les autres êtres vivants, « organisés », et cette « union » lui semble inconnaissable. La question sera au centre de l'*Entretien avec d'Alembert* de Diderot.

Page 50.

17. Affirmation catégorique qui contredit le dualisme (voir la note précédente). Buffon la répétera avec force au tome XV de l'*Histoire naturelle* (1767).

Page 51.

18. *L'homme et les animaux* : les textes que nous groupons ici s'échelonnent de 1753 à 1758, mais l' « Homme » a été étudié dès 1749 (voir le tome II, et la partie suivante du présent volume). Buffon revient ici avec plus de force à son thème majeur : le combat victorieux de l'homme sur les animaux.

19. « *Les animaux domestiques* » : *Histoire naturelle,* tome IV, 1753.

20. Buffon reconnaît donc d'emblée que les espèces peuvent être « altérées », « dénaturées ».

Page 52.

21. Ce paragraphe éloquent a été longtemps appris par cœur dans les écoles ; comme le suivant, il fait de l'homme une espèce de dieu ou de demi-dieu.

22. *Bruts :* non animés. Les minéraux seront traités les derniers dans l'*Histoire naturelle.*

23. Comme l'a remarqué Jacques Roger, le mot « devenu » permet de concilier l'origine divine de l'homme et son état primitif de brute (*op. cit.,* p. 581, n. 290).

24. Ainsi le « don de Dieu », qui place l'homme au-dessus des animaux, ne se manifeste que chez l'homme en société. Rousseau avait soutenu au contraire que l'homme sauvage, vigoureux dès l'enfance, se suffit à lui-même et que la société n'est pas naturelle à l'homme (note 12 du *Discours sur l'origine et les fondements de l'inégalité parmi les hommes,* éd. Lecercle, Éditions Sociales, 1983).

Page 53.

25. « *Les animaux sauvages* » : *Histoire naturelle,* tome VI, 1756 ; nous voici descendus de l'homme civilisé à l'animal qu'il a domestiqué, puis à l'animal indompté et féroce. Mais il surgit alors chez Buffon une espèce de sympathie à l'égard de ces êtres libres, qu'il fréquente en voisin dans ses terres comme tout seigneur.

Page 57.

26. On ne saurait être moins « dialectique » (au sens hégélien du terme). Le temps, « grand ouvrier de la nature », ignore les bonds, les zigzags, les catastrophes.

Page 59.

27. Buffon reviendra avec pitié sur le castor dégradé par l'homme dans l'article qu'il lui consacrera en 1760 : « Quelles vues, quels desseins, quels projets peuvent avoir des esclaves sans âme, ou des relégués sans puissance ? ramper ou fuir, et toujours exister d'une manière solitaire, ne rien édifier, ne rien produire, ne rien transmettre, et toujours languir dans la calamité, déchoir, se perpétuer sans se multiplier, perdre en un mot par la durée autant et plus qu'ils n'avaient acquis par le temps » (tome VIII).

Page 60.

28. « *Les animaux carnassiers* » : chapitre du tome VII de

l'*Histoire naturelle*. Jean Piveteau a rapproché par la date ces réflexions du fameux tremblement de terre de Lisbonne de 1755, et il a souligné l'optimisme « leibnitzien » qu'elles semblent exprimer. Mais la justification de la mort violente par la nécessité, et ce qui a été appelé depuis la loi de la jungle, fait aussi penser, par avance, à la sélection darwinienne des plus forts.

Page 63.

29. *De l'homme* : le titre de Buffon est « Histoire naturelle de l'homme ».

30. « *De l'enfance* » : extrait du tome II de l'édition originale. Le premier chapitre, « De la nature de l'homme », sera cité plus loin (p. 108 de la présente édition) à propos de la physiologie humaine.

31. Voir la note 24. C'est à cette affirmation de 1749 (qui ne fait que répéter celle de Pline l'ancien, *Histoire naturelle,* VII, 1) que Rousseau semble répondre en 1754 (*Origine de l'inégalité,* éd. cit., p. 92-96).

Page 64.

32. Comme nous l'avons dit, nous n'actualisons pas les données scientifiques, ici physiologiques, que Buffon emprunte à l'anatomie et à la physiologie de son temps. Les notions de « vésicule » et de « fibre » y sont courantes. Le lecteur curieux se reportera, par exemple, aux *Éléments de physiologie* de Diderot.

Page 66.

33. S'agit-il d'animaux ou d'êtres humains ? Ou d'une sorte d'hybrides, qui font songer aux chèvre-pieds qu'imaginera Diderot.

Page 68.

34. Rappelons qu'en 1749 Buffon est loin d'être marié et père de famille ; au reste, peu de pères s'occupaient alors des enfants du premier âge. Cependant, notre naturaliste semble en avoir une connaissance non seulement livresque, mais directe, contrairement à Jean-Jacques Rousseau.

Page 69.

35. Les *corps* sont des corsets, destinés aux adolescentes « de condition » ; ils leur donnent le maintien qui doit en imposer aux autres classes. La position « naturaliste » de

Buffon sur le maillot sera reprise par Rousseau dans *Émile* (1762), et d'abord dans l'article « Emmailloter » de l'*Encyclopédie* (1755). Buffon y reviendra dans une note en 1777.

Page 70.

36. Ces « attentions » concernent la façon de coucher les nouveau-nés et de les changer fréquemment. Buffon a suggéré des literies absorbantes. Comme plus tard Rousseau, Buffon met en garde contre les nourrices.

Page 73.

37. Position des philosophes préoccupés de l' « Arithmétique politique » (article de Diderot dans l'*Encyclopédie*). Leur attitude à l'égard des hôpitaux est exposée par Turgot dans l'article « Fondation (Politique et Droit national) » en 1755.

Page 75.

38. Malgré ces précautions de forme, c'est vraisemblablement pour des raisons de décence et de morale socio-religieuse (en particulier sur le chapitre de la virginité) que Buffon encourut la condamnation des « théologiens ». Voltaire consacrera à la circoncision un article de son *Dictionnaire philosophique*.

Page 78.

39. Cet usage « bizarre » est rapporté par les voyageurs, qui présentent les Hottentots comme une « variété » d'hommes très originale (voir les « Variétés dans l'espèce humaine »).

Page 81.

40. L'article « Eunuque » de l'*Encyclopédie* reproduit l'essentiel du texte de Buffon et le complète en faisant état des recherches de Bordeu (médecin de Montpellier et l'un des interlocuteurs du *Rêve de d'Alembert*) sur ces correspondances entre différentes parties du corps humain (note de Michèle Duchet).

Page 82.

41. Opinion « philosophique », inspirée du bon sens, mais qui dut susciter l'indignation des adorateurs de Marie, mère de Jésus sans avoir connu l'homme.

Page 84.

42. Cette « dispute » est exposée à l'article « Hymen » de l'*Encyclopédie.* Dans cet article et dans l'article « Virginité », De Jaucourt suit Buffon. Dans les *Suppléments* de l'*Encyclopédie,* le protestant Haller défendra au contraire une morale de la virginité : l'hymen ne se trouve que dans l'espèce humaine, « les femelles des animaux n'ont rien qui lui soit analogue ». « On ne peut donc se refuser à l'idée que l'hymen a été accordé à la vierge humaine seule pour que son époux pût être assuré de sa chasteté, et qu'il y trouvât un gage de la bonne conduite future de son épouse. » Pour Haller, les « caroncules myrtiformes » ne sont que « les témoins irréfragables d'une virginité perdue » (note de Michèle Duchet).

Page 89.

43. L'année précédente, en 1748, s'appuyant sur les récits de certains voyageurs, Montesquieu soutenait au contraire qu'en Asie et en Afrique, il naissait beaucoup plus de filles que de garçons. L'usage de la polygamie s'explique pour lui avant tout par le climat et, sans être naturel, « s'éloigne moins de la nature dans certains pays que dans d'autres ». Quant à la « servitude domestique », elle résulte d'une « inégalité naturelle » entre les sexes dans les climats chauds (*Esprit des lois,* livre XVI, chap. I à V). Cependant dans le chapitre VI, il la condamne comme peu utile au genre humain, et dangereuse pour les mœurs (note de Michèle Duchet). Il faut remarquer encore : 1) que Buffon n'a pas adopté l' « état naturel », puisqu'il ne s'est marié qu'à quarante-cinq ans; 2) que la condamnation théorique de la polygamie institutionnelle masque la pratique, alors courante, des liaisons extra-conjugales.

Page 91.

44. La suite du chapitre porte sur les remèdes à l'impuissance, car : « L'objet du mariage est d'avoir des enfants. »

45. « *De l'âge viril* » : *Histoire naturelle,* tome II, 1749. La « description » commence par le portrait idéal, très connu et banal, repris d'Ovide : « Tout marque dans l'homme, même à l'extérieur, sa supériorité sur tous les êtres vivants; il se soutient droit et élevé, son attitude est celle du commandement, sa tête regarde le ciel et présente une face auguste sur laquelle est imprimé le caractère de sa dignité... »

46. « *Description de l'homme* » : la « description » porte

d'abord sur la vision, les yeux, la vue des couleurs (le quatrième mémoire présenté à l'Académie portait sur le strabisme, et Buffon louchait quelque peu), puis le visage (nez, bouche, mâchoire) ; et l'on en vient aux jeux de physionomie.

Page 97.

47. La métoposcopie, comme la chiromancie, est l'art d'annoncer l'avenir d'une personne, mais par l'examen du visage. Buffon va nier toute valeur à une physiognomonie « divinatoire » (voir aussi l'article « Physionomie » de l'*Encyclopédie*). Ses remarques sur l'expression des émotions, qui vont au-delà du *Traité des passions* de Descartes, sont encore appréciées de nos jours.

48. Dans les pages précédentes, Buffon examine le corps humain de haut en bas, et souligne la différence entre les sexes.

Page 98.

49. *La beauté des femmes* : cette constatation, exacte, reste superficielle si on compare avec Rousseau *Origine de l'inégalité* et Diderot *Sur les femmes*. Les remarques qui suivent confinent au marivaudage.

Page 100.

50. « *De la vieillesse et de la mort* » : *Histoire naturelle*, tome II, 1749.

Page 101.

51. Buffon s'inspire de deux mémoires de Duhamel du Monceau sur l'accroissement des os, présentés à l'Académie quelques années auparavant, mais aussi de la « manière dont se forment le bois et les autres parties solides des végétaux », texte repris d'un schéma tracé en 1740 (Lesley Hanks).

52. Buffon étudie ensuite l' « accroissement », puis la « destruction », dans des pages dont sont inspirés les articles « Accroissement » et « Vieillesse » de l'*Encyclopédie*. Il parle en particulier de l' « infécondité » de la « liqueur séminale » chez les vieillards.

Page 104.

53. Buffon présente la mort comme un « dépérissement » progressif : « ce changement d'état si marqué, si redouté,

n'est donc dans la nature que la dernière nuance d'un état précédent » ; « nous commençons de vivre par degrés, et nous finissons de mourir comme nous commençons de vivre ». C'est une position matérialiste (voir Michèle Duchet, *op. cit.*, p. 155, n° 3).

54. « *Du bonheur dans l'âge avancé* » : après avoir insisté sur l'inanité de la mort pour « la vraie philosophie », qui consiste à « voir les choses telles qu'elles sont », puis mis en garde contre les inhumations hâtives, Buffon étudie longuement la mortalité en statisticien (ses *tables,* inspirées de celles de Dupré de Saint-Maur, nous font penser à celles des compagnies d'assurances sur la vie). — Il reviendra, dans ses additions de 1777 (*Supplément,* tome IV), sur les longévités exceptionnelles, donnera une liste d' « individus privilégiés », et terminera par l'anecdote d'un « cheval qui a vécu plus de cinquante ans ». Puis il conclut...

Page 108.

55. « La mort est le bien suprême pour l'homme, il a été refusé aux dieux. »

56. Ainsi, trente ans après, mais dix ans avant sa mort, Buffon affirme une énergie qu'il montrera effectivement dans ses derniers jours (voir Pierre Gascar, *op. cit.,* p. 260-261, et le récit de Mme Necker).

57. « *De la nature de l'homme* » : tel est le titre choisi par Buffon, au tome II de l'*Histoire naturelle* en 1749, pour les considérations générales qu'il croit bon de placer en tête de son étude de l'être humain. C'est seulement en 1758, au tome VII, qu'il en viendra à considérer la physiologie du système nerveux, et seulement après avoir, au tome IV (1753), parlé de l'homme en psychologue. Nos extraits suivront l'ordre logique.

58. Avant de considérer les « sens », Buffon croit bon de régler le problème philosophique de « l'origine de nos connaissances », objet d'un débat fondamental depuis Descartes, en passant par Locke et jusqu'à Condillac : le monde extérieur existe-t-il ? notre pensée est-elle autre chose que le résultat de nos sensations ? Comme l'a montré Jean Piveteau, c'est par une paraphrase de Descartes *(Discours de la méthode,* 6e *Méditation)* que Buffon se protège contre une accusation de monisme matérialiste ou idéaliste. Il va jusqu'à substituer le mot âme au mot esprit, mais dans quelle intention ? Voir la note suivante.

Page 112.

59. L'existence de la matière (niée récemment encore par Berkeley) vient d'être reconnue indémontrable par Diderot dans la *Lettre sur les aveugles*, parue la même année (1749). Il est significatif que Buffon renvoie expressément à cette *Lettre* deux pages plus loin, dans une note élogieuse : « L'auteur y a répandu toute une métaphysique très fine et très vraie, par laquelle il rend raison de toutes les différences que doit produire dans l'esprit d'un homme la privation absolue du sens de la vue. »

Page 113.

60. « *Des sens en général* » : extrait du 8e chapitre de l' « Histoire naturelle de l'homme », où Buffon commence par le sens du toucher, dont l'action est impossible chez le fœtus, et, chez le nouveau-né, retardée par l'emmaillotement. Contrairement à ce qu'il avait laissé croire dans son premier chapitre, il s'affirme nettement « sensualiste » : « les pages célèbres où il nous montre un homme s'éveillant au monde et à lui-même prouvent que pour lui ce sont les sensations qui font naître les idées » (Jacques Roger, *op. cit.*, p. 536).

61. Cette utilisation philosophique de l'Adam de la Genèse est très proche de la statue, imaginée par Condillac, qui devient peu à peu un animal. Mais Condillac ne développa son idée qu'en 1754, dans le *Traité des sensations*, et dans un esprit contraire au sensualisme. Il essuya néanmoins des accusations de plagiat, et se vengea par des observations critiques (on les lira en note dans Jean Piveteau, *op. cit.*, p. 309 et suivantes). Buffon avait annoncé dans le discours « De la manière... » qu'il suivrait dans son ouvrage l'ordre qu'il croit être celui de l'homme « qui s'éveille tout neuf pour les objets qui l'environnent » ; il le considère comme « le plus naturel de tous ».

Page 119.

62. *Le système nerveux, le cerveau* : comme nous l'avons dit (n. 57), c'est seulement dans « Les Animaux carnassiers », en 1758, que Buffon aborde avec prudence, et interrogativement, les questions délicates de la physiologie humaine, surtout celles du système nerveux et du cerveau. Il s'aidait d'un mémoire présenté à l'Académie des sciences en 1741 par La Peyronie (*Observations par lesquelles on tâche de découvrir la partie du cerveau où l'âme exerce ses fonctions)*, qui situait

l'âme dans le corps calleux ; mais il s'inspira aussi, vraisemblablement, du médecin Bordeu (ami de Diderot et futur personnage du *Rêve de d'Alembert*), dont les *Recherches sur les glandes*, écrites sans doute en 1749, avaient été publiées en 1751. Pour Bordeu, l'unité de l'organisme vivant est assurée par le cerveau agissant sur les nerfs. « Bordeu suppose que le battement des artères imprime au cerveau un mouvement perpétuel, que le cerveau transmet aux fibres nerveuses » (Jacques Roger, *op. cit.*, p. 624). Buffon s'inscrit en faux contre cette thèse, mais sans s'appuyer sur des observations médicales, en raisonnant. On lira donc ces pages comme l'exemple d'une contribution honnête à un débat scientifique ; on le retrouve dans les *Éléments de physiologie* de Diderot.

Page 125.

63. *Les passions* : nous en venons ou revenons, avec le « Discours sur la nature des animaux » qui ouvre le tome IV de 1753, à une sorte de psychologie à la manière de Descartes. Elle est dominée par l'opposition entre l'animal et l'homme, et aboutit à l'idéal du *sage*, « le seul qui soit digne d'être considéré ». De Sénèque à Montaigne et à Diderot règne le mythe de l'homme supérieur, nécessaire à l'optimisme des grands hommes, surtout dans une société de classes.

Page 129.

64. *Le rêve et l'imagination* : le « Discours » continue par une définition du moi : « La conscience de son existence, ce sentiment intérieur qui constitue le *moi*, est composé chez nous de la sensation de notre existence actuelle, et du souvenir de notre existence passée. » Après avoir, une fois de plus, opposé les êtres supérieurs, capables de comparer des sensations pour former des idées, aux hommes « stupides », Buffon définit la « puissance de réfléchir... refusée aux animaux » : « La conscience de notre existence étant donc composée, non seulement de nos sensations actuelles, mais même de la suite d'idées qu'a fait naître la comparaison de nos sensations et de nos existences passées, il est évident que plus on a d'idées, et plus on est sûr de son existence ; que plus on a d'esprit, plus on existe ; qu'enfin c'est par la puissance de réfléchir qu'a notre âme, et par cette seule puissance que nous sommes certains de nos existences passées et que nous voyons nos existences futures, l'idée de l'avenir n'étant que la comparaison inverse du présent au passé, puisque dans cette vue de l'esprit le présent est le passé, et l'avenir est présent. »

65. Distinguant deux espèces de mémoire, « la trace de nos idées » et la « réminiscence » ou « renouvellement de nos sensations », ce qui permet que les animaux puissent rêver eux aussi, Buffon décrit le rêve pendant lequel « on voit beaucoup, on entend rarement, on ne raisonne point, on sent vivement, les images se suivent, les sensations se succèdent sans que l'âme les compare ni les réunisse ; on n'a donc que des sensations et point d'idées, puisque les idées ne sont que les comparaisons des sensations ; ainsi les rêves ne résident que dans le sens intérieur matériel... »

Page 130.

66. *Le sens intérieur matériel* : voir la note précédente pour le sens de ce mot.

Page 133.

67. Il faudrait citer ici l'article XXI de l' « Essai d'arithmétique morale » (voir plus loin n. 159). Partant du calcul des probabilités, Buffon y analyse la sagesse de l'homme qui use raisonnablement de ses richesses...

Page 140.

68. « *Variétés dans l'espèce humaine* » : tel est le titre adopté dès 1749 pour la dernière partie de l' « Histoire naturelle de l'homme » (*Histoire naturelle,* tome III) ; elle finira par occuper la moitié de cet ensemble, car, plus encore que les textes précédemment cités, les « Variétés » vont s'enfler avec le temps. On ne peut ici en retenir que quelques pages significatives. Rappelons la clé : « Il n'y a eu originairement qu'une seule espèce d'hommes, qui s'étant multipliée et répandue sur toute la surface de la terre, a subi différents changements. »

69. *Les Nègres* : Buffon examine successivement les peuples de race jaune, les Sémites, les Méditerranéens, les Scandinaves et les Russes, et en vient aux variétés de la « race des noirs » : « Les premiers Nègres qu'on trouve sont donc ceux qui habitent le bord méridional du Sénégal. » Il y avait eu peu d'explorations récentes et sérieuses en Afrique dans la première moitié du siècle, et les « relations » étaient souvent peu objectives. Peut-être influencé, Buffon porte souvent un jugement d'esthétique ou de valeur intellectuelle. Le père Charlevoix n'était pas un véritable témoin, bien qu'il utilisât les rapports des intendants des colonies : il en déforme souvent l'esprit. Si Buffon met une majuscule au nom Nègres,

c'est qu'il désigne une variété importante de l'espèce. Rappelons que Buffon a protesté contre l'esclavage des noirs et les traitements qu'ils subissaient.

Page 142.

70. Ce paragraphe est la conclusion du texte de 1749. Buffon a tenu à réaffirmer, malgré toutes les diversités qu'il a exposées, l'unité de l'espèce humaine.

Page 143.

71. *Sauvages et société* : venant aux populations primitives du continent américain, Buffon souligne le petit nombre des « Sauvages », qui, pour toute l'Amérique du Nord, n'égale pas celui des Parisiens. C'est que « la multiplication des hommes tient encore plus à la société qu'à la nature, et les hommes ne sont si nombreux en comparaison des animaux sauvages que parce qu'ils sont réunis en société, qu'ils se sont aidés, défendus, secourus mutuellement ». On lira donc, après deux pages des « Variétés » de 1749 sur l' « homme sauvage », une diatribe de 1753 contre la possibilité d'une société d'animaux (les abeilles, alors appelées mouches, comme encore de nos jours dans la Bourgogne de Buffon), puis des pages de 1758 sur l'état de nature.

Page 145.

72. *Contre la société des mouches* : extrait du « Discours sur la nature des animaux », tome IV de l'*Histoire naturelle,* 1753. Pour Buffon, l'animal est « en troupe », alors que l'homme est « en société ».

Page 146.

73. Le mot *mouches* est employé ici par dérision. Buffon va se moquer de Réaumur, auteur de l' « Histoire des abeilles », cinquième (1740) des six volumes qu'il a consacrés à l'*Histoire naturelle des insectes.*

Page 147.

74. Citation de Réaumur.

75. Une *Théologie des insectes,* due à l'Allemand Lesser, avait été traduite en 1742. Depuis le début du siècle, la mode était aux ouvrages « démontrant » la sagesse de Dieu par les merveilles de la nature et le nom de Lesser est un des trois cités par Maupertuis dans son *Essai de cosmologie* en 1750. La

bataille contre les mouches, digne de Swift, a évidemment une portée métaphysique.

Page 152.

76. *L'état de nature* : extrait de « Les animaux carnassiers », tome VII de l'*Histoire naturelle,* 1758. Les mêmes idées seront reprises dans la « Nomenclature des singes », en 1766.

Page 154.

77. Buffon le désigne en note : « M. Rousseau ». En 1758, il y a trois ans qu'a paru son discours sur l'*Origine de l'inégalité,* qui contient son « utopie » sur l'homme primitif, et c'est l'année de sa rupture avec Diderot.

Page 158.

78. Buffon renvoie en note à « l'article du Bœuf » (que nous n'avons pas retenu), où il attaque aussi les excès alimentaires.

Page 159.

79. La condamnation du monachisme est courante chez les encyclopédistes, mais Buffon porte l'attaque en naturaliste, semble ne songer qu'aux hommes, et évoque le témoignage des peintres. Il condamnera le célibat des moines dans son *Supplément* de 1777 à l'article « Puberté ».

80. Cette « *Addition* » au dernier « *article* » de l' « Histoire naturelle de l'homme », comprise dans le *Supplément* de 1777 (tome IV), occupe, dans l'édition de Michèle Duchet, 84 pages sur 367. Elle contient en effet de longues citations tirées des récits de voyages récents, qui contredisent bien des affirmations de 1749 (voir n. 69). Elle révèle un souci d'actualisation chez le savant, mais aussi une certaine curiosité d'anthropologue ou d'ethnologue (nous citerons des extraits du long passage consacré à Tahiti), qui n'empêche pas Buffon de maintenir sa théorie sur l'unité de l'espèce humaine (d'où son intérêt pour les nègres blancs, dont nous donnerons une idée).

Page 160.

81. Wallis avait commandé l'expédition anglaise envoyée à la conquête des îles Malouines en 1766, et précédé Cook dans le Pacifique. Sa *Relation* avait été groupée avec d'autres dans la collection due à Hawkesworth en 1774, et utilisée par Buffon (la citation est au tome III, p. 186). — Nous allons

donner, pour une fois, un exemple des nombreux et longs extraits dont se sert Buffon dans une sorte d'expérimentation sur documents écrits, un peu comme il se sert des reproductions d'animaux. Les textes qu'il cite sont, dans l'originale, imprimés en caractères plus petits que son propre texte, et sans guillemets.

Page 161.

82. Buffon note : « On peut voir au Cabinet du roi une toilette entière d'une femme d'Otahiti. »

83. Le *Voyage autour du monde* de Bougainville parut en 1771 (il a enfin été réédité scientifiquement, en 1982, par Jacques Proust, dans Folio). Bougainville, qui a accrédité définitivement le nom de Tahiti, était revenu de son expédition en 1769, en ramenant un Tahitien, qui devient un personnage de Diderot dans le *Supplément au voyage de Bougainville* (voir *Le Neveu de Rameau,* Folio).

Le chapitre du *Voyage* qu'allègue Buffon est le troisième de la seconde partie. La phrase qui suit s'inspire d'un passage qui précède immédiatement une page que Buffon cite intégralement (Folio, p. 252). Il en cite un autre avec quelques coupures et une addition finale : retenant avant tout ce qui concerne la femme, il précise l'évocation finale des *contours* du corps des Tahitiennes : ils « n'ont point été défigurés par quinze ans de torture », devient : « qui ne sont pas déformés comme en Europe par quinze ans de torture du maillot et des corps » (voir notre note 35).

Page 162.

84. *Voyage,* éd. Folio, p. 254. Buffon tente une explication historique, mais en revient à l'idée d'une « mode comme à Paris ».

85. Phrase légèrement modifiée et raccourcie (même page).

86. Cette phrase est extraite d'un passage situé quatre pages plus loin, après des considérations sur la religion : « La polygamie paraît générale chez eux, du moins parmi les principaux. Comme leur seule passion est l'amour, le grand nombre des femmes est le seul luxe des riches » (Folio, p. 258).

87. La nécessité de cette confirmation ne doit pas faire croire de la part de Buffon à une certaine méfiance pour Bougainville mais répond au souci scientifique : il cite Cook aussi longuement que le voyageur français. Nous nous contentons d'un passage, dont Buffon lui-même donne la

référence : « *Voyage autour du monde*, par le capitaine Cook, t. II, chap. 17 et 18. »

Page 163.

88. L'intérêt de Buffon pour les nègres blancs provient donc du souci de défendre, contre une objection de fait, sa théorie expliquant les variétés dans l'espèce humaine par le climat. Dans son texte de 1749, il avait constaté l'existence de ces « blancs », d'abord chez les Hottentots, et puis chez les « Chacrelas de Java » et les « Bedas de Ceylan », et surtout dans l' « isthme de l'Amérique » ; et il affirmait déjà : « Ces hommes blancs ne sont en effet que des individus qui ont dégénéré de leur espèce. » Alors que Voltaire s'obstinait à croire à une « espèce blafarde » (il faut dire que le nom *Albinos* servait alors à désigner un peuple d'Amérique), Buffon fut appuyé scientifiquement par De Pauw dans ses *Recherches philosophiques sur les Américains* (« Des Blafards et des Nègres blancs », section I de la 4e partie). Le Schreber qui sera cité plus loin est l'auteur d'une *Histoire naturelle des Quadrupèdes*.

Page 165.

89. Buffon consacre quatre pages à Geneviève, pour démontrer que « ces blafards ne forment point une race réelle », et encore dix pages à des « nègres pies, c'est-à-dire marqués de blanc et de noir par de grandes taches ». — La référence, qui précède, à l'*Histoire philosophique et politique des deux Indes*, œuvre célèbre de Raynal à laquelle Diderot a beaucoup collaboré, est au tome III, p. 151.

Page 166.

90. *Méthode et théorie* : dans la suite de ce volume ont été groupés d'abord des textes concernant le double aspect de la pensée de Buffon : méthode scientifique précise, effort pour considérer le domaine entier de sa réflexion. Viendront ensuite des extraits retraçant chronologiquement ses thèses sur la question des espèces et le transformisme. Enfin suivront, groupées, des pages consacrées à l'histoire du monde et de la terre.

91. *Difficultés* : extrait du « Premier discours » (tome I de l'*Histoire naturelle*) de 1749, « De la manière d'étudier et de traiter l'histoire naturelle », déjà cité p. 2. Le pronom « il » désigne ici l'homme.

Page 167.

92. Jean Piveteau rapproche ce passage des textes où Leibnitz, au nom de la loi de continuité, pose le principe d'une seule chaîne des êtres, dont les anneaux sont difficiles à distinguer l'un de l'autre.

Page 168.

93. *Critique* : la « Théorie de la terre », qui occupe une grande partie du tome I de l'*Histoire naturelle* (1749), est suivie des « Preuves de la théorie de la terre », composées de dix-neuf « articles », dont les huit premiers sont un examen des « systèmes » les plus connus alors. Nous donnons quelques passages où Buffon révèle à la fois son esprit scientifique et ses talents de polémiste caustique.

94. Ce paragraphe, daté par Buffon du 20 septembre 1745, est le dernier de l'article I. La suite est extraite de l'article II, consacrée à l'examen du système de Whiston. William Whiston (1667-1752) avait succédé à Newton dans la chaire de mathématiques de Cambridge. Il soutint une religion « naturelle » fondée sur une cosmogonie. Son livre examiné ici est *A New Theory of the Earth* (1708) et Buffon a déjà écrit : « il traite cette matière en théologien controversiste plutôt qu'en philosophe éclairé ».

Page 169.

95. Nous ne donnons que la conclusion de l'article III, consacré à la critique de la *Telluris theoria sacra* (Londres, 1681), souvent rééditée dans la traduction anglaise. Thomas Burnet (1635-1715), selon Buffon, « sait peindre et présenter avec force de grandes images et mettre sous les yeux des scènes magnifiques », mais « son raisonnement est petit, ses preuves sont faibles, et sa confiance est si grande qu'il la fait perdre à son lecteur ».

Page 170.

96. Il s'agit, à l'article IV, du système de John Woodward (1665-1728), auteur d'un *Essay towards the Natural History of the Earth* (1695). « Il a voulu élever un monument immense sur une base moins solide que le sable mouvant. »

97. Louis Bourguet (mort en 1742), professeur de mathématiques et de philosophie à l'Université de Neuchâtel en Suisse, auteur d'un *Mémoire sur la théorie de la terre* (Amsterdam, 1729), avait, dès 1733, par l'intermédiaire de Bouhier,

participé à un débat avec Buffon sur la présence des « animalcules dans la semence des femelles ».

Page 172.

98. L'argument est spécieux, s'il s'agit non de l'histoire de la terre, mais de celle des espèces. Mais Buffon, dans la « Conclusion » de ses « Preuves » (tome I), va admettre des « révolutions » et marquer des limites. Nous citerons le passage suivant.

Page 173.

99. *« De la reproduction en général »* : dès ce second chapitre de l' « Histoire générale des animaux » (*Histoire naturelle,* tome II, 1749), est posé le problème fondamental pour la « théorie » de Buffon, la reproduction ou « génération » ; c'est que la continuité du vivant dans le temps passe avant des problèmes comme celui de la classification des êtres vivants.

100. *Rassemblons des faits pour nous donner des idées* : cette formule est passée à la postérité.

101. Il ne s'agit pas du *pourquoi,* ni même du *comment* dans chaque espèce, mais d'une explication générale, c'est-à-dire, selon Jean Piveteau, du « premier essai de biologie générale ».

Page 174.

102. Idée commune à beaucoup de naturalistes du temps, comme Réaumur et, plus tard, Charles Bonnet. Mais on constate ici la « raison » pour laquelle a été adoptée la fiction d'un assemblage d' « individus » minuscules : il s'agit d'expliquer la « reproduction » exacte d'un ensemble par la libération d'un de ses éléments.

103. Buffon cite en note (en latin) une observation de Leeuwenhoeck, célèbre utilisateur du microscope.

Page 175.

104. Jacques Roger note que l'analogie avec les grains de sel rappelle l'homéomérie d'Anaxagore, reprise par Lucrèce (*De la nature des choses,* I, 830-845), mais ces « parties organiques » annoncent les molécules.

105. Buffon examine ensuite les objections qu'il attend, sur l'idée d'infini par exemple. Mais il refuse les germes préexis-

tants, écarte les causes finales, et toute la confusion entre effets et causes.

Page 177.

106. Buffon essaie alors de calculer « ce qu'un seul germe pourrait produire, si l'on mettait à profit toute sa puissance productrice ».

Page 178.

107. Rectification essentielle : si toute matière a été vivante, cela suppose une vie initiale de toute matière.

108. Première phrase du chapitre III intitulé « De la nutrition et du développement ».

Page 181.

109. Après avoir écarté les abstractions de Platon et de Malebranche (« son simulacre » en philosophie), Buffon consacre le très long chapitre V, daté de 1746, à « une philosophie plus matérielle », l'examen des « systèmes sur la génération », confrontés avec des expériences in vitro sur le rôle du mâle et de la femelle, sur l'action de leurs testicules (le mot servait pour les deux sexes). Il se déclare partisan de la doctrine de la « double semence » contre les animalculistes et les ovistes. Deux ans plus tard, il donne une conclusion à l' « Histoire générale des animaux ».

Page 188.

110. *D'une espèce à l'autre* : après le problème de la reproduction-génération à l'intérieur d'une même espèce, le plus important est celui de la distinction entre les espèces : sont-elles séparées définitivement dès leur apparition, et ne peuvent-elles alors que « dégénérer » ? Nous avons déjà vu (« Variétés dans l'espèce humaine ») que Buffon tient, a priori, pour une étanchéité et une permanence des espèces, indispensables sans doute pour en justifier l'étude scientifique. La « reproduction constante est ce qui justifie l'espèce ». Mais cette position va s'assouplir après 1749 et surtout de 1753 à 1776, au long de l'examen des animaux ; elle évoluera, si l'on peut dire, d'une espèce à l'autre.

111. « *Le cheval* » et « *L'âne* » sont présentés dans « Les Animaux domestiques », au tome IV, paru en 1753. L'article du cheval peut être lu soit comme un brillant portrait de cet animal dont le port est digne du cavalier aristocratique, soit

comme une étude économique du principal outil de travail de la société rurale, soit (notre extrait) comme la preuve d'une thèse biologique.

Page 191.

112. Une note de Buffon indique Linné, qui nomme *Equus* aussi bien l'âne que le cheval, en les distinguant seulement par la queue.

Page 199.

113. « *La chèvre* » fait elle aussi partie des « Animaux domestiques », mais l'article parut au tome V, en 1755, et il marque un pas décisif vers la reconnaissance d'espèces voisines, entre lesquelles subsiste seulement « l'espace nécessaire pour tirer la ligne de séparation ».

Page 201.

114. « *Le rat* » : *Histoire naturelle,* tome VII, 1758. La condamnation de l'idée de « genres », qui est considérée dans « *Le rat* » comme abstraite, sera rectifiée en 1761.

Page 202.

115. L'article du « *Lion* » parut au tome IX de l'*Histoire naturelle,* en 1761, ainsi que l'article « *Les tigres* ».

Page 203.

116. Cette affirmation de l'unité de la seule espèce humaine (il en a pourtant étudié les « Variétés » en 1749 et y reviendra en ethnologue) entraîne une condamnation du racisme et une réprobation de la colonisation. L'abbé Galiani protestera, au nom de la supériorité de la race blanche.

Page 207.

117. *Conclusions* : nous extrayons du chapitre « Animaux communs aux deux continents » (*Histoire naturelle,* tome IX, 1761) un passage des observations générales. Selon Jacques Roger, « il est remarquable que ce texte soit précisément contemporain de l'histoire naturelle du lion et semble en condamner les conjectures sur le passé des espèces ». Mais les « regards en arrière » sur l'histoire de la nature doivent être séparés de « la description du présent » (*op. cit.,* p. 574). Ces « regards » vont aboutir aux grandes « vues » dont nous

donnerons une idée dans la partie de ce volume consacrée à l'histoire du monde.

Page 211.

118. « *Le bouquetin, le chamois et les autres chèvres* » : paru trois ans plus tard, dans le tome XII de l'*Histoire naturelle* (1764), cet article pose de nouveau, en termes beaucoup plus mesurés, la question de l'espèce. Les croisements sont parfois possibles. L'unité d'origine n'est pas réservée aux variétés d'une même espèce, et certaines de celles-ci ne concernent qu'un sexe. D'où une conclusion assez éloignée des principes posés quinze ans plus tôt.

Page 213.

119. *Des variétés à la « parenté d'espèce »* : les espèces, l'espèce, la famille, le genre, la variété restent les sujets permanents de la réflexion de Buffon. Le tome XIV est, en 1766, l'avant-dernier de l'*Histoire naturelle* (1749-1767) où ont été étudiés les « animaux ». Les *Oiseaux*, commencés en 1770, dureront jusqu'en 1783, mais Buffon ne s'en occupera guère : il prépare le *Supplément* qui commence à paraître en 1774 ; dans le troisième volume, en 1776, il en reviendra aux animaux quadrupèdes. Entre 1764 et 1766, il semble y avoir déjà un retour en arrière et un éclaircissement.

120. « *Nomenclature des singes* » : le tome XIV est partagé entre la « Nomenclature des singes » et le discours « De la dégénération des animaux ». Ce n'est pas un hasard si les singes ont été réservés pour la fin, et dans une certaine symétrie par rapport à l'homme. Qu'est-ce qui les sépare l'un de l'autre ? Le singe est-il un bipède ou un quadrupède ? Buffon juge nécessaire d'en revenir aux principes, tout en en reconnaissant l'insuffisance.

Page 215.

121. On songe au mythe de Pygmalion, et surtout à l'*Entretien avec d'Alembert*, où Diderot considérera le marbre de la statue comme un possible élément de l'humus qui nourrit des êtres organisés.

Page 216.

122. Buffon, repartant de Newton, va résumer sa « théorie » avec une précision et un esprit synthétique assez rares pour que le passage soit cité intégralement.

Page 218.

123. Ce retour aux principes, on le verra, est déterminé par la volonté de distinguer à tout prix les hommes des singes, qui ne doivent pas être considérés comme une variété de l'espèce humaine.

Page 221.

124. Buffon consacre ensuite de longues pages à un parallèle de l'homme et du singe quant à l'enfance et à l'éducation.
125. Voir plus haut, n. 70 et 71.

Page 223.

126. Buffon emploie lui-même les mots *naturel* et *naturellement* avec cette valeur.
127. « *De la dégénération des animaux* » : tel est le titre de ce chapitre de soixante pages, véritable « discours », qui termine le tome XIV ; Buffon voulait y rassembler ses idées en repartant de ce qu'il disait en 1749 à propos de l'espèce humaine. Le mot « dégénération » a une double valeur (voir la préface), il maintient l'idée d'une permanence de l'espèce, mais laisse entendre qu'elle varie quand même.

Page 224.

128. N'oublions pas que Buffon a défendu les noirs contre les horreurs de la colonisation.

Page 225.

129. Buffon passe ensuite en revue un certain nombre de cas de « dégradation de l'espèce originelle » (du mouflon à la brebis), puis des modifications dues à la nourriture (le bœuf), au climat (le chien), à la « domesticité » (le chameau), à la petite taille (les « animaux libres »), puis en revient à l'âne, au lièvre, à l'élan, à l'éléphant... C'est alors que semble se produire un infléchissement.

Page 228.

130. Phrase célèbre, dont le sens n'a pas toujours été compris exactement. La « dégénération » est opposée aux altérations qu'on vient d'examiner (voir la note précédente). Ce qui est appelé « famille » ou « genre » est une parenté entre certaines espèces (celles qui ne sont pas « simples ») : elles ont des « tiges collatérales », ce qui permet un métis-

sage, des « hybrides », des « mulets ». Question sérieuse à laquelle Buffon consacre plusieurs pages.

Page 230.

131. Buffon donne en note ses références à Aristote et à Pline l'ancien, en distinguant même chez Aristote deux sens pour le mot *ginnus*.

Page 234.

132. Tous ces conseils sont dans l'esprit de l'*Encyclopédie* et des traités d'élevage : la recherche de nouvelles espèces domestiques utiles, par hybridation, sera illustrée plaisamment par les chèvre-pieds du *Rêve de d'Alembert*.

Page 235.

133. *Une nuance entre les ordres* : nous donnons ce titre d'après une formule qu'on va lire à deux pages du tome I de l'*Histoire naturelle des oiseaux*, publié en 1770. Passant de l'ordre des quadrupèdes à celui des oiseaux, Buffon est obligé d'admettre des groupes beaucoup plus complexes que les espèces, et de constater même des ressemblances entre des espèces appartenant à deux ordres différents : l'autruche et le chameau... On passe de l'image d'une chaîne à celle des rameaux d'un arbre. Et où placer dans ces rameaux les oiseaux qui ne peuvent voler ?

Page 238.

134. *La parenté d'espèce* : le tome III du *Supplément*, publié en 1776, est consacré tout entier aux « mulets », c'est-à-dire aux hybrides. La page fort connue que nous citons est une mise au point, facilitée par l'emploi de l'expression « parenté d'espèce ». Buffon va passer avec confiance de la reconnaissance d'un mystère provisoire à l'affirmation enthousiaste du génie humain, apte à discerner peu à peu toutes les puissances de la nature...

Page 241.

135. *L'histoire du monde* : « Des époques de la nature », publié en 1778 dans le tome V du *Supplément* à l'*Histoire naturelle*, était accompagné d'Additions à la « Théorie de la Terre », publiée dès 1749 et comprenant elle-même, avec une « Histoire et théorie de la Terre », des « Preuves » très détaillées (voir nos extraits sur la méthode, p. 166 et suiv.). Buffon y débattait de grandes questions posées par les

observations des précurseurs de la paléontologie : la présence de coquilles dans les montagnes confirme le mythe du déluge, la découverte d'ivoire en Sibérie suggère l'idée d'une modification de la température terrestre ; bref, la terre a une très longue histoire, qu'il faut inclure dans celle de la nature ou du monde. Buffon apporte maintenant le résultat de ses recherches personnelles : la page qui suit est la troisième addition aux « Preuves » (elle se réfère à une page du tome I) et nous la faisons suivre de la septième « note justificative » aux « Époques de la nature ».

136. L'oasis d'Ammon, en Libye, possédait un temple et une statue de Jupiter et ce dieu portait des cornes de bélier : on a appelé longtemps « cornes d'ammon » les ammonites, ou plutôt ammonitidés, mollusques tous fossiles dont les coquilles sont emplies de terrains primaires ou secondaires, de calcaire, de fer par exemple. On en connaît de nos jours au moins 4 000 espèces.

Page 242.

137. Aisy-sur-Armançon, à 5 km à l'ouest de Buffon, sur la route de Paris. Étivey est à 7 km à l'ouest d'Aisy sur la route de Noyers. Voir la carte p. 259.

Page 243.

138. Les bélemnites sont des mollusques fossiles dont la coquille est faite de calcaire. Les géologues leur accordent encore une grande importance.

139. C'est une des planches jointes aux « Époques de la nature ». Ces dents sont celles d'un mastodonte, mammifère fossile.

140. La septième « note justificative » aux « Époques de la nature » se réfère à un passage consacré aux « anciens éléphants » attestés par la découverte de fossiles. Nous n'en donnons que le début.

Page 244.

141. Joseph-Nicolas Delisle, frère du célèbre géographe prénommé Guillaume, mourut en 1768 (il ne semble pas qu'il s'agisse de Louis Delisle, qui mourut en 1741 à Petropavlovsk dans la presqu'île du Kamtchatka en Sibérie). Buffon rapporte des faits datant au moins de dix ans.

Page 245.

142. Au début du « Premier discours » qui introduit les « Époques », Buffon commence par distinguer l' « Histoire

civile » de l' « Histoire naturelle », puis pose le principe même d'une histoire.

143. Le mot *époque* n'est attesté en français, semble-t-il, qu'à partir du XVIIe siècle. Bossuet l'avait employé dans son *Histoire universelle* pour marquer des événements remarquables, comme la naissance de Jésus.

Page 247.

144. On ne peut mieux résumer le passage de l'observation à la vision. Nous lirons l'exposé du deuxième des « moyens », les « monuments de la nature ».

Page 248.

145. Bien entendu, Buffon a confondu le mammouth avec l'éléphant. « Les Éléphants et les Rhinocéros dont on découvre les ossements dans les terres septentrionales de l'Europe et de l'Asie ne sont point de la même espèce que les Éléphants et les Rhinocéros qui vivent aujourd'hui dans les terres du midi. Quant à l'Hippopotame, il n'a jamais été trouvé dans les régions boréales. »

Page 249.

146. Suivent plusieurs pages sur la question, alors fort débattue, de la présence dans les « contrées du Nord » d'ossements des espèces des « contrées du midi ». Elle prouve un changement de climat, donc la possibilité d'une formation de la terre dans le monde et de la vie sur la terre par l'effet d'un refroidissement...

147. Une grande partie des mémoires contenus dans les deux premiers tomes du *Supplément* sont consacrés à des expériences sur le feu, la chaleur et la lumière,... en liaison avec des expériences de fusion dans les forges. Mais, de même que ses *Réflexions sur la loi d'attraction* l'avaient entraîné dans le domaine de l'astronomie, Buffon se laisse aller à donner la preuve de ses connaissances en la matière. Il en vient alors à dresser le tableau de ses six époques.

Page 253.

148. *Le moule intérieur a conservé sa forme et n'a point varié* : faut-il constater ici un retour, au moins apparent, vers un certain fixisme des espèces ? Cette phrase a donné lieu à maint commentaire sur les rapports de Buffon et du « transformisme ». Voir notre préface.

Page 254.

149. Buffon se tire donc des difficultés dont il avait tenu compte jusqu'en 1776 en expliquant la « dégénération » uniquement par le refroidissement. On retombe dans un monde gullivérien transposé dans le temps, et l'analogie a bon dos...

150. Nous laissons les dernières pages de ce « Discours », consacrées à un effort pour « concilier à jamais la science de la nature avec celle de la théologie » ; autrement dit à établir un pont de Buffon à Bossuet. Nous écarterons les deux premières « époques » (Première époque. « Lorsque la terre et les planètes ont pris leur forme. » Seconde époque. « Lorsque la matière s'étant consolidée a formé la roche intérieure du globe, ainsi que les grandes masses vitrescibles qui sont à sa surface »), et nous lirons, vers la fin de la Troisième époque (Troisième époque. « Lorsque les eaux ont couvert nos continents ») un résumé où l'on retrouve les principales thèses chères à l'auteur.

Page 256.

151. Ce chiffre a été avancé en tête de la Troisième époque. Buffon hésitait beaucoup, comme le montre son manuscrit, où l'on trouve « 25 ou 26 000 », corrigé en « 700 000 » puis en « un million ». Dans la Sixième époque, il dira à propos des glaces : « il s'écoulera encore 99 000 ans avant qu'elles ne s'étendent ».

Page 257.

152. *Géologie régionale : la montagne de Langres* : la Quatrième époque est intitulée : « Lorsque les eaux se sont retirées et que les volcans ont commencé d'agir. » Il y est question d'abord des volcans : « La surface de la Terre nous présente en mille endroits les vestiges et les preuves de l'existence de volcans éternels ; dans la France seule, nous connaissons les vieux volcans de l'Auvergne, du Velay, du Vivarais, de la Provence et du Languedoc. » Mais peu de place est donnée aux tremblements de terre et autres secousses, qui ne sont qu'une « cause accidentelle », car la « cause générale » est celle de l'eau, « subséquente à celle du feu primitif ». Comment alors mieux évoquer ce qui a suivi la « retraite des eaux » que par une description de son propre pays de Bourgogne, ou plutôt de ce que nous appelons le plateau de Langres, qui unit Buffon à Diderot ? L'importance du texte est

illustrée par une carte spéciale (p. 259), que le lecteur, si la région l'intéresse, complétera aisément en s'amusant à identifier les noms, dont seule a changé la graphie.

Page 260.

153. Buffon a cru à cette correspondance des angles, qui ne tient pas compte du creusement des vallées par les rivières (voir l'édition Gohau des *Époques,* p. XVI-XVII et p. 132, note).

Page 268.

154. *L'homme apparaît, découvre et transforme la nature* : la Cinquième époque est intitulée : « Lorsque les éléphants et les autres animaux du midi ont habité les terres du Nord. » Buffon y tente une histoire, assez embarrassée, de ce qu'ont donné ses « molécules ». Mais il en vient à la date de l'apparition de l'homme, le dernier arrivé ou « créé ».

Page 272.

155. Le titre de la Sixième époque, « Lorsque s'est faite la séparation des continents », ne laisse pas deviner quelle utilisation fait Buffon des récits de géographes et d'explorateurs. Il donne aux mouvements telluriques l'importance qu'il niait plus haut, ainsi qu'aux phénomènes consécutifs à l'écoulement des grands fleuves, comme le débit du Nil. Il s'intéresse à la Guyane, aux Antilles, et prédit les transformations futures des continents. Il donne beaucoup de place aux explorations maritimes dans la découverte du monde par les hommes civilisés. La note 32 donne une idée de ses observations : elles portent sur la possibilité d'un passage maritime, au nord de la Sibérie, jusqu'au détroit de Behring. En se terminant dans cette perspective, la Sixième époque conduit à la Septième.

Page 273.

156. « Lorsque la puissance de l'homme a secondé celle de la nature », tel est le titre de la Septième époque, qui, selon l'état du manuscrit, où elle ne figure pas, fut composée après réflexion. Il s'agissait, en effet, d'évoquer ce que la nature, ou le monde, ou la terre a dû au passage de la barbarie aux arts et aux sciences. Buffon retrace d'abord les premières découvertes des Chaldéens, des Brames, des Chinois, des Grecs. « Mais malheureusement elles ont été perdues, ces hautes et belles sciences, elles ne nous sont parvenues que par débris

trop informes pour nous servir autrement qu'à reconnaître leur existence passée » ; il regrette, comme tous les philosophes des Lumières, « la perte des sciences, cette première plaie faite à l'humanité par la hache de la barbarie ». L'évocation des transformations de la nature par l'homme est assez courte mais porte sur deux points essentiels.

Page 277.

157. Comment l'homme peut-il transformer la nature ? On a vu qu'il modifie (dégénère ?) les espèces des animaux domestiques. Mais, hypothèses qui pour l'époque étaient de la science-fiction, ne pourrait-il :

1) changer la nature elle-même, en influant sur le climat ?
2) transformer sa propre espèce ?

Telles sont les questions que Buffon a l'audace d'aborder dans la Septième époque, et par exemple dans la 37e note.

Page 278.

158. Ici commence la conclusion des « Époques de la nature ». C'est le point le plus élevé de la spéculation sur la possibilité, pour l'homme, de transformer la nature, *sa* nature.

Page 281.

159. *La mort de l'épicurien* : épicurien, Buffon l'a été par l'art de jouir de la vie : on en voit la preuve dans l'article XXI de l' « Essai d'arithmétique morale », publié en 1777 dans le tome IV du *Supplément* (cet article ne fait pas partie des éléments très anciens, dont l' « Essai » fut surtout composé ; voir l'édition par Jacques Roger dans *Un autre Buffon*)... Ce texte peut être taxé de bonne conscience paternaliste, mais il y a plus de générosité dans la conclusion (1788) de l'*Histoire des minéraux* que nous donnons pour terminer ; Buffon y amalgame une vision de la fin du monde par le froid et la confiance la plus chaleureuse dans la postérité des interprètes de la nature : « D'autres viendront après moi... »

Préface de Jean Varloot 7

HISTOIRE NATURELLE
DE LA TECHNIQUE A LA SCIENCE

« Expériences sur la manière de tanner les cuirs » (1736) 35
« De la manière d'étudier et de traiter l'histoire naturelle » (1749) 37

UNE NATURE ANIMALE

Les animaux et le monde
« *Comparaison des animaux et des végétaux* » *(1749)* 46
L'homme et les animaux
« *Les animaux domestiques* » *(1753)* 51
« *Les animaux sauvages* » *(1756)* 53
« *Les animaux carnassiers* » *(1758)* 60

DE L'HOMME

« De l'enfance » (1749) 63
« De la puberté » (1749) 74
Circoncision, infibulation, castration 75
Virginité, mariage 81

« De l'âge viril » (1749)
« Description de l'homme » 91
La beauté des femmes 97
« De la vieillesse et de la mort » (1749) 100
« Du bonheur dans l'âge avancé » (1777) 104
« De la nature de l'homme » (1749) 108
« Des sens en général » (1749) 113
Le système nerveux, le cerveau (1758) 119
Les passions (1753)
Plaisir, douleur ; bonheur du sage 125
Le rêve et l'imagination 129
« Homo duplex » 133
« Variétés dans l'espèce humaine »
Les Nègres (1749) 140
Sauvages et société (1749) 143
Contre la société des mouches (1753) 145
L'état de nature (1758) 152
« Addition à l'article précédent » (1777) 159
Les Tahitiens (1777) 160
La négresse blanche (1777) 163

MÉTHODE ET THÉORIE (1749)

Une méthode
Difficultés 166
Critique 168
Conclusion 172
Une théorie
« De la reproduction en général » 173
« Récapitulation » 181

D'UNE ESPÈCE À L'AUTRE

Du prototype à la variété
« Le cheval » (1753) 188

« L'âne » (1753) 189
« La chèvre » (1755) 199
« Le rat » (1758) 201
« Le lion » (1761) 202
« Les tigres » (1761) 205
Conclusions (1761) 207
« Le bouquetin, le chamois et les autres chèvres » (1764) 211
Des variétés à la « parenté d'espèce »
« Nomenclature des singes » (1766) 213
« De la dégénération des animaux » (1766) 223
« Une nuance entre les ordres (1770) 235
La parenté d'espèce (1776) 238

L'HISTOIRE DU MONDE (1778)

Coquillages et défenses
« Sur les grandes volutes appelées cornes d'ammon, *et sur quelques grands ossements d'animaux terrestres »* 241
« Des époques de la nature » 245
Géologie régionale : la montagne de Langres 257
Carte 258
L'homme apparaît, découvre et transforme la nature 268

LA MORT DE L'ÉPICURIEN (1777, 1788) 281

HÉRAULT DE SÉCHELLES : VOYAGE À MONTBARD (1785) 287

DOSSIER

Chronologie 303
Notice 308
Bibliographie 310
Notes 313

COLLECTION FOLIO

Dernières parutions

2261.	Ernst Weiss	*Le témoin oculaire.*
2262.	John Le Carré	*La Maison Russie.*
2263.	Boris Schreiber	*Le lait de la nuit.*
2264.	J. M. G. Le Clézio	*Printemps et autres saisons.*
2265.	Michel del Castillo	*Mort d'un poète.*
2266.	David Goodis	*Cauchemar.*
2267.	Anatole France	*Le Crime de Sylvestre Bonnard.*
2268.	Plantu	*Les cours du caoutchouc sont trop élastiques.*
2269.	Plantu	*Ça manque de femmes !*
2270.	Plantu	*Ouverture en bémol.*
2271.	Plantu	*Pas nette, la planète !*
2272.	Plantu	*Wolfgang, tu feras informatique !*
2273.	Plantu	*Des fourmis dans les jambes.*
2274.	Félicien Marceau	*Un oiseau dans le ciel.*
2275.	Sempé	*Vaguement compétitif.*
2276.	Thomas Bernhard	*Maîtres anciens.*
2277.	Patrick Chamoiseau	*Solibo Magnifique.*
2278.	Guy de Maupassant	*Toine.*
2279.	Philippe Sollers	*Le lys d'or.*
2280.	Jean Diwo	*Le génie de la Bastille (Les Dames du Faubourg, III).*
2281.	Ray Bradbury	*La solitude est un cercueil de verre.*
2282.	Remo Forlani	*Gouttière.*
2283.	Jean-Noël Schifano	*Les rendez-vous de Fausta.*

2284. Tommaso Landolfi — *La bière du pecheur.*
2285. Gogol — *Taras Boulba.*
2286. Roger Grenier — *Albert Camus soleil et ombre.*
2287. Myriam Anissimov — *La soie et les cendres.*
2288. François Weyergans — *Je suis écrivain.*
2289. Raymond Chandler — *Charades pour écroulés.*
2290. Michel Tournier — *Le médianoche amoureux.*
2291. C.G. Jung — *“ Ma vie ” (Souvenirs, rêves et pensées).*
2292. Anne Wiazemsky — *Mon beau navire.*
2293. Philip Roth — *La contrevie.*
2294. Rilke — *Les Carnets de Malte Laurids Brigge.*
2295. Vladimir Nabokov — *La méprise.*
2296. Vladimir Nabokov — *Autres rivages.*
2297. Bertrand Poirot-Delpech — *Le golfe de Gascogne.*
2298. Cami — *Drames de la vie courante.*
2299. Georges Darien — *Gottlieb Krumm (Made in England).*
2300. William Faulkner — *Treize histoires.*
2301. Pascal Quignard — *Les escaliers de Chambord.*
2302. Nathalie Sarraute — *Tu ne t'aimes pas.*
2303. Pietro Citati — *Kafka.*
2304. Jean d'Ormesson — *Garçon de quoi écrire.*
2305. Michel Déon — *Louis XIV par lui-même.*
2306. James Hadley Chase — *Le fin mot de l'histoire.*
2307. Zoé Oldenbourg — *Le procès du rêve.*
2308. Plaute — *Théâtre complet, I.*
2309. Plaute — *Théâtre complet, II.*
2310. Mehdi Charef — *Le harki de Meriem.*
2311. Naguib Mahfouz — *Dérives sur le Nil.*
2312. Nijinsky — *Journal.*
2313. Jorge Amado — *Les terres du bout du monde.*
2314. Jorge Amado — *Suor.*
2315. Hector Bianciotti — *Seules les larmes seront comptées.*
2316. Sylvie Germain — *Jours de colère.*
2317. Pierre Magnan — *L'amant du poivre d'âne.*
2318. Jim Thompson — *Un chouette petit lot.*

2319.	Pierre Bourgeade	*L'empire des livres.*
2320.	Émile Zola	*La Faute de l'abbé Mouret.*
2321.	Serge Gainsbourg	*Mon propre rôle, 1.*
2322.	Serge Gainsbourg	*Mon propre rôle, 2.*
2323.	Thomas Bernhard	*Le neveu de Wittgenstein.*
2324.	Daniel Boulanger	*Mes coquins.*
2325.	Albert Camus	*La mort heureuse.*
2326.	Didier Daeninckx	*Le facteur fatal.*
2327.	Jean Delay	*Avant Mémoire I.*
2328.	Romain Gary	*Adieu Gary Cooper.*
2329.	Alfred de Vigny	*Servitude et grandeur militaires.*
2330.	Patrick Modiano	*Voyage de noces.*
2331.	Pierre Moinot	*Armes et bagages.*
2332.	J.-B. Pontalis	*Loin.*
2333.	John Steinbeck	*La coupe d'or.*
2334.	Gisèle Halimi	*La cause des femmes.*
2335.	Khalil Gibran	*Le Prophète.*
2336.	Boileau-Narcejac	*Le bonsaï.*
2337.	Frédéric H. Fajardie	*Un homme en harmonie.*
2338.	Michel Mohrt	*Le télésiège.*
2339.	Vladimir Nabokov	*Pnine.*
2340.	Vladimir Nabokov	*Le don.*
2341.	Carlos Onetti	*Les bas-fonds du rêve.*
2342.	Daniel Pennac	*La petite marchande de prose.*
2343.	Guy Rachet	*Le soleil de la Perse.*
2344.	George Steiner	*Anno Domini.*
2345.	Mario Vargas Llosa	*L'homme qui parle.*
2347.	Voltaire	*Zadig et autres contes.*
2348.	Régis Debray	*Les masques.*
2349.	Diane Johnson	*Dashiell Hammett : une vie.*
2350.	Yachar Kemal	*Tourterelle, ma tourterelle.*
2351.	Julia Kristeva	*Les Samouraïs.*
2352.	Pierre Magnan	*Le mystère de Séraphin Monge.*
2353.	Mouloud Mammeri	*La colline oubliée.*
2354.	Francis Ryck	*Mourir avec moi.*
2355.	John Saul	*L'ennemi du bien.*
2356.	Jean-Loup Trassard	*Campagnes de Russie.*

2357. Francis Walder — *Saint-Germain ou la négociation.*
2358. Voltaire — *Candide et autres contes.*
2359. Robert Mallet — *Région inhabitée.*
2360. Oscar Wilde — *Le Portrait de Dorian Gray.*
2361. René Frégni — *Les chemins noirs.*
2362. Patrick Besson — *Les petits maux d'amour.*
2363. Henri Bosco — *Antonin.*
2364. Paule Constant — *White spirit.*
2365. Pierre Gamarra — *Cantilène occitane.*
2367. Tony Hillerman — *Le peuple de l'ombre.*
2368. Yukio Mishima — *Le temple de l'aube.*
2369. François Salvaing — *De purs désastres.*
2370. Sempé — *Par avion.*
2371. Jim Thompson — *Éliminatoires.*
2372. John Updike — *Rabbit rattrapé.*
2373. Michel Déon — *Un souvenir.*
2374. Jean Diwo — *Les violons du roi.*
2375. David Goodis — *Tirez sur le pianiste !*
2376. Alexandre Jardin — *Fanfan.*
2377. Joseph Kessel — *Les captifs.*
2378. Gabriel Matzneff — *Mes amours décomposés (Journal 1983-1984).*
2379. Pa Kin — *La pagode de la longévité.*
2380. Robert Walser — *Les enfants Tanner.*
2381. Maurice Zolotow — *Marilyn Monroe.*
2382. Adolfo Bioy Casares — *Dormir au soleil.*
2383. Jeanne Bourin — *Les Pérégrines.*
2384. Jean-Denis Bredin — *Un enfant sage.*
2385. Jerome Charyn — *Kermesse à Manhattan.*
2386. Jean-François Deniau — *La mer est ronde.*
2387. Ernest Hemingway — *L'été dangereux (Chroniques).*
2388. Claude Roy — *La fleur du temps (1983-1987).*
2389. Philippe Labro — *Le petit garçon.*
2390. Iris Murdoch — *La mer, la mer.*
2391. Jacques Brenner — *Daniel ou la double rupture.*
2392. T.E. Lawrence — *Les sept piliers de la sagesse.*
2393. Pierre Loti — *Le Roman d'un spahi.*
2394. Pierre Louÿs — *Aphrodite.*

2395. Karen Blixen *Lettres d'Afrique, 1914-1931.*
2396. Daniel Boulanger *Jules Bouc.*
2397. Didier Decoin *Meurtre à l'anglaise.*
2398. Florence Delay *Etxemendi.*
2399. Richard Jorif *Les persistants lilas.*
2400. Naguib Mahfouz *La chanson des gueux.*
2401. Norman Mailer *Morceaux de bravoure.*
2402. Marie Nimier *Anatomie d'un chœur.*
2403. Reiser/Coluche *Y'en aura pour tout le monde.*
2404. Ovide *Les Métamorphoses.*
2405. Mario Vargas Llosa *Éloge de la marâtre.*
2406. Zoé Oldenbourg *Déguisements.*
2407. Joseph Conrad *Nostromo.*
2408. Guy de Maupassant *Sur l'eau.*
2409. Ingmar Begman *Scènes de la vie conjugale.*
2410. Italo Calvino *Leçons américaines. Aide-mémoire pour le prochain millénaire.*
2411. Maryse Condé *Traversée de la Mangrove.*
2412. Réjean Ducharme *Dévadé.*

Impression Bussière à Saint-Amand (Cher),
le 26 novembre 1992.
Dépôt légal : novembre 1992.
1er dépôt légal dans la collection : juin 1984.
Numéro d'imprimeur : 3290.
ISBN 2-07-037569-2./Imprimé en France.